SAFİYE SULTAN

Hadım edilmiş bir aşk...

"Sofia"

Ann Chamberlin

Tarihteki Kadınlar Dizisi / Roman

Ann Chamberlin / Safiye Sultan - Hadım edilmiş bir aşk..

Dizgi

M. Pamukçuoğlu

Kapak resmi

Leila, Sir Frank Dicksee

Londra'daki *The Fine Art Society*'nin izniyle

Kapak

Ömer Küçük

ISBN

975-10-1531-6

00-34-Y-0051-0098

00 01 02 03 04 05 12 11 10 9 8 7 6 5 4

1. Baskı Mart 2000

2. Baskı Mart 2000

3. Baskı Mart 2000

4. Baskı Mart 2000

İNKILÂP

Ankara Caddesi, No: 95

Sirkeci 34410 İSTANBUL

Tel: (0212) 514 06 10 - 11 (Pbx)

Fax: (0212) 514 06 12

Web sayfası: http://www.inkilap.com

e-posta: posta@inkilap.com

Çeviren
Solmaz Kâmuran

4. BASKI

İNKILÂP

Viyana
Macaristan
Romanya
Osmanlı
İmparatorluğu
Venedik
Istria
Dalmaçya
Tuna Nehri
Adriya Denizi
İtalya
Roma
Yunanistan
Edirne
Lepanto
(İnebahtı)
Sicilya
İyon
Denizi
Korfu
Körfezi
Patmos
Peloponez (Mora)
Malta
Girit
A k d e n i
Kuzey
Venedik Cumhuriyeti
Osmanlı İmparatorluğu

Volga Nehri
Rusya'ya
Don Nehri
Hazar
Denizi
Kafkas
Dağları
Ermenistan
Anadolu
Osmanlı
İmparatorluğu
İran'a
Konya
Kıbrıs
Nil Nehri
Mekke'ye
Osmanlı İmparatorluğu
Kanuni Sultan Süleyman
ve
Venedik Cumhuriyeti
1562

Bölüm I

Giorgio

I

UPUZUN ÖMRÜMÜN, gelmiş geçmiş binlerce günü içinde en unutulmazı Vali Baffo'nun kızına rastladığım gündür.

Ben, Giorgio Veniero, işte o gün, bir manastır duvarının tepesine tırmanmak zorunda kalmıştım.

Hem yılın, hem de benim mevsimime denk düşmesine karşın, gençlik ateşiyle dolu bir karnaval şakası değildi bu. Gizli bir mesajı iletmekle görevlendirilmiştim ve bunu yerine getirebilmek için o duvara tırmanmam gerekiyordu. Venedik Dukası'nın, benzer koşullar altında herhangi bir genç kıza söyleyeceklerinden hiçbir farkı olmayan mesajı ilginçleştiren tek şey, onu ileteceğim genç kızın kendisiydi. Majestelerinin sekreteri, bu genç kızın gizli isteklerinin cevabına biraz şaka ve alay katmayı düşünmüştü galiba.

İçimde yeni yeni tomurcuklanmaya başlayan romantizm ve serüven istekleri, bu öneriyle kıpır kıpır oluverince balıklama atlamıştım fırsatın üstüne.

Daha önce bir manastır bahçesi görmemiştim, tabii ki bir rahip değildim ve olmaya da hiç niyetim yoktu. Bu ateşlenmenin nedeni herhalde yaşamın kabuğunu çatlatan ilkbahardı. Oysa mevsim hâlâ kıştı ve üzerinde saklanmaya çalıştığım çınarın salkım saçak geyik boynuzlarına benzeyen çıplak dallarındaki yünümsü püsküllerin bana faydası yoktu. Havanın da... Sert, soğuk ve netti, elmas gibi.

Sanki soyunmuş bir bahçenin iskeletiydi gördüğüm;

ıslak, humuslu toprağın kokusu, vıyır vıyır çalışan solucanlar, çiçeksiz nemli tarhlar ve çuval üstünde bir safir gibi gökyüzünün altında yapayalnız, savunmasız dikilen ben. Genç kızın kaçamak konusundaki yeteneklerinin oyuncağı olacağımı, yani bir anlamda onun karşısında çaresiz kalacağımı bile bile ve yakalanma korkusuyla içim titreyerek ağaçta biraz daha yukarı tırmandım.

Havanın ayazından duyarlılığını kaybeden parmaklarım iyiden iyiye beceriksizleşmişti.

Ve sonunda o göründü, yanında halası vardı. İkili, bahçenin öbür ucundaki gri, taş duvarlı yemekhanenin karşısındaydı. Ne duruştu o... Eğer ben de onun gibi, unutulmuş eski bir mezarda açmış orkide gibi dursam başım ciddi belalara girerdi mutlaka.

Yaşlı kadının bana dönük yüzü sanki taş duvarın bir parçasıydı. Kalbim duracak gibiydi, ellerimse giderek şapşallaşmıştı, tutunamaz haldeydim. Madonna Baffo'nun halasını bahçeye çıkarması nasıl bir dikkatsizlikti. Şayet bu karşı çıkamayacağı bir beraberlikse, en azından benim gizlendiğim tarafa bakmasını engelleyemez miydi? Manastır bahçesinde saklanan bir genç adam... Beni fark etse, bu yaşlı kadın kimbilir neler neler söylerdi...

Halanın başörtüsünün arasından görünen yüzü, kış sonunda bir yaban elmasına benziyordu: Kırmızı, yumuşak, kırış kırış ve rahatsız edici. Acıyla doluydu... Sepet dibinde unutulmuş bir meyve, dine adanmış bir bekâret, insanlığın parlak geleceği uğruna kendini feda ediş... Acı acı üstüne katmerlenmişti bu yüzde.

Mutsuz rahibeye şöyle bir bakış atmaktan daha fazlasına asla cesaret edemezdim. Kadının yüz hatlarının dışında bir şey daha dikkatimi çekmişti, bu beraberlikte garip bir bağlılık, bir çeşit büyülenme vardı sanki. Tek düşündüğüm Baffo'nun kızının halası üzerindeki etkisini bal gibi bildiği ve bir ip cambazının izleyicilerin nefesini bir an kesmek uğruna dengesini yitirme numarası yapması gibi tehlikeyle oynadığı oldu. Ve kendime sordum; neden, neden izleyiciler oturup, bir hüneri adam gibi seyretmek yerine nefeslerinin kesilmesi heyecanını tercih ederler?

Tekrar bakmaya cesaret edebildiğimde yaşlı kadın gitmişti, sanki buharlaşıp uçmuştu, nereye gittiğini anlayamamıştım ve genç kız onu tanımam için bir şifre olan popüler şarkıyı ıslıkla çalarak benim saklandığım yere doğru yürüyordu. "Islık çalan kızları ve horoza özenip ötmeye çalışan tavukları kötü sonlar bekler"... Dedikoducu yaşlı kadınlar gibi bunun üstüne bir şeyler türetmediysem de manastırda yetiştirilen soylu bir kızın böylesine arsız, hayâsız bir şarkıyı nasıl öğrenmiş olduğunu çok merak etmiştim.

Bana doğru, o çınarın dibinde buluştuklarının ilki olmadığımı ima eden bir edayla ilerliyordu. Biraz hayal kırıklığına uğramıştım ama bir sürprizle karşılaştığım da söylenemezdi. Yine de itiraf etmeliyim ki, halasıyla sık sık oynadığını sandığım bu gizemli oyun beni şaşırtmıştı, bir de sandığımdan çok genç olması...

Gemiciliğimin onu etkilemesini umarak ağacın gövdesinden hızla aşağı kaydım.

Madonna Baffo, on dört yaşına göre uzun boyluydu ve yaşıtlarından daha kadınsı bir görünüşü vardı. Beni esas allak bullak eden inanılmaz güzelliği oldu. Soluğum kesilmişti, sanki gece yarısı bir hayaletle karşılaşmıştım.

Başkaları da bunu söylemişti ve onu gençliğinde, şu kasideciler bile doğmadan önce gören ben de aynı şeyi söyleyeceğim: Yürüdüğünde, bu bir danstı. Dama taşlı patikada, saç tellerine kadar tüm vücudunu titreten adımlarla adeta neşeli bir saray dansı yaparmışçasına geliyordu. Büyü doluydu bu, hem izleyen hem de yapan için. Duygu dolu adımlar, ıslıkla çaldığı popüler, bayağ şarkıya eşlik ediyordu. Şarkının adı, hatırladığım kadarıyla, "Gel, haydi aşkım gel, tomurcuklanan koruya gel"di.

Bana ulaştığında, önümdeki çukura düşürdüğüm şapkamı temizleyip üzerindeki mavi boyalı devetüyünün tozunu almaya çalışıyordum.

"Madonna Baffo," dedim, "Size kendimi tanıtabilir miyim? Ben Giorgio Veniero, hizmetinizdeyim, eğer izin verirseniz..."

"Sen Dük'ün adamısın."

Soru sormaktan çok durumu saptayan bir sözdü bu, kızın iş konuşması tonundaki sesiyle hemen derlenip toparlandım. Yine de ona baktığımda pek de kendime gelmiş sayılmazdım. Manastır yaşamının biçimlendirmesi, kıyafetlerinden çok tavırlarında baskındı. Elbisesi, kahverengiyle olgun portakal kızıllığı arasındaydı ve üzerinde şeftalimsi, altın boyamalar vardı. Saten kumaş, âşığının kollarında kıkırdayan şehvetli bir zampara gibi bu zenginliğin pırıltılarıyla sanki yaramazca fingirdeşiyordu.

Aynı zarif görüntüye sahip daha mütevazı eteklikler-den en az dört tane daha çıkardı başparmak kalınlığında pililerle donanmış bu elbiseden. Son moda yeleğin önü kısaltılmıştı ve şeffaf gömleğin arasından görünen bereketli gerçek, insanda bin bir arzu uyandırıyordu.

Elbisenin balonumsu kollarının mutlak bir hikâyesi olduğunu düşündüm. Aksi suratlı yaşlı hala, bir kol için en azından iki kat kumaş alınması konusunda kim bilir ne yalvarış, yakarış ve numaralarla, nasıl ikna edilmişti. Ama mutlaka arkasını döndüğünde kız pek çok şey daha kapmıştı, kumaşın kabarıklıkları ihtirasla doluydu. Havva'nın çaldığı elmanın hem yalvarışın, hem de günahın sembolü olması gibi.

Daha önce gayet doğal ve hoş bir biçimde duran pantolonumun önünde aniden beliren münasebetsiz kabarıklıktan tedirgin "Hizmetinizdeyim," diye tekrarladım.

O sabah özenle giyinmiştim. Duvarlara tırmanmam gerekeceğini bildiğimden dizlerime kadar üzeri yaldız işlemeli, lacivert Türk kadifesinden dublelerle kendimi korumaya almıştım. Kıyafetim belki de, saygın elçilik görevlilerininkileri andırır bir havada, bir parça abartılıydı. Ama yeşil mavi hareli yeni ipek pantolonumun ve çift kat lacivert kadife ceketimin arasından görünen pırıl pırıl beyaz keten gömleğimin yaratmasını beklediğim etkiden emindim.

Denizlerde ve kıyı kayalıklarında geçen yaşamım bana uzun ve güçlü bir çift bacak, düzgün kalçalar ve gergin bir karın vermişti. Bu yüzden pantolonun beliyle çift kat ceket tam olarak buluşmuyor ve bu aralıktan da gömleğim görünüyordu. Bu görüntünün daha fazla aşırılıkla gölgelenmesini istemediğim için kısa kenarlı bir dövüş şapkası seçmiştim. Uzun, hareketsiz bir bekleyişten ve bu genç kızın üzerimdeki ateşli etkisinden titreme nöbetine girmek üzereydim ama yine de şapkamı prova edilmiş bir kabadayıca havayla omuzlarıma doğru geri atmayı başararak onunla yüz yüze geldim, sonra da hemen çenemi ovaladım.

Hâlâ yeterince çoğalmamış olan sakalımı tarayarak, şekiller vermeye çalışarak, alışılmışın dışında zaman harcamıştım o sabah. Sonunda da Madonna Baffo'nun, temiz traşlı Batılı bir görünüşü, benim bir türlü hâlâ edinemediğim sakallı Doğulu görünüşüne tercih edeceğini umarak sinekkaydı traş olmuştum.

Ne yazık ki iki saat sonunda uzamaya başlayan kıllar yalnızca çene ucumdakiler değildi ve almış olduğum bu kararın doğruluğundan artık kuşkudaydım. On beşimde, yaşıma göre bayağı deneyimden geçmiştim, ama bunun bana kazandırdığı özgüven, doğrusu bayağı azalmaya başlamıştı.

Baffo'nun kızı beni kahverengi sonbahar yapraklarının sakinliğinde gözlerle süzdü. Emsalsiz dolgunluğunu daha sonra öğreneceğim ağzı, görüşmemizin hazırlığında ince ve gergindi. Bakışlarıyla beni incelemesi güçlü ve kısaydı ama arzudan yoksun değildi. Yine de, bana doğru ilerlerken beni kıvrandıran acılı arzunun tam karşılığı değildi bu. Pek çok kızın böyle durumlarda bir türlü başa çıkamadığı o yüz göz kızarmalarının ve sıkıntıdan ateş basmaların esamisi bile okunmuyordu onda. Benim soylu süsümün püsümün içine bir dalıverse yalnızca onların altındaki tenimi değil başka şeyleri de göreceği kesindi.

Orada, şaşkın ve kendi düşüncelerimden bile utanarak dikilip kalakaldığım andaki garip durumu ancak uzun yıllar sonra isimlendirebiliyorum. Rastladığı tüm erkeklere yaptığı gibi bende de gözünü diktiği "güç"tü. Üstelik, benim durumumda bu güç, yalnızca bir manastır duvarına tırmanabilmekten ibaret olsa bile...

Baffo'nun kızı kımıldadığında dans eder gibiydi, üstelik de işveli bir kadın gibi değil, yarış öncesi kapıda sabırsızlanan bir kısrak gibi. O öğleden sonra, henüz on dördünde, içinde tutuşmuş arzunun adı da "ihtiras"tı.

"Haydi söyle mesajını..." Karmakarışık duyguların yarattığı şaşkınlığım onu sabırsızlandırmıştı.

"Dük tarafından size gizli bir mesaj iletmekle görevlendirildim..." Kızardım ve sonra da kekelemeye başladım.

" Neredeyse bir saattir buradasın." Sabırsızlığı vahşice azgınlaşmıştı. " Ve şu ana kadar söylediğin hiçbir şey mesajla ilgili değil. Dük'ün adamı olduğunu ben biliyorum, sen de biliyorsun. Venedik'teki her sokak çocuğu da senin Dük'ün adamı olduğunu biliyor mu?"

Elbise kıvrımlarının arasından görünen tenini seyretmekten cevap veremiyordum. Omuzları, köprücük kemikleri, bir dizi inciyle süslenmiş bembeyaz ve upuzun boynu harikulade güzel bir yontu mükemmeliğindeydi. Minik burnu ve çenesiyle oval yüzü, iki küçük çimdik atılmış Floransa mermerinden bir yumurtaydı sanki. Bu biçim, kulaklarında sallanan ağır, gözyaşı damlası şeklindeki incilerde yansıyordu. Ve gözleri... O renk, o büyüklük, o ışıklar bademleri hatırlatıyordu.

"Haydi" diye ısrar etti, "Majesteleri Venedik Cumhuriyeti'nin Büyük Dükü bana neler söylüyor? Ben, Sofia Baffo, Korfu Adası Valisi'nin kızı, babam tarafından apar topar adaya gitmem emredildi. Sanıyorum ki, bana adanın görgüsüz zenginlerinden bir koca bulmuş. Bununla hem kendi pozisyonunu garantileyip güçlenmeyi, hem de ada yerlileriyle bir küçük kan bağı kurmayı hedefliyor herhalde..."

Onun konuşmasını izlerken, Baffo'nun kızında en belirgin özelliğin saçları olduğunu fark ettim. Pek çok Venedikli kadın güzelleşme uğruna limon ve sirke ile saçlarının rengini açıp onları cansız, mat, yolunmuş ot demetlerine benzetirdi. Onun sarışınlığı ise gerçekti ve başa çıkılmaz bir canlılıkla doluydu. Pırıl pırıl altın telcikler, başındaki beyaz tülün loşluklarından dökülüyordu. Ve bu baştan çıkarıcı karışıklık, bana onun tamamen masum olmadığını düşündürüyordu.

Masum değildi, fakat o sırada kesinlikle bu etkisinden habersizdi. "Bir Korfulu ile evleneceğim, ha?" diye üzüntüyle bağırdı. "Ben buna mı layığım? Göklerdeki Yüce Tanrım, tırnaklarının içi kapkara kirle dolu bir köylü mü olacak benim kısmetim?"

Utançla, şapkamı kavrayarak ellerimi arkada kavuşturdum, çünkü tırnaklarımı genellikle ihmal ederdim.

"Ben, her şeyin merkezinde olması gereken Sofia Baffo! Tam yürekte... Tam yürekte olması gereken... Tek dileğim bu. Tam yüreğinde olmak her şeyin!"

Kendimi bu sıkıntılı durumdan kurtarmak için, dünyayı da ne çok bildiğimi ima eden bir biçimde "Korfu çok güzel bir adadır" dedim. " Onun güzel limanında dört kez demir attım. Hatta bir seferinde babanızla da karşılaştım. Çarpıcı bir adam. Tıpkı kızı gibi..." Bu iltifatı onun yüzüne bakarak söyledim ve sessizliğini de devam etmem için verilmiş bir izin olarak algıladım.

"Ve Korfu sanıldığı gibi, öyle her şeyin merkezinden de pek uzak değildir. Bizim Doğu ticaret yollarımızın gırtlağı, Adriyatik Denizi'nin ağzı gibidir. Güvenli bir Korfu, Venedik için çok önemlidir."

"Aptal", diye bağırdı. "Bunları bilmediğimi mi sanıyorsun? Babam çok güzel mektuplar yazıyor, evet... Ama Korfu nedir? Venedik'le dünyanın neresi kıyaslanabilir? İşte San Marko Meydanı, işte Düklük Sarayı, işte dünyanın her yerinden gelen gemilerin yanaştığı Büyük Liman. İşte benim kalmaya kararlı olduğum yer, her şeyin kontrol altında tutulduğu yer..."

Onun dünyayı bu şekilde hayal etmesini ve bu duyguları keskin bir biçimde bir manastırda yaşamasını oldukça garip bulmuştum.

"Haydi söyle bana" diye devam etti. "Dük ne diyor? Bana Korfulu bir köylüden daha iyi bir koca bulmuş mu?"

"Adam bir köylü değil." Bir başkası adına konuşmak beni nasıl da coşturmuştu. Dürüst olmak gerekirse bunu kendim için asla yapamazdım. "Ailesinin adı Altın Kitap'taki listede." *Benimki de, benimki de...* Sesli olmasa da yüreğim konuşup duruyordu. *Ve ben sülalemizin son erkeğiyim, uygun ve zorunluyum evlenmeye, hatta bunun için ölüyorum.* "Adı mutlaka kitapta olmalı, yoksa asil Baffo ailesinden biriyle evlenmeyi insan aklına bile getiremez."

Baffo'nun kızı sert bir el hareketiyle sözlerimi kestirip attı. Aynı kolaylıkla Altın Kitap'ı da fırlatıp atabilirdi. "İşte Dük'ün yeğeni... Duyuyorum, genç, hoş biri, üstelik bekâr bir adam..."

Şimdi sabrını yitirme sırası bana gelmişti. Dük'ün yeğeninin onun yaşının iki katı olmasına karşın bir şapşal olduğunu biliyordum, üstelik benden daha iyi bir kısmet de olamazdı. "Demek, Dük'ün yeğeni... Bu çok önemli öneriyi Majestelerine yapma cüretini de göstermişsinizdir herhalde..."

"Tabii, neden olmasın? Babamın, adımızı küçültme pahasına o valilik gemisini almasına karşın ben bir Baffo'yum ve onun gibi de olmayacağım. Kendime uygun biri için herkesle konuşabilirim. Dük'le de, gerekirse Papa'yla da... Aklımdan geçenleri Aziz Marko'ya söylemekten bile çekinmem, eğer beni dinlemezse, bu mükemmel fırsatı kaçırdığı için bu onun kendi hatası olur."

Bir manastır bahçesinde bu tarz sözlerin edilmesinden tüylerim diken diken olmuştu. "Aziz Marko, bireysel fırsatların peşinde ve gereksiniminde biri değildir" dedim. "Ve genç bir kadın kendi evliliğini ayarlama çabalarında olmamalıdır. Böyle bir şeyi dullar bile yapmaz. Genç kadınlar..."

"Kadınlarmış! Yuh olsun... Aptal kazlar sürüsü. Onların arasında yaşamak zorundayım, sen bilmiyorsun, asla onlardan biri gibi davranmak istemem, çünkü hepsi de gülünç ve salak. Söyle bana, Dük ne diyor? Yeğeniyle evleniyor muyum, evlenmiyor muyum?"

"Sanmıyorum" diye cevap verdim.

"Hayır, öyle mi, o halde kim olacak? Barbarigo'lardan biri mi, Andrea Barbarigo kötü bir kısmet olmaz, hoş bir adam..."

Bu genç asil adamın bizimkine benzer adının geçmesiyle birlikte heyecandan damarlarımdaki kan azgın bir nehir gibi akmaya başladı. O ise beni hiç önemsemeyen bir pozda saymaya devam ediyordu.

"Bir Priuli belki de. Ya da bir Barbaro?"

Veniero adını ağzına almadı. Bizim soyumuz da en az diğerleri kadar gözdeydi oysa. Servetimiz azalmaktaydı ama şahsi çabalarımla onu geliştirip artırma azmindeydim.

"Haydi söyle bakalım şu Dük'ün mesajını" diye tekrarladı. "Kararlaştırılan yere, kararlaştırılan zamanda geldiğine göre bana söyleyecek bir şeylerin olmalı."

Artık yalnızca ona değil kendime de kızgındım. "Majesteleri Dük Hazretleri, babanızın size emrettiği gibi Korfu'ya giden gemiye binmenizi söylüyor, aksi takdirde sizi dizlerine yatırıp kendi öz kızına yapacağı gibi bir temiz dövecekmiş."

"Bir Baffo kızına ne çeşit bir mesaj bu? Bir kibar hanımefendiyle bu şekilde konuştuğun için seni meydanda teşhir ettiririm ben, rezil..."

"Affedin beni Madonna, fakat bunlar tam tamına onun sözleridir. Eğer bunun doğrulanmasını istiyorsanız, benimle birlikte saraya gelin, Dük'ün karşısına birlikte çıkalım."

Aslında söylediğim tam olarak gerçek değildi. Majestelerinin huzurunda daha önce hiç bulunmamıştım, yalnızca onun rutin mektuplarına cevap veren sekreterle görüşmüştüm. Ama şimdi kızın bunu istismar etmesine izin veremezdim. Vali Baffo, Dük'ün seçilmesinde payı olan biriydi ve sadık bir sekreter de, kızı buna uymasa bile Vali'ye itaat edilmesi gerektiğini biliyordu.

Baffo'nun kızı, öfkeyle azıcık renklendirilmiş olsa da gerçeğine çok yakın olan bu küçük yalanıma inandı. "Pekâlâ. İyi günler Sinyor."

"Veniero". Adımı onun için tekrarladım. O benim

asaletimi ve unvanımı önemsemese de ben ona özellikle "Madonna" diyerek bunu bir kez daha hatırlattım.

"Eğer, Barbarigo'ya kendi başınıza birtakım notlar yollamayı düşünüyorsanız" dedim, "bunu unutun." Kıskançlık, sesime keskinlik kazandırmıştı. Devam ettim. "Belki de biliyorsunuz, ben de sizinle aynı gemide olacağım. Büyük 'Santa Lucia'nın ikinci kaptanıyım."

"İkinci kaptan!" Aşağılayarak söyledi bunu. "Şimdi görüyorum ki yalanlardan ibaretsin; değil bir kadırganın, bir balıkçı teknesinin ikinci kaptanı bile olamayacak kadar gençsin sen."

Bu kez gerçeği söylemiş olmama rağmen, küçümseyen ses tonu beni öylesine yaralamıştı ki, kendimi berbat bir övünme tiradı yaparken yakalanmış gibi hissediyordum.

"Amcam geminin kaptanıdır." diye cevap verdim. "Sekiz yaşımdan beri onunla birlikte denizlerdeyim ve bana böylesi sorumluluklar verecek kadar güvenir. Bir de şunu eklemeliyim..." Arkasına doğru yürüdüm. "Aynı zamanda sizin ve kutsal refakatçinizin güvenli gezisinden de ben sorumluyum..." Halanın manastırına doğru işaret ettim. "İyi günler Madonna Baffo. Sizinle Aziz Sebastian Günü deniz yükselirken görüşeceğiz."

Kız bunun üzerine nefesini tuttu ve küçük bir öfkeli çığlıkla bıraktı. Durdu, yerden bir avuç çakıl taşı alıp bana doğru fırlattı. Benim gibi gemi halatlarında dolaşmaya alışık biri için duvara bir anda tırmanıvermek hiç de zor değildi. Onun öfkesinin ulaşamadığı duvarın tepesine tünedim.

Şapkama tekrar dokundum ve Vali Baffo'nun kızına veda ettim. "Aziz Sebastian Günü'ne kadar..."

Sonra duvardan atladım, küfürleriyle uğurlanarak dar sokak ve kanal boyunca uzaklaştım.

II

ÖĞLEDEN SONRA başımdan geçenleri anlattığımda amcam Jacope, şaşırmış bir edayla başını iki yana sallayarak "İhtiraslı ve başına buyruk bir kız" dedi.

Bir an ürperdim. Aynanın önünde takmaya çalıştığı, çatık kaşlı, grotesk burunlu siyah maskenin ardından gelen hışırtılı ses sanki bir mezardan yükseliyormuş gibiydi.

Amcam, uzun konik bir beyaz şapkanın parçası olan maskeyi yüzünden çıkardı. İşte şimdi benim tanıdığım ve sevdiğim adamdı. Anne ve babamı kaybettiğim o korkunç salgında onun da karısı ölmüştü ve beni o büyütmüştü. O benim her şeyimdi. Bin bir rüzgârla dalgalanmış gri saçlar, yıllarca güneş altında kalmaktan kırışmış bir yüz ve çakmak çakmak parlayan kopkoyu gözler...

Çıkarılıp katlanınca deminki korkutuculuğunu yitirmiş olan maskeyi bana doğru uzatarak "Neden bu gece bunu sen takmıyorsun?" dedi.

"Ben mi?"

"Ben, kendi payıma düşen tüm maskelemeyi yaptım gençliğimde. Bir yığın azgınlığı, aptallığı, kafasızlığı saklamak için bol bol kullandım bunu, inan bana."

"Sen mi amca?" Şaşırmıştım. "Benim dindar, Allah'tan korkan amcam... Buna asla inanmam!"

Muzip bir şekilde göz kırptı. "Bana inanmazsın, çünkü ben bunları yaparken daima maskeyle dolaşıyordum." dedi. Artık neredeyse onunla aynı hizada olan omzuma dostça vurdu eliyle. "Her şeyi, zamanı gelince gücü devralan gençlere bırakmak gerek. Sana devredeceklerimin ilki olarak kabul et bu maskeyi."

"Ama amca, daha senin için çok zaman var, yeniden evlendiğinde senin yanında sağdıcın olacağım, sonra da..."

"Hayır Giorgio, ben evlenmeyeceğim. İstesem de bir oğlum olamaz artık. Bir yığın liman, bir yığın orospu... Taşıdıkları hastalıklar... İsabella'ya, o kadına, tüm erdemine karşın yaptıklarımı, bir başka dürüst kadına daha yapamam. Artık her şey senin elinde. Tanrı'nın verdiği bu bahçeyi yeniden sen canlandırıp güzelleştireceksin. Benim düştüğüm hatalara düşme."

Amcamın bu ani ve alışılmadık konuşma biçimine net bir cevap vermem gerektiğini düşündüm ve "Hayır, aynı hataları tekrarlamayacağım" dedim. "Yalnız bana izin ver, maskeyi bu gece Karnaval'da takmayayım."

Alaycı bir edayla maskeyi geri iten amcamın ruh hali değişeceğe benzemiyordu. " Sana bu ata yadigârını, Veniero zamparalarının eski maskesini veriyorum."

Böyle konuşunca artık benim itiraz hakkım kalmamıştı. "Teşekkür ederim yüce yürekli amcam, ben de büyük bir onurla kabul ediyorum," dedim.

"Ama onu bu gece Karnaval'da takacaksın."

Amcam dışarı bakarken avucunda, benim basit, saten göz bandımı alıp buruşturdu. Üçüncü kattaydık. Ailenin daha lüks meraklısı bireyleri kesinlikle alt katları tercih ederlerdi. Ama bizim için, denizde geçen uzun aylardan sonra bu küçük odalar bile harikaydı. Upuzun seferler... Bizim çalışmamız onlara harika dokumalar, İran halıları, gümüşler olarak dönerdi. Başka yerlerde pek rastlanmayan ama, burası için olağan kabul edilen vitraylar paha biçilmez değerdeydi. Hatta amcamın şu anda dalıp gittiği üçüncü kat pencerelerindekiler bile...

Pencere, yirmiden fazla kırmızı, yeşil ve düz camdan yapılmış panodan oluşuyordu.

Bulunduğum yerden tek görebildiğim, dairesel kurşun çerçevelerin arasında uçan bir martıydı. Amcamın daha fazlasını gördüğü muhakkaktı.

Karamsar ruh halinden kaynaklanan hüzünlü bir sesle "Ah, Venedik..." diye içini çekti. "Eğer Âdem'in Havva'yla birlikte kovulduğu Cennet Bahçesi, Venedik gibi bir yer olsaydı, Havva onu yalnızca bir incirle asla kandıramazdı."

Yaklaşık altı yıl önce ölmüş olan ünlü yergici ozan Pietro Aretino'ya gönderme yapıyordu. Amcamın söylemek istediğini anlıyordum. Bütün o gidip gördüğümüz yerlerden Venedik'i ayıran çok önemli bir özellik vardı: Maskeli Karnaval Geleneği. Bir yandan bunları düşünürken bir yandan da bir başka bahçede beni allak bullak eden Baffo'nun kızını geçiriyordum aklımdan. Sinyorina Baffo, doğrusu istediğimden kısa olarak geçmişti amcamla konuşmamızda ama bu konuyu tekrar nasıl açabileceğimi bilemiyordum, özellikle de amcamın içinde bulunduğu bu tuhaf ruh halinde...

Kendimi öylesine kaptırmıştım ki düşüncelerime, yüksek sesle "Ondan söz etme zevkinden asla vazgeçemem," deyivermiştim.

Amcam keyifle güldü ve benim bu "büyüyen delikanlı iştahı"mla dalga geçti. Daha sonra şöyle dedi. "Doğrusu Vali Baffo'nun, kızını hiç de güvenli olmayan yılın ilk seferi için zorlamasını anlayamıyorum. Yani bu evlilik daha uygun bir havada yapılamaz mıydı sanki?"

"Vali, senin maharetini biliyordur amca, senin en büyük fırtınalarda bile en sakin limanları bulup, kızını güvenlik içinde ona getireceğinden emindir."

"Aziz Elmo'ya bunun için dua edelim." Amcam bendeki bu ölüme karşı pervasız duruşun gençliğe özgü bir düşüncesizlik olduğunu ses tonuyla ima ediyordu. Bana bir bakış daha attı ve devam etti. "Ben aslında artık bu işi bitirmek istiyorum. Yeterince dolaştım denizlere demir ata ata, bezdim artık. Dua et Giorgio, ayın yirmisinde güzel bir hava olması için dua et. Bir kez daha, yılın ilk seferinde sağlık ve başarı için Tanrı'ya dua et."

Belki de sıkıldığımdan maskeyi takıverdim, hiç düşünmeden. Burnumun üzerindeki siyah köseleden, sanki amcamın kendi derisinden yüzülmüş de yapılmışçasına, onun hafif ekşimsi ve tuzlu kokusu geliyordu. Aynada, nişe dayalı duran amcamın Kutsal Bakire heykeliyle yan yana duruyormuş gibi algılanan yansıması beni yine düşündürdü.

Yanaklarımı titreten Sofia Baffo'ya duyduğum arsız açlık, silinmiş tebeşir izleri gibi temizlenip gitmişti sanki. İşte böyle yadsınamaz bir etki vardı maskelerin gizeminde. Neşe ve keder, iyilik ve kötülük, gençlik ve yaşlılık gibi kendi bireyselliğinize ait her şey buharlaşıp gidiyordu onu takınca. Hatta erkeklik ya da kadınlık bile saklanabilirdi. Ve daha da ilerisi, hamilelik bile böyle bir maskenin arkasında yok olup gidebilirdi. Hiç doğmamış olmak gibi bir şeydi bu, yani en azından anlatılanlardan bunun böyle olduğunu umuyordum.

Dünya bizi bireyler olarak görmeye başlayınca, soyup değiştirmeye de başlar. "Her şeyi yapabilirsin" der, "ama artık asla, asla gençliği denememiş biri gibi değil, küçük âciz adamın küçük âciz oğlu, ya da kızı..." Ama bir insanın yüzünden tüm bu yaşanmışlığı da çeker alırsanız orada ne kalır? Özgürlük de yok olur, güç de...

Ruhumda korku dolu bir ürperme hissettim ve bana onay vermesini istercesine amcama döndüm. Bendeki bu hezeyan onu da etkilemişti. Maskesinin altından görünen dudaklarını kaygıyla sarkıttı ve düşünceli düşünceli baktı. Venedik'in çanları çalmaya başlamıştı. Şeffaf cam panonun arkasından kuşların çoğalarak uçtukları görülüyordu. Martılar ve güvercinler birlikte akşam duasına çıkmış gibiydiler.

"Haydi, vakit geldi, artık gidiyoruz," dedi amcam. Yatağın üstünden gece pelerinlerimizi eline aldı ve benimkini bana uzattı.

Hüseyin de belki bizimle gelir diye yan odaya uğradık ama bunu başaramadık. Hüseyin aileye çok bağlı bir eski dosttu. Bizleri öyle severdi ki, Komutan Marc Antonio Barbaro'nun gözetimi altında olan kendi ırkından insanlarla bile bir araya gelmezdi. Hüseyin, her zaman bir vakar içinde davranan biriydi, biz de üzerimizdeki bu Karnaval gevşekliğini bir tarafa bırakmamız gerektiğinin bilincindeydik. Ne de olsa o yaşamını Hıristiyan gibi geçiren bir Müslüman'dı. Halinden memnun gibi görünse de ne zaman bir kilise çanı çalsa, onun bir müezzinin sesini duyduğunu fark edebiliyordunuz. Yüzünde saklayamadığı bir yalnızlık ifadesi vardı, buna sıla hasreti de denilebilirdi. Diz kapaklarındaki sızılar ise Mekke'ye dönük bir halının üzerinde dalıp dalıp gitmesindendi belki de. Venedik onu ne kadar az görürse, o kadar huzurlu kalacağı kesin gibiydi.

Ve böylelikle Hüseyin'i kendi düşünceleriyle baş başa bırakıp yanından ayrıldık. Hizmetkârlar bölümüne uğrayıp zenci Piero'yu aldık yanımıza. Dönüşümüzde meşale taşımak için ona ihtiyacımız olabilirdi.

Dışarı çıkar çıkmaz da Piero'nun raftan, unutmadan bir tane almış olduğunu ümit ettik. Çünkü böyle kış gecelerinde karanlık erkenden bastırıyordu. Denizden içeri doğru sert bir rüzgâr çıkmıştı ve iri damlalarla yağmur atıştırmaya başlamıştı. Adak yerlerinden pek çoğunun meşaleleri sönmüştü, yalnızca güçlü olan birkaçı yanıyordu. Aslında Venedik'in dar sokakları bu kutsal mekânların ışığıyla bol bol aydınlanırdı, ama fırtına olmaması koşuluyla. Karanlıkta yanımızdan soğuktan titreyen birkaç Madonna hayalet misali geçti gitti.

Venedik'in taşları sızlanıyor gibiydi, ıslak küfün kokusunu tahtalar salıvermişlerdi. Kanallar alacakaranlıkta çopurumsuydu, üzerlerindeki köprülerin basamakları kaygan kaygan parlıyordu. Altından geçtiğimiz alçak kemerler biraz korunaklıydı, ama çatı süslemelerinde dans edip duran, sudan fırlamış hayaletlere benzeyen ışıklar korkutucuydu. Aslında üzeri kapalı bir gondol gecesiydi, ama eski bir denizci olarak amcam, karaya bir kez ayak bastı mı onun tadını sonuna kadar çıkarmaktan asla vazgeçmezdi.

"Venedik'in gerçek bir kara parçası olduğu konusunda kuşkularım olsa bile," dedi şakacı bir sesle. Pek çok yerde karanlık sular çoktan yükselip, avlulara ve bahçelere yayılmaya başlamıştı.

Sonunda rahmetli annemin akrabaları olan Foscari'lerin sarayına geldik. Bu refah ve zenginlik merkezi, dört katlı parlak tuğla evi çok iyi bilmiyordum. Foscari'ler böyle günlerde verdikleri davetlerle bize karşı ailevi sorumluluklarını yerine getirdiklerini sanıyorlardı. Hele bir de biz buralardan uzakta, denizde isek gelen bütün resmi çağrıların tadını daha da bir zevkle çıkarır, bana da yaşanacak sıkıntıları bırakırlardı.

Parlak kırmızı ceketiyle kapıyı açan uşak, adımı bir anda hatırlayamadı. Amcam bana imalı bir bakış attı. Maskenin ardından bile olsa pek çok şey ifade eden bir bakıştı bu. Sessizce durdum, çoğu zaman yaptığım gibi. Bir gün nasıl olsa,Tanrı'nın yardımıyla Foscari'leri olmaları gereken yere oturtacak ve onlara bir daha asla unutmamak üzere adımı öğretecektim.

"Venedik'in sokakları boyunca uzanıp giden adak yeri bolluğunun nedeni anlaşılmaz değil." Amcamın kulağına bunu fısıldadığım anda sabrım artık taşmak üzereydi, neyse ki tam o sırada arkamızdaki kapı kapandı ve hizmetkârlar ıslak pelerinlerimizi aldı. "Belki de hemen yarın bir mum alıp, göklerle böyle bir anlaşmaya girmeliyim, ne dersin?"

Foscari'lerin giriş salonu daha yakından ahmak bir hayranlıkla seyretmek istediğim Bellini ve Titian resimleriyle donatılmıştı. Amcam kendime hâkim olmam gerektiğini ima ederek gülümsedi. Gerçekten o büyük adağı yapma arzusuyla doluydum. Ama yine gençliğe özgü bir biçimde bunu geciktirip duruyordum.

O akşam, Foscari sülalesinden dayılarım, özel tiyatro salonlarında, Noel ve Epiphany yortusuyla da çakışan Karnaval şerefine bir oyun sahneletiyordu. Amcam Jacope ve ben, sahnenin üç tarafını çevreleyen amfi biçimindeki düzenlemenin sol tarafındaki koltuklarımıza ilişirken oyun başlamıştı bile. Bu gecikmemiz için kaşların çatılmasını hak etmesine etmiştik ama burası Venedik'ti ve pek çokları bizden bile daha kaygısızca davranıyordu. Üstelik maskelerimizin arkasında kim olduğumuz beli değildi, belki de Dük ve kuzeni bile olabilirdik, bundan kim emin olabilirdi?

Bu düşünceler aklımı tekrar eski malum konuya götürüverdi. Kulağına eğilip fısıldadım. "Ne dersin amca...? Ne dersin, sence Baffo'nun kızı...?"

"Şimdi o bizim sırtımıza yüklenmiş diğer mallardan sadece herhangi biri" diye imalı bir cümleyle cevap verdi.

Konuşmamız kimsenin umurunda değildi, çünkü oyuna ilgisini kaybeden herkes konuşuyordu. Genelinde insanlar kendi aralarında canlı bir biçimde çene çalıyorlardı, kart çekenler, zar atanlar bile vardı. Kırmızı kadife ceketli hizmetkârlarsa, ellerinde içki kadehleriyle dolu tepsiler, koşturup duruyorlardı. Bazıları da mermer zeminden ayakları üşüyenlere püsküllü yastıklar taşıyordu. Aslında sahnedeki manzara da pek farklı görünmüyordu. Bir cümbüşlü ziyafette avluya bakan balkona yerleştirilmiş sıradan çalgıcılar gibiydi müzisyenler.

Yeni bir oyundu. Yazarın adını bilmiyordum, tabii gerçekten böyle biri var idiyse ve oyuncular da pek matah değildi. Konuyu kavramam uzun zaman almadı. "Komedi del arte"den bildiğimiz karakterlerdi bunlar. Tüm kopya çalışmalarda olduğu gibi ilişkiler tıpatıp aynıydı. Sadece dekor tuhaftı, burnuma çarpan taze boya kokusu, arkadaki panolara yakın geçen oyuncuların kostümlerinin başına pek iyi şeyler gelmeyeceğini düşündürüyordu bana.

Dişi kahraman Colombine'in çıkmasıyla amcam sanki maskemin arkasından düşüncelerimi okudu.

"Yükümüze daima işlenmemiş elmas gibi özenle bakmalıyız," dedi. "Ama buna tuzlu balık muamelesi yapabiliriz."

Tatlı bakiremizin başına gelen bin bir tehlikeli maceranın mekânı her zamanki gibi İtalya dışında bir yerdi. Sıcak aile yuvasından kaçırılmış ve kendini Türk Sultanı'nın hareminde buluvermişti. Sultanı oynayan şalvarlı maskaranın yüzünde karanlık ve şehvetli bir ifade olan bir maske, başında da tabii ki koca bir sarık vardı. Sonunda iş rezalet bir soytarılığa kadar varıyordu. Yaygaracı kaptan ve arkadaşları avaz avaz bağırarak, güya komik bir şekilde, sultanı kendi sarığıyla, "Yaşasın Aziz Marko ve Venedik!" çığlıkları eşliğinde bağlayarak kızı kurtarıyorlardı. Seyirci her ne kadar oyunla ilgilenmese de bu bağırışlar bol bol alkış ve beğeni alıyordu. Onun için de bu cümleler sık sık yineleniyordu oyuncular tarafından.

Amcama, "Hüseyin'in evde kalması isabet oldu," dedim.

Alışılagelmiş bir konunun ve karakterlerin egzotik atmosfere taşınmasının insanlarda yarattığı garip etki beni şaşırtmıştı. Sultan, başına bela gelmesine her Venedikli'nin bayılacağı bir hasımdı. Ama güzel, evlenme çağında, tamamen aileye bağımlı, itaatkâr genç hanımların arsızlığa varan garip çığlıkları daha derinlerde bir fanteziye gönderme yapıyor gibiydi. Ve bunlar galiba düşmanın barbarlığından çok kadınlarımız hakkında bilmediğimiz ve ummadığımız bilgilerle ilgili upuçlarıydı.

Sahneye kurulmuş kalın harem duvarları, manastır duvarlarının arasında geçirdiğim öğleden sonranın bir türlü aklımdan çıkmasına izin vermiyordu.

O sırada "Korfu çok da uzak bir yer değil," dedi amcam gülümseyerek.

Konuyu kolayca kavramanın verdiği bir ilgisizlık içindeydim. Kendilerinden daha da gizemli masklar taşıyan bir seyirci kitlesine oyun sergileyen aktörlerin durumu birden bana çok anlamsız göründü. Acaba kim daha büyük bir kahraman yaratmanın çabası içindeydi, seyirci mi, oyuncu mu? Ve kim daha çok şeyi saklıyordu? Yüzüme koyarken beni ürkütücü bir biçimde saran maskenin gizli gücünü hatırladım. Sahnede bir yığın büyük olayı işleme gücüyle başa çıkan aktör, günlük yaşamına döndüğünde hiçbir kınanma riskini göze almıyordu.

Aktörün gücünden daha da büyük olan bir başka güç ise kendisi izlenmeden izleyebilen ve her şeyi bilen seyircininkiydi ki, bu seyirci gerçek soytarılığın aslında bu görüntünün arkasında saklandığını bile biliyordu .

Bizim Colombine'in pembe, dantel maskesine eklediği Türk kadını peçesi aklıma bir başka şey daha getirdi.

Ya, gerçekte harem, bizim şalvarlı yaşlı maskaralarımız için layık gördüğümüzden daha farklı bir yerse?

"Yüzlerini kapatarak kötü bakışlardan kendilerini sakınan ve bu şekilde bireyselliklerini yitiren Türk kadınları acaba neler hissediyorlardır?" diye sordum amcama.

Amcam yüksek sesle güldü ve omzunu silkti. "Geçirdiğin öğleden sonra galiba senin aklını başından aldı. Bir kadının ne düşündüğünü asla bilemezsin. Türk kadınları onlara yakıştırdıklarımızdan çok daha değişik olabilirler. Bu arada söylediklerim Baffo'nun kızı için de geçerli, bunu unutma."

Amcamla birlikte onların topraklarına çok gitmiştim. Hüseyin'i seviyordum ve onun bir barbar olmadığını biliyordum. Ama "Osmanlı kadını"nı hayal etmeye çalıştığımda aklıma gelenler yine de onlara ait değil de bizim kültürümüzün yaratmış olduğu şehvet yüklü görüntüler oluyordu. Konstantinopolis'te gördüğüm tüm kadınlar Avrupalıydılar; meslektaşlarımızın karıları ve bir de amcamın vaktiyle çokça takıldığı ve o musibet hastalığı kaptığı fahişeler... Mesleklerinde tıkanıklık noktasına ulaştıklarını düşünüp kendilerini daha da geliştirmek için yad ellere kapağı atanlar...

Türk kadınlarından hiç söz edilmezdi oralarda, hele de böyle sahnede sergilenmeleri söz konusu bile değildi. Tekrar hatırlayabileceğim tek bir Türk kadınını bile görmemiştim. Belki de hepsi iki kafalıydı ve dumanı tüten mangallarla, kapalı at arabalarının ardındaki sır da buydu. Belki de bir başka sır vardı. Büyük, insanlık dışı gizemli bir güç, tıpkı benim ülkemin insanlarının inanmak istedikleri gibi.

Türkler'in bir de gölge oyunları vardı. Bir zamanlar Konstantinopolis'teki bir meydanda böyle bir şey izlemiştim. Karakterler bizim burada Venedik'te izlediklerimizden çok da farklı değildi. Çeşit çeşit... Akıldane yaşlılar ve uçarı, tatlı gençler... Olan biten buydu, bir gölge oyunundaki şekiller. Ama düşünelim ki ben de onlar için aynen böyleyim. Bütün anlamlar onlar içindi ama, peki, ipleri oynatan kimdi?

Venedik'in dar sokaklarındaki mum ışıkları bana diyordu ki, Adriyatik'i kendilerine gelin yapmak istemelerine karşın bu insanlar ve hatta maskeleri ve hoyrat seyircileriyle Foscari'ler bile, yani ülkenin en tepedekileri bile, asla ve asla yönetmeye çalıştıkları bu dünyadan emin olamazlardı.

Yüzümü saklayabilmenin bana vermiş olduğu güven duygusunu tekrar anımsadım. O duygu ki bana hâlâ bu gece olan biteni şöylece bir seyretme olanağını veriyordu. Bıraktım gözlerim dolansın ortalıkta. Yeni gelişen memelerde, kabaran erkeklik organlarında, şişirilmiş vatanperverliklerde ya da kısıtlanmamış şehvetlerde, asla bunların yüzüme yansıyacak gölgelerinden korkmadan baktım etrafa... Düşünelim ki Türk kadınları da böylesi bir özgürlüğü bir Karnaval gecesinde ve hatta başka günlerde, üstelik de doğduklarından bu yana yaşıyorlar...

Ey benim göklerdeki Tanrım. Neler düşünüyordum... Dünyada en son isteyeceğim bir kadın olmaktı oysa...

"Ama yine de onları anlamaya çalışmak gerek," dedim amcama.

Sahnedeki hareket tam o sırada beni tekrar kendine çekti. Oyunun üzerinde asla ciddiyetle çalışılmadığı kesindi, hatta büyük bir olasılıkla prova bile yapılmamıştı, ama beklenmedik bir gaf ani bir gülüş patlamasına yol açtı salonda. Bu hava herkesi öylesine sardı ki, maskelerinin arkasında gülmekten gözlerinden yaş gelen oyuncular bir süre rol bile yapamadılar.

Bizim Colombine, soytarı kılıklı, iriyarı bir hadım tarafından korunuyordu. Bu adamı tanıyordum. Metrelerce ipek kumaştan yapılmış kostüm onun herkes tarafından bilinen tipik devasalığını saklamaya yetmiyordu. Adam, dayılarımın gondolcusuydu. Bu küçük role konulmasının sebebi de oyunculuk yetenekleri değil, koca cüssesi ve adeta insanın kulağında patlayan davudi sesiydi herhalde. Yüzünden onu tanıyamazdım büyük bir olasılıkla ama, gondolcunun o şişko göbeği ve manda budu büyüklüğündeki kalçaları kim olduğunu hemen ele verirdi. Onu, altın yaldızlarla bezenmiş şaşaalı Foscari gondolunda bir yandan kürek çekip bir yandan da duygu dolu şarkıları kükreyerek söylerken çok görmüştüm. O günlerde, çılgınca bir tüketimin sembolü olan süslü püslü, soylu gondollarının tümünün siyaha boyanması kararını henüz almamıştı Dukalık.

Güzel Colombine'e dönüp acıklı acıklı, ayaküstü öğrendiği, iğdiş edilmiş, budanmış, kesilmiş gibi sözler üzerine kurulu diyaloğuna başladığında onu daha da kolay tanıdım.

Ama hadım rolünü oynayan gondolcuyu tek tanıyan ben değildim. İki yaşlarında bir çocuk da onu tanımıştı ve kendisini tutanların ellerinden kurtulup sahneye doğru "baba, baba" diye koşturuyordu işte.

Sahnelenen oyunun yarattığı sanal dünyadan kopuveren insanlar aniden bu adamın yalnızca iki yaşındaki ufaklığın değil aynı zamanda onun on kardeşinin de babası olduğunu hatırlayıverdiler birden.

Yan tarafta oturanlar, "Zavallı karısı, Santa Monika'ya her gün, onu, gondolcunun bu utanılası erkekliğinden koruması için yakarıp duruyormuş," diye dalga geçiyorlardı.

Koca adam eteğini çekiştirip duran küçük ele karşı

daha fazla kayıtsız kalamadı ve kendisine sevgiyle "baba" diye seslenen bu yumurcağı kucakladı. Neyse ki, yine hamile olduğu şişkin karnından belli olan karısı yetişip geldi, önce ufaklığı aldı, sonra da kocasının yanağına bir öpücük kondurup seyircinin alkış ve kahkahaları arasında yerine geçti.

Sonunda oyun tatlıya bağlanmıştı. Son birkaç dakikadır olup biten gülünçlüğe öylesine kendimi kaptırmıştım ki, dizimin üzerindeki elin temasıyla adeta bir şok yaşadım. El, usta bir şekilde yavaş yavaş çalışıyordu.

III

AMCAM, siyah maskesinin üzerinden kaşlarını alaycı bir biçimde kaldırdı. Meçhul maskelinin, hemen yanı başında bana yaptıklarının o da farkındaydı. O bundan rahatsız olmadığına göre benim de olmam için bir neden yoktu.

Gerdanı, bilekleri ve parmakları pahalı ama uyumsuz mücevherlerle dolu, vişneçürüğü kadifeler içindeki meçhul maskeli ince uzun bir kadındı. Geniş kare dekoltesi altın iplikle işlenmiş bir dantelle kapatılmıştı, siyah saçları kat kat dökülüyordu omuzlarına, yüzünü saklayan gizemli maskesi elbisesiyle aynı renkte ve yine altın iplikden örülmüş dantellerle süslüydü. Tam bir Venedikli'ydi bu haliyle. Kentimizin kuralları, soylu kadınların iki ya da daha fazla renkte kıyafet giymelerini yasaklardı, tabii altın ya gümüş renkli süslemeler bu kuralın dışında tutulurdu. Doğrusu bu kural benim hoşuma gidiyordu, aksi takdirde ortalık zevksiz bir yamalı bohça maskaralığına dönebilirdi.

Bana söylediği ilk sözler şunlar oldu, "Bahse girerim

ki şu zavallı budanmış Türk'ün durumuna düşmeyeceksin. Eminim bir kadına hayatın zevklerini yaşatabilecek güçtesindir."

Bunları söylerken tiz bir tonda yüksek sesle gülüyordu. Belki de aklımdan hâlâ zaman zaman öğleden sonra olanlar geçtiği için, önce onun, manastırdan kaçıp bir maskenin ardında özgürlüğün tadını çıkarmaya çalışan Baffo'nun kızı olabileceğini düşünmüştüm. Doğrusu böyle bir rastlantıyı bekleyip duruyordum için için. Gülüşünden o olamayacağını anlamıştım. Düşlerimin kadını böyle cırtlak kahkahalarla gülemezdi, onun gülüşü bir ilkbahar meltemi gibi olmalıydı. Ama yine de doğrusu kadın ilk bakışta gerçekten de onu andırıyordu. İçimdeki fırtına iyiden iyiye azgınlaşıyordu, bu ihtiraslı varlığa artık direnemeyecek haldeydim.

Tek sorunum, kahkalarına eşlik etmeye kalktığımda sesimin onunkini bastıracak bir şekilde çıkabileceği olasılığının yüksekliğiydi.

Müzisyenler oyuna ara verileceğini belirten bir parçaya geçmişlerdi. Malum işine teklifsiz bir şekilde devam eden yeni refakatçim, "İntermedi'ye taparım," dedi. Zindanlardan Sultan sarayının kulelerine doğru kutsal bir kovalamaca içinde koşuşturan oyunculara; şarkıcı ve dansçılar şimdi biraz nefes aldıracaklardı.

Konstantinopolis'in minarelerinin üzerini işli bir dokuma kapladı. "Pastoral"in habercisiydi bu ve benim aklım yine öğleden sonraya ve manastırın bahçesine kayıverdi. Onlarca terzinin elleriyle ince ince uğraşıp yaptığı bu güzel ağaçların üzerleri yapraklarla doluydu. Oysa yılın bu mevsiminde hiçbir zenginin serveti bunların gerçeğine sahip olmaya yetmezdi.

Bu doğa desenleriyle bezenmiş perdenin önünde yapılan gösteriyse beklenmedik bir deprem yaratmıştı bizim meçhul maskelide. Dante'nin Cehennem'indeki kayıkçı Phlegyas'ı canlandıran başrol oyuncusu sahneye neredeyse çırılçıplak çıkmıştı. Yalnızca cinsel organının üzerinde parıldayan kıpkırmızı şeffaf bir tül vardı. Bu görüntü yanımdaki hanımın nefesini öylesine kesmişti ki benimle ilgisi bile kopuvermişti birden.

Phlegyas lanetlileri taşıyacağı kayığındaydı. Lanetliler yelpazesi oldukça geniş tutulmuştu. Âdem, Havva ve yarı keçi yarı insan satirlerin yanında Majestelerinin Cumhuriyeti'nin hatta Foscariler'in düşmanları bile vardı. Türk Sultanı da belli ki, intermedio'nun oyunla da bir bağlantısı olmasını sağlamak amacıyla arkalarda bir yerde duruyordu. Tanrı acaba bu dünyevi salaklıkları seyrediyor muydu?

Lanetliler sakin ve sessiz bir bağa ulaştıklarında bir ağızdan ağıt söylüyorlardı. Phlegyas ritme uygun bir şekilde zincirlerini sallıyordu. Bu sesler trombonlar ve viyolalarla yeterince kederli bir biçimde bütünleşiyordu. Cin fikirli birilerinin bu aletleri işkence aletlerine benzettiği aklıma gelince, yanımdaki meçhul maskelinin kulağına, "Müzik de bir işkence metodu olabilir" diye fısıldadım.

Gösteri hakkındaki bu fikrime katılmamasına doğrusu çok şaşmıştım. Ama bu sahneyle belli ki çarpılmıştı ve maskesinin aralığından parıldayan bir damla gözyaşı da sanıyorum, geçmiş günahlarından ötürü duyduğu anlık bir pişmanlıktandı.

"Bu gece için çok fazla..." diye düşündüm.

Kendime başka bir ilgi alanı bulabilmek için çevreme göz gezdiriyordum, birden, salona gecikmiş olarak giren biri genç diğeri daha yaşlıca iki erkeği görerek irkildim. Bunlar amcamla ben zannedilebilecek kadar bize benziyorlardı. Fiziksel benzerlik yetmezmiş gibi genç olanı inanılmaz bir rastlantıyla benim beyaz sivri külahımla, siyah maskemin aynısını takmıştı. Yaşlıca olanının göğsüne kadar sarkan gri sakallarınıysa hiçbir maske saklayamazdı. Bunların sahibinin Barbarigo ailesinin büyüğü Agostino Barbarigo olduğunu tüm Venedik bilirdi. O Agostino ki Onlu Konsey'in seçkin bir üyesiydi ve belki daha yüksek mertebeler için de sıradaydı.

Daha genç olanın tüm sıradanlaşma çabasına karşın bu unvanlar hareketlerine sinmiş gibiydi. Barbarigo'nun varisi Andrea olmalıydı bu.

Andrea Barbarigo adı aklımdan geçer geçmez, onu son olarak duyduğum anı hatırladım, bu kelimenin Sofia Baffo'nun somurtkan dudaklarından çıkışını... Elim kendiliğinden tepkisel bir biçimde sol kalçama gitti. Bu adamı düelloya davet edip gebertmeliyimdim.

Genç Barbarigo gergin bir şekilde seyircilere bakıyordu. Gözleri benimkilerle karşılaşınca, aynaya bakmış gibi şaşarak bir an durdu. Sanki onun aklından da aynı küfürler geçiyordu. Yine de bir maskenin ardında bunlardan emin olmak pek mümkün değildi. Tanıştırılmadığımız halde bana uzun uzun baktıktan sonra durumun farkında olduğunu belirten sert bir hareketle başını eğdi. Bu harekete aynı sertlikle başımı eğerek cevap verdim. Bakışlarını çevirdi.

Bu arada, bizim âşıklar tekrar sahneye çıkmışlardı ve haremde çocuksu bir sorumsuzluk içinde hoplayıp zıplayarak koşuşuyorlardı. Dantel maskeli refakatçimse orman desenli perde kaldırılır kaldırılmaz cehennem ateşini de unutuvermişti. Ya da en azından bu cehennem azabını benim bedenimin en az bir düzine yerine taşımaya karar vermişti. Öyle görünüyordu ki genç Barbarigo'nun bir tehdit olarak görmediği şeyler onun tam da ilgi alanına giriyordu. Ve bu da doğrusu beni çok etkiliyordu.

Bir uşağın omzuma dokunan eliyle her tarafım kendine gelip toparlandı, bir tarafa kaymış maskemi düzelttim. Uşak da herkes gibi maskeliydi, ama o ünlü Foscari kırmızısı ceketi onun görevini belli ediyordu. Sessizce eğilip, dikkatle katlanmış bir kâğıdı avucuma sıkıştırdıktan sonra kendisi gibi kırmızı ceketli diğerlerinin arasında kaybolup gitti.

Maskeli refakatçim sert ve yüksek arkalıklı koltuklarımızdan kendisine bir yatak yapmayı henüz başaramamıştı. Gömleğimi belimden dışarı çekmişti ve çıplak tenime altın işlemeli dantelinin ucuyla dokunup duruyordu.

"Belki de gidip bu sarayda daha sakin bir oda olup olmadığına bakmamız gerek," diye fısıldadı.

"Hımm?" Bu iç çekişli mırıltı yüzünden neredeyse elimdeki notu okumadan cebime atacaktım ama kenarından gördüğüm imza beni durdurdu. Bu, kıvrımlarla süslenmiş son derecede dişi bir "S" harfiydi. Şimdi bu kâğıt elimi hiçbir altın işlemeli dantelin yapamayacağı bir şekilde kavuruyordu.

Altın dantelli maskeliyi bir kenara bırakıp kâğıdı açtım, en yakın meşaleye doğru tutup, yarı karanlıkta okudum:

"Aşkım... İkinci intermedio. Planladığımız gibi..."

Ve sonra o daha çok şey ifade eden "S"...

"Sevgilim" dedi altın dantelli, kulağıma eğilip, "Nedir o?"

Boşlukta aranan elinden mesajı kaçırdım ve o an gördüm bu parmakların ne kadar yaşlı olduklarını, daha önce nasıl fark edebilirdim ki, yalnızca kasıklarımın arasında dolaşıp durmuşlardı. Bir şeyi daha fark etmiştim, tüm takısına karşın bir tanesi eksikti, sol elindeki yüzük. Onun yerinde ince bir beyazlık vardı sadece...

"Sevgilim?..."

Bu kelimeyi kullanmasından rahatsız oluyordum. Kaba bir sesle, "iş" dedim.

İş söz konusu olunca hep yaptığım gibi amcama dönüp onayını bekledim. Amcamın kaşları daha da havaya kalkmıştı. Kendine bu kadar hâkim olabilmesine hayrandım. Bitişiğindeki koltukta bu kadınla sürüp giden uygunsuz ve beceriksiz durumuma hiç ses çıkarmamıştı. Ve oyuna bayılmasa da en azından Colombine'le soytarısını izleyenlerin yükselip alçalan heyecanlarına kendi tezahüratını uydurabilmeyi başarabilmişti.

Çok önemli bir şeyi unutup da aniden hatırlamış gibi, "Ah, evet, evet, iş" diye kendi kendine söylenmeye başladı.

Bu arada, yanımızdaki kadına çaktırmadan dizinin üzerinden parmağıyla bana salonda bir yerleri işaret ediyordu. O tarafa baktığımda amcamın, notun sahibini gösterdiğini anladım.

Nasıl olduysa, salonun oldukça gerisinde bir yerlerde, kurallar gereği manastır mensubu kadınlara ayrılmış bölümde oturan bu gecikmiş seyirciler gözümden kaçmıştı. Hafif meşreplerle dürüst aile kadınları arasındaki farklılığı yok eden maskeli Karnaval cümbüşünün dışında üç kişi...

Loş ışıkta, rahibenin kırmızımsı suratını hemen tanıdım. Sanıyorum, koskoca salondaki tek maskesiz olmaktan öte, bir de kendisinin dine adanmış yaşantısıyla tam bir zıtlık sergileyen çevredeki açık saçıklıktan oldukça rahatsızdı. İki yanında oturan maskeli kızlardan soldaki, sağda oturan uzun boyluya göre daha civelek ve talepkâr duruşuyla tahminlerimi doğru çıkarıyordu.

Evet, başından beri beynimde yankılanan o kıvrım kıvrım "S"nin sahibiydi bu. Yanında duran meşalelerden birini çalacakmış gibi bir havası vardı. Bana yönelmiş ısrarlı bakışlarının altında aklım başımdan uçup gitmişti. Sahnedeki saçmalık daha ne kadar devam edecekti, intermedio'ya ne kadar kalmıştı, sabrım tükeniyordu...

"Haydi, gitmeyeceğini söyle, birkaç dakikalığına da olsa bir yerlere kaçamaz mıyız, işin biraz bekleyebilir, haydi..."

Orama burama dokunan altın işlemeli dantelin ucunu sivrisinek kovar gibi elimle ittim ve aklımı toparlamaya çalıştım. Ama bir türlü beceremiyordum bunu. Tüm kontrolümü yitirmiştim. Bana... Baffo'nun kızı bana "Aşkım" mı diyordu?

Düşüncelerime müzik eşlik ediyor gibiydi. El dokuması perde yeniden inmişti ve şimdi de kutsanmışlar şarkı ve danslarla ödüllendiriliyordu. Melekler, esin perileri, flütler, arplar, borular... Ve bulutlar arasında beliren bir klavsen...

Beynimde yankılanan cennet nağmeleri kısmen de olsa sahnede görüntü buluyordu sanki.

Bulutlar Tanrısal bir biçimde dağıldı; altın taçlı, iplerle bağlı Apollo yukarılardan adeta süzülerek inmeye başladı. Müzik yükseldi ve Apollo bize seslenmek üzere ağzını açtı.

Salonun en ücra köşelerine kadar yayılan ses inanılamayacak kadar muhteşemdi. Koltuğuma mıhlanıp kalmıştım, bu kutsal yankılanma beynimin içindeki her şeyi silip süpürüvermişti birden. Gözlerim Apollo'nun ağzından çıkıyormuş gibi gelen, ama aslında bir kadınlar korosundan yükselen sesin kaynağını aradı sahnede. Sonra bunun kadın sesinin de üzerinde bir oktavdan söylendiğini anladım. Pırıl pırıl, acı doluydu, kulaklarda kristal bir çığlık...Ve bir kaynaktan doğup çağıl çağıl akan su misali doğal, zorlanmadan, öylece... Bu imkânsızı, şu sahnedeki Apollo figürü mü yapıyordu yani? Birden bu bana hiçbir harem maskarasının yapamayacağı kadar inanılmaz bir komiklik olarak göründü. Saçma ve tuhaf ama, gülme duygusu sarmıştı içimi.

Bunu salonu dolduran seyircilerden hiçbiriyle paylaşamayacağımı anladığımdan ben de kendimi tuttum. Yanımdaki maskeli kadın adeta kutsal bir tavır içinde öne doğru eğilmişti.

"Bu..." dedi, "bu..."

"Ne?" diye sordum.

Şu anda hatırlayamadığım bir isim söyledi, ama kesinlikle bir erkek adıydı bu. "Yüce Foscari bu şarkıcıyı Floransa'daki kiliseden alıp, burada sahneye çıkaracağına dair bana söz vermişti, işte sözünü tuttu. Tam söylendiği gibi ulvi, Tanrısal bir ses... Öyle değil mi sence de?"

Bu kutsal müzik kafamı karıştırmıştı. Tek söylediğim, "Ama nasıl?..." oldu.

"O bir kastrato. Bir çocukluk kazası, safım benim..." diye beni aydınlattı kadın.

Denizciler sağda solda dolaşırken pek çok şey kaçırıyorlardı, anlamıştım. Altın dantelli maskelinin anlattığına göre bu Tanrı'ya adanmış kutsal bir armağandı.

"Bunlar söylenenler. Ama bir de birinci ağızdan duyduklarım var. Bu adam Floransa'da korodaymış çocukken ve ailesi son derece yoksulmuş ve anlarsın ya doktorlar filan..."

"Buna inanamam, bir aile kendi varisine bunu yapsın..."

"İnanmalısın. Ve bana dürüstçe söylemelisin. Daha başka ne yapılabilirdi ki? Havarilerden biri der ki 'kadınlar kilisede sessiz olmalıdırlar'. Ama bir yandan da... Düşüncelerimizle Tanrı'ya en yaklaştığımız anlarda sesimiz de yükselir. Oğlanların sesleri yumuşak ve nettir ve onlar erkek çocuğudur, kız değil..." Dirseğiyle beni dürterek devam etti. "Böylesi bir mükemmeliğe ulaşmak uzun ve çok disiplinli bir çabayı gerektiriyor. Bu hiç kolay değil. Kutsal Papa bile onun sesini duyunca kendi korosu için böyle birini aramaya başlamış..."

"Ama, bu... Bu inanılmaz, bu doğaya aykırı!" diye bağırdım.

Omuzlarını öyle bir aldırmazlık içinde silkti ki, gençliğini çoktan kaybetmiş kırışık gerdanı bile ortaya çıktı.

"Toplum daima bizlerin üzerinde doğal olmayan yaptırımları uygular," dedi basit bir şekilde. "Bütün bunların arasında yolumuzu bulmaya çalışırız. Sonra neyin doğal, neyin doğaya aykırı olduğunun kararını kim veriyor? Sen çok gençsin, yoksa bunları çoktan anlamış olurdun zaten."

Sol elinin yüzükparmağındaki beyazlığı düşünceli bir biçimde ovaladı.

Orkestra iki çıkış daha yaptı ve sustu, Apollo tüm bağlarından kurtulmuş olarak yere inmişti. Bir minik serçenin batan güneşin ışıklarını kanatlarıyla yakalamaya çalışması gibi adeta buluttan buluta uçuşan sesiyle süzülerek yükseldi.

Müzik beni derinden etkilemişti ama bu yanı başımdaki uğursuz konuşmacının etkilenişinden bir hayli farklıydı. Tepemde asılı duran serçe hafifliğindeki ses bana ölümün, dünyaya gelmemişliğin ve hatta düşte bile yaşamamışlığın acısını vermişti. Bir de şu aklıma takılmıştı. Bir yanda başına aynı felaket gelmiş bir adamın haline kahkahalarla gülme, diğer yanda onun gibi bir başkasının önünde neredeyse Tanrısal bir huşu içinde eğilme... Bu ahlaksızca bir tavır değil miydi?

Apollo demek ki Tanrı için eksiltilmişti. Asla bir çocuğun babası olamayacaktı o artık. Bu ne biçim bir

Tanrı'ydı, kuralları kim belirliyordu? Daha pek çok on beş yaşındakinin başına aynı şeylerin gelmiş ve gelecek olması beni korkuyla ürpertti.

Karşı cinsten de olsa benim gibi düşünen birine rastlayabilmek umuduyla öylesine, umutsuzca çevreme bakınıyordum. Ve dehşetli bir telaş içinde fark ettim ki, Sofia Baffo halasının yanında yoktu.

"İş" diye bağırdım, hem kendimi hem de yanımdaki maskeli kadını ikna etmek istercesine.

Ayağa fırladım. Birden hatırlamıştım, bu ikinci intermedio'ydu.

IV

BENİ, *ASIK SURATLI* Foscari erkeklerinin ve kızıl saçlı kadınlarının portreleriyle donatılmış, şaşırtıcı bir biçimde kimselerin olmadığı giriş salonundan geçiren uşak, eliyle sol taraftaki bir odayı işaret etti ve "Beyefendilerin dinlenme odası," dedi.

"Beyefendi..." Bu kelime beni tam anlamıyla tarif etmiyordu ama ona nasıl itiraz edeceğimden tam olarak emin değildim. Bir de bu adamın bana malum notu getirenin bizzat kendisi ya da ikizi olduğu düşünülürse galiba en iyisi dediğini yapmaktı, ses çıkarmadan içeri girdim.

Duvarları savurganca tahta ile kaplanmış bir yerdi burası. Etrafta solgun ışıklar çıkararak yanan balmumu kandiller... Kendimi deminki salondan bile daha fazla bir yalnızlık içinde hissettim. Sanata huşu ile bağlı beyefendiler bir kastratonun gösterisini mesanelerini boşaltırken bile kaçıramazlardı elbette. Adamın ciğerlerinden fışkırarak yükselen seslerin paradoksu bu odaya kadar ulaşabiliyordu. Madonna Baffo randevumuzun zamanını ne büyük bir ustalıkla ayarlamıştı... Ama, peki, o neredeydi?

Bir erkeğin kendi suyunu Büyük Kanal'ınkine ekleyebileceği küçük balkon perdeyle gizlenmişti. Sinirlerime iyi gelebileceğini düşünerek orayı kullandım. Gecenin yağmuru havaya harikulade bir tazelik vermişti. Doğrusu bu hareketi yaparak bir şekilde dengemi bulmuş gibiydim. Bize bunca dünyevi acıyı ve yalnızlığı yaşatan şu garip organımız, bir yandan da bizi dünyayla buluşturuyordu. Benim suyum kanalınkiyle buluşunca sanki erkekli dişili insanlık dünyasıyla da yeniden buluşmuş gibi olmuştum. Kastratolar ve harem ağaları gibi rahatsızlık verici kelimeler bir sihirbazın oyunundaki gibi kaybolup gidivermişti. Yeniden gerçekliğe dönmüştüm işte.

Ve bu gerçekliğin içinde bu gece Sofia Baffo da vardı. Sofia Baffo, beni arayan, isteyen Sofia Baffo...

Balkondan içeri döndüğümde yan taraftaki içki ve yemek dolu büfeyi gördüm. Çok garipti... Böyle bir büfeden yayılması muhtemel o alışıldık kokulardan hiçbiri burnuma gelmiyordu. Yalnızca kadehlerin değil, her şeyin sanki altınla sıvanmışçasına parıldadığı bu sofra hiç dokunulmamış gibi duruyordu. Yanık renkli armutlar, bakırımsı incirler, portakallar, fındıklar... Aralarda bunların nektarlarını yudumlarmışçasına duran bronz kuşlar... Hepsi, hepsi ve hatta süs için aralara serpiştirilmiş başaklar ve adaçayı demetleri bile üzerlerine ünlü Robbia cilası atılmışçasına şıkırdıyordu. Eriyip giden mumların ışığında bu süslü püslü, bereketli görünümlü sofra; sert, yapay ve doyurucu olmayan görüntüsüyle midelerden çok gözler için hazırlanmış izlenimi veriyordu.

Odanın zemini dört çeşit mermerden yapılmıştı. Bunlar öylesine ustalıkla düzenlenmişti ki insan, koyu griden, açık altın rengine dönüşen hareketli küpler üzerinde yürüdüğü hissine kapılıyordu.

Arkamda, bu zeminde yankılanan aceleci adımların sesini duydum birden. Döndüm, maskemi ve şapkamı düzeltip baktım, karşımda tanımadığım bir genç vardı. Rengârenk bir palyaço maskesiyle, kocaman, acıklı görüntülü bir şapka takmıştı. Burası erkeklere ait bir oda olduğuna göre bu genç adamın odadaki varlığına şaşmamam gerekiyordu. Ne var ki duyduğum ayak sesleri bana düşündürmüştü ki...

Delikanlı kımıldandı ve kımıldanır kımıldanmaz da anladım, bu bir erkek değildi. O saray dansı adımları ve "gel, aşkım haydi gel, tomurcuklanan koruya gel" şarkısı bir manastıra uymadığı gibi külot pantolona da uymuyordu.

"Madonna?" diye kekeledim.

"Beni tanıyamadın değil mi? Demek ki öbürlerini de aldatmayı başarabileceğim."

Tam olarak söylediklerini duyamıyordum, külot pantolonun gösterdikleri karşısında kalakalmıştım. Artık kadınların bacaklarının neden bol drapelenmiş kumaşlar ardına saklanması gerektiğini anlamıştım, ne kadar çok kumaş olursa o kadar iyiydi...

"Her ne halse... Geldin ve tam da zamanında." Kelimeler sanki dudaklarından patlayarak çıkıyordu. "Ne de yaman avcıymış... Tiyatroya geldiğimde üzerine yapışmış olan o orospu..."

"Kılığıma bak, gel..." İnsanın gözünü aldatan zemin üzerinde dönüyordu. "Nasıl da uydular bana."

Bana kalırsa çok garipti, çok daha iri bir erkek için hazırlanmış olduğu kesindi. O salak şapka, en güzel yerini, o canım saçlarını saklamıştı. İçine pamuk doldurularak yapılmış pipi ise tam anlamıyla gülünçtü, sağdan sola, soldan sağa sallanıp duruyordu. Ne var ki, onun vücudunu içine koyduğu hiçbir şeyi eleştirecek durumda değildim.

"Madonna..." Söyleyebildiğim sadece bu oldu. Cennette miydim?

"Bir dakika. Şimdi başka bir işim daha var, bakalım dünyanın öbür yarısına sahip olanlar nasıl yaşıyor?"

Beni süpürürcesine yanımdan geçti, arkasından gittim, dansıyla kendimden geçmiş gibiydim.

Büfeye şöyle bir bakış attı, "Hmm, yemekler hep aynı" dedi. "Galiba içkileriniz daha iyi. Biliyor musun bizim perdelerimizin arkasında zarif desenlerle süslenmiş küçük kaplarımız vardır. Galiba buradan Büyük Kanal'ı denk getirmekte bayağı zorlanırım." Kalçalarını ve bacaklarını sinirli sinirli kıpırdatarak taş duvarın üzerinden karanlık geceye düşünceli bir biçimde baktı.

"Her neyse, boşver, gel yanıma aşkım" dedi.

Balkonun perdesini kapattı ve dans ederek sokuldu bana, yanından geçerken bir incir kaptı sofradan. Maskenin göz çukurlarından görünen kirpikleriyle beni yine kalbimden yakalamıştı, inciri bana uzattı ve kolunu koluma doladı.

Altın iplikli dantelin dokunuşunu biliyordum. Sofia'nın çıplak teniyse tam yirmi dört ayardı.

"Haydi Andrea, beni daha çok deli etme, ne zaman kaçıyoruz? Haydi söyle!"

Tam onun beni bir başkasıyla karıştırdığını anladığım anda, o bir başkası da odaya girdi.

"Sofia!"

Kolumdaki kol gerildi ve buz gibi oldu.

Benimkinin nerdeyse aynı olan maske ve şapkasını fırlatan Andrea Barbarigo, "Bu kıyafetleri lobiden buldun öyle değil mi?" dedi sert bir sesle.

"Evet, evet..." dedi Baffo'nun kızı.

"Ve sana uydular öyle mi?"

"Önemli olan amacıma uygun olmaları. Ama, sen benim notumu almadın mı?"

"Not mu, ne notu?"

Eli elimi bıraktı, palyaço maskesinde gözleri öfkeden altın paracıklar gibi parlıyordu."

"Gel Sofia. Gondol arka kapıda. Kaçışımızı bir saniye bile geciktirmemeliyiz. Yaşadığım sürece bilmelisin ki seninle hiç kimse evlenemez, hele de o Korfulu..." Bana buz gibi bir bakış attıktan sonra cümlesini tamamladı. "Seninle yalnızca ben evlenebilirim, ben..."

"Evet Andrea, ben sana aidim, yalnızca sana..."

O büyük tutkuyla onun koluna dokundu ve biliyordum bu an Andrea Barbarigo'nun hayatının tutuştuğu andı. Onu düelloya davet et, düelloya davet et, diyordu içimdeki ses. Fakat ne çare ki, hayal kırıklığı, kırgınlık ve diğer aşağılayıcı duygular arasında kendimi on para etmez hissediyordum.

Rakibim bir kez ateşi almıştı, bana döndü ve adeta o siyah maskeyi delip geçen şu sözleri söyledi. "Bundan tek bir kişiye, tek bir kelimeyle söz edersen bil ki adın aslanların ağzında dolaşacaktır."

Bir aslan ağzı... Düş kırıklığı ve incinen gururuma şimdi bir de bu dehşet verici şiddetin korkusu eklenmişti. Venedik'in daracık sokaklarındaki adaklıklarda bol bol rastlanan aslan ağızları birer karanlık kuyuydu. Onlara bakmazdım bile... Bu gece de gelirken bunu yapmamıştım, gerçi ortalık zaten çok karanlıktı ama, aydınlık da olsa bakamazdım, çünkü ben de herkes gibi onların karabasanların babası olduğunu biliyordum. Kentin içine yayılmış, gözleri çukurda, taştan oyulmuş ağızlar...Venedik Cumhuriyeti'nin adsız düşmanlarının adlarını bilen ağızlar... Sinsice yapılan suçlamalar...Bu isimler doğrudan Onlu Konsey'in önüne gidiyordu ve kesinlikle cezasını buluyordu. Hiç kimse Cumhuriyet'i hafife alamazdı. Bir adam ne ile suçlandığını bile öğrenemeden, karanlık, dar bir sokaktaki aslan ağzında yok olan küçük bir kâğıt parçası gibi yitip gidebilirdi. Büyük Barbarigo da Onlular'dan biriydi ve bir akşam yemeğinde oğlu, rahatlıkla onun kulağına bir iki tehlikeli söz fısıldayabilirdi...

İki çift aceleci ayak mermer zeminde tıkırtılarla uzaklaştı. Apollo'yu alkışlayıp "bis" isteyenlerin sesleri buraya kadar ulaşacak yükseklikteydi.

Sofia Baffo çoktan gözümün önünden kaybolmuştu, sanki buz gibi bir suyla duş yapmıştım. Andrea Barbarigo bu gece akşam yemeğinde benim adımı babasının kulağına fısıldayamazdı. Vali Baffo'nun kızıyla kaçıyordu. Babası onun suratına tekrar bakarsa kendini şanslı saymalıydı. Aslanın ağzına düşmeyecektim. Benim maskem vardı. Barbarigo beni işkence odasında göremeyecekti. Adımı bile bilmiyordu o benim. Ve daha da tuhafı Baffo'nun kızı da bilmiyordu bunu. Üstelik benimle, manastır bahçesindeki haberci arasında da bir bağlantı kurmamıştı.

"Toplumsal zorlanmalar içindeki patikalar..." Bu sözler birden aklıma gelmişti, sanırım eski bir denizci atasözüydü. Aynı anda bu gece salondaki refakatçimi de hatırladım, altın iplikten örülmüş dantel maskeli kadını...

Başka ne yapabilirdim? Bir esrarkeş tüm malının gözü önünde yakıldığını görürse ne yapar? Lobiye koştum, gördüğüm ilk kırmızı kadife ceketliye yanaştım, omzuna dokunup, uzaklaşan ikiliyi gösterdim. Galiba, "Evlenmek üzere kaçıyorlar, Foscari Ailesi'nin şerefini on paralık ediyorlar," gibisinden de bir iki cümle söyledim.

Birden, ortalık kırmızı kadife ceketlilerle doldu. Ortalık boşalıverdi. Herkes dört bir yana koşturuyordu. Rahibe küçük bir çığlık attı, sanırım ona biraz naneruhu koklatmaları gerekecekti. İhtiyar Barbarigo gümbür gümbür esip gürlüyordu. Gözüme bir vişneçürüğü kadife takılır gibi oldu ve toplumun çıkmazları hakkında bana biraz daha ders vermesini arzuladım o altın iplikten örülmüş dantel maskeli kadının. Ama, sanki ben ona da ihanet etmişim gibi, hayal kırıklığı içinde karanlıkta yok olup gitmişti.

Genç âşıklar çarçabuk ayrı gondollara bindirilmişlerdi. Baffo'nun kızı gözyaşları içindeydi, maskesini fırlatıp atmıştı ve mermerimsi yüzü meşalelerin ışığında öylesine genç, öylesine güzeldi ki...

Andrea Barbarigo bana bir intikam bakışı yollamak istedi, belki de bir düello teklifi... Ama Sofia Baffo onun gözünün önünde değildi artık ve kelimeler bana daha önce yaptıklarını şimdi ona yapıyorlardı. İhtiyar Barbarigo oğlunu yakasından yakalayıp içeri soktu, artık hiç şansı yoktu.

Baffo'nun kızının gidişini görmek benim de gözlerimi yaşla doldurmuştu. Bir maske bile bu noktada arkasına tam olarak saklanılabilecek bir şey gibi görünmüyordu.

Böylelikle harem hikâyesi insanların aklından, bir gelgitte kanallardan temizlenen lağım suları gibi akıp gitmişti. Colombine, bu defa kaçışını başaramamıştı. Foscari soyundan akrabalarım daha sonra gelip bana teşekkür ettiler ve evlerinin onurunun korunduğunu söylediler. Böylece hepimiz muradımıza ermiş olduk ve mutlu yaşantılarımıza devam ettik.

Venedik'in soylu lordlarının dikkatini çekmiştim, peki ama neden, neden kendimi bu kadar sefil hissediyordum?

Piero'nun meşalesinin eşliğinde eve doğru giderken, amcam beni kutladı. "İş..." dedim omzumu silkerek...

Amcam ruh halimi anladı ve başka hiçbir şey söylemedi.

Yarıyolda, hâlâ elimde inciri tuttuğumu fark ettim. O bronzumsu görüntüsünü kaybederek avucumun baskı ve ısısından ezilip büzülmüştü. Midemdeki ağrının nedeni belki de açlıktı, inciri ağzıma attım ve onu yedim. Ardından da hemen hatırladım ki, bu meyvenin çekirdekleri daima gidip dişlerimin arasına saplanarak canımı yakardı. İncir midemi daha da kavurmuştu ve bu ağrı şimdi ellerimle, yüzüme de yayılıyordu.

"Aziz Sebastian Günü" diye mırıldandı amcam. "Bu bizim için çok kolay bir sefer olmayacak..."

Dostça omzuma attığı koluyla, ağrım sanki tüm bedenime yayılıyordu.

"İhtiraslı ve başına buyruk bir kız" dedi.

Ama bu benim için bir avuntu değildi ki...

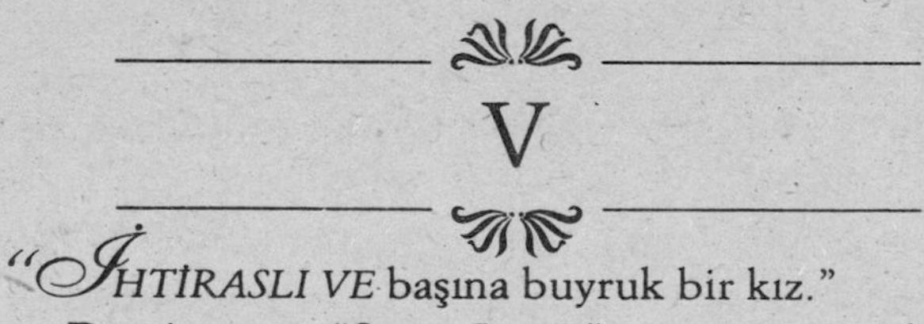

V

"*İHTİRASLI VE* başına buyruk bir kız."

Demir atmış "Santa Lucia"nın güvertesinde yüksek sesle bu sözleri tekrarlıyordum. Dalgın gözlerimin önünde canım Venedik.... İlerde ufukta Mestre'nin yuvar yuvar gri yeşil tepeleri ve aceleci bir telaş içindeki kent.... Tüm renkler daha bir açılmış, pastelleşmişti. Hayat kırpıntıları...Denizlerde kaybolup, dalgalarla kıyıya vuranlar... Hava öylesine berraktı ki, Dolamite Alpleri'nin etekleri bile görülebiliyordu. Gözlerim kamaşır gibi oldu. Bunlar, Venedik'in hafiften batak ve kirli sularının kokusunu denizinkiyle karıştırarak insanın genzini yakan sert, soğuk rüzgârların doğduğu yerlerdi. Bunlar, her yerden görülen San Marko'nun bayraklarını dalgalandıran rüzgârlardı. Zirvelerin puslu mavileri ve bayrakların allı morlu altın yaldızları...

Hava soğuktu ama rüzgâı buz gibi değildi, Aziz Sebastian Günü'nde başlayan bu seferimiz iyi geçecekti herhalde.

Limanın dışındaki ada benim adımın da geldiği San Giorgio'ydu. Buranın azizleri için kocaman yeni bir kilise yapılacağı söyleniyordu. Noel'de, eski kilisenin önüne toplanan ve ateş böcekleri gibi gecenin karanlığını aydınlatan binlerce tekne geldi gözümün önüne. Çocukken bu kutsal günlerin benim için daha da özel olduğunu düşünürdüm, ne de olsa San Giorgio benim azizimdi. İçerlerde bir yerde hâlâ da buna inanıyordum, adaya baktım ve bana yardım et, diye dua ettim.

Kalbim güm güm atıyordu, yüzüm gözüm bu çarpıntıdan kızarmıştı. "İhtiraslı ve başına buyruk bir kız."

Bunları yalnızca kendime söylediğimi düşünürken yanı başımda patlayan bir kahkaha bana nasıl da yanıldığımı kanıtlayıverdi.

"Ooo, anlıyorum..."

"Afedersin Hüseyin." Neden böyle güldüğünü anlamıyordum.

"Deniz" dedi. "O, ihtiraslı ve başına buyruktur. Bir an için seni yanlış anladım, çünkü biz Araplar denize kız değil erkek deriz. Biz, onu bazen oyun oynayan küçük bir oğlan çocuğuna, bazen uyuyan bir deve, bazen aklı başından gitmiş tutkulu bir genç âşığa benzetiriz. Zaman zaman deniz, Allah korusun, ağzı köpüklü çılgın bir adama bile döner. Limanın suları bugün nasıl da bir yılanın boğumlarını andırıyor, gelgitle karaya doğru sinsice yükselen altımızdaki şu şıkırtılı suyu görüyor musun? Demin senin onu bir kıza benzetmeni yanlış anladığım için kusuruma bakma."

Devam etti: "Ama şimdi yaptığın benzetmeyi anlıyorum, gerçekten harika bir tarif bu dostum. Senin kızını da biliyorum, ipekler ve mücevherler içindekini, bir parça utanmaz cinsten galiba, öyle değil mi? Eğer ben babası olsaydım, onu derhal hareme tıkardım. Kim bilir? Belki de bu gördüğüm yılan da bir dişi yılandır; fettan, arsız ve baştan çıkarıcı bir dişi yılan..."

Hüseyin'in gülüşüne katıldım, onun sesindeki şiirsellik çok hoşuma gidiyordu. Anlattıklarına karşı çıkmak aklımdan bile geçmezdi. O, ta babamın sağlığından bu yana ailemizin sıkı bir dostuydu. Çocukluğumda, rengârenk ipek kumaşlar içinde getirdiği Türk şekerlerini, kucağına oturup, nasıl zevkle bir bir mideye indirdiğimi hatırlıyordum. Öksüz kaldıktan sonra amcam bana bir baba olmuştu, Hüseyin de, alışılmadık bir biçimde, bizimle aynı dinden olmadığı halde, bana büyükbabalık yapmıştı.

Ama tabii ki benim şu anda ilgi alanım deniz değildi ve bu beni içten içe rahatsız ediyordu. Hüseyin bilirdi, ben denizi daima bir ana gibi görürdüm ve ona tam olarak güvenirdim, hatta en korkutucu olduğu anlarda bile.

Güvenmediğim Baffo'nun kızıydı.

Amcam, Madonna Baffo'nun sorumluluğunu bana vermişti. Gün doğduğundan bu yana onun yolunu gözlüyordum. Hatta işin doğrusu, Korfu-Baffo etiketli sayısız sandık ve bavulun gemiye yüklendiği dünden beri... "Santa Lucia"nın, sivri yüksek pruva alanıyla, kıç taraftaki açıklığını dengeleyen alçak merkeze iple yukarı çekilen sandıklar birbiri ardına yığılmıştı. Tamamen yükleme yapıldığında güverte neredeyse su seviyesine gelirdi.

Böyle sandıkların yalnızca tuzlu balıkla dolu olması gerektiğini her ne kadar kendime defalarca tekrarlamış olsam da, Baffo armalarını gördükçe hızlanan kalbime söz geçiremiyordum. Tabii ki asla balık kokmuyorlardı. Tahta aralıklarından arada bir lavanta ya da karanfil kokuları yayılıyordu. Mürettebata gelince, onlar için ağır balık yükü yerine bu hafif sandıkları alıp yerleştirmek çocuk oyuncağıydı.

Yine de bir gemi, manastır bahçesi değildi, kendimi genç ve haşarı hissettiğim soylu çalışma odalarına da benzemezdi. Buranın ikinci kaptanıydım; evimdeydim, disiplinli çalışma ortamı, verdiğim emirleri harfiyen uygulayan gemiciler bana bunu hatırlatıyordu; bir yandan da farklı ışıklarla aydınlatılmış Foscari Sarayı'nda yaptığım gammazlığı düşünüyordum. Burada, benden ne beklendiğini ve ne yapmam gerektiğini biliyordum, buna uygun davranıyordum ve orada da böyle yapmıştım. Tüm Venedik sosyetesi de benden yana koymuştu ağırlığını.

Asi bir genç kızın böylesi bir ağırlık karşısında hiç şansı yoktu. Onun etrafında, ayağını denize ilk attığı anda fırtınaya yakalanmış biri gibi sinir içinde dolaşmanın hiçbir anlamı yoktu.

Hüseyin, "Türkçe'de en sevdiğim şey", diye söze başlayarak yine farklı düşünceleriyle aklımı karıştırmaya başlamıştı. "İtalyanca ya da Arapça'da olduğu gibi nesnelerin cins eklerinin olmaması. Dişi ya da erkek takılarıyla uğraşmak zorunda kalmadan, kolaylıkla konuşuyorsun bu yüzden."

"Gel dostum" diyerek, onu sabırsızca kolundan çektim ve yüklemeyi daha iyi görebileceğimiz bir noktaya doğru götürdüm. "Anadilinden söz ederken daha dikkatli olmalısın," dedim. "Kürekçilerden biri sözlerini duyabilir. Senin göründüğünden daha farklı biri olduğun anlaşılmamalı."

"Korsanlardan mı korkuyorsun?" Hüseyin güldü. "Türk korsanlardan mı? Gemide sen olduğun sürece hayır."

"Benim kastettiklerim Hıristiyan korsanlardı."

"Galiba Malta Şövalyeleri'nden söz ediyorsun."

"Korsanlardan daha iyi oldukları söylenemez."

"Evet, haklısın daha iyi değiller."

"Hiç kimsenin Konstantinopolis'e gitmesini istemiyorlar. Bu da serbest ticareti engelliyor."

"Onların karşı çıktıkları şey ticaret değil aslında..."

"Malın sahibi dini inançlarına ters düşmediği sürece..."

"Evet, eğer bir Hıristiyan'a aitse problem olmaz..."

"Yok eğer Müslümanlarınsa..."

"Din kardeşlerim adına özür dilerim."

"Ben de benimkiler adına."

"Kafamı kurcalayan şu Hüseyin, sen Türklere bağlı bir Suriyelisin."

"Venedikliliğimde bir kusur mu görüyorsun?"

"Venedikçen de Türkçen, Arapçan, Cenevizcen ya da Fransızcan kadar mükemmel. Biraz kilolu ve koyuca tenli olmana rağmen, kılık kıyafetinde yapacağın bir iki değişiklikle muntazam bir Cumhuriyet tüccarı olabilirsin."

Hüseyin benim onu bu şekilde değerlendirmeme öylesine güldü ki, sırma işlemeli uzun yeleğinin iki yakası sağa sola savruldu. Titizce düzeltti bunları, etek uçları şimdi yine, dizlerinin altında muntazam bir şekilde duruyordu.

"Bahse girerim, duka altınlarının şıkırtısını kutsal inançlarından daha çok seviyorsun. Şarap içmekten, domuz sosisi yemekten de geri durmuyorsun. Haç bile çıkarıyorsun, hatta hatta Meryem Ana'nın önünde diz çökebiliyorsun. Yine de sıla özleminin rüzgârı içinde esmeye başlayınca, bu bedensel cilanın altında gizlenmiş olan o Müslüman ruhu hissedebiliyorum."

Hüseyin düşünceli, bıyıklarını ve sakalını sıvazladı.

"Amcam senin şu yetmiş top kumaş ve titizce ambalajlanmış dört düzine Venedik kristalinden oluşan yükünü, bu yolculuk bahanesiyle Konstantinopolis'e götürme kararını bana söylediğinde bir an bile duraksamadım. Sadece sevindim, seninle yolculuk edecek olmaktan ötürü mutlu oldum."

"Dostum, teşekkür ederim." Hüseyin'in abartılı tavrı belki gizli bir alaydan izler de taşıyordu, ama içtenliği kesindi. "Sana ve amcana, işime yaptığınız katkılardan ötürü daima minnettar kalacağım."

"Bu ilişkinin devamını yürekten dilerim."

"Ve tabii işin de... Aslında mevsimin ilk seferiyle yapacağım ticaret kadar hoşuma giden bir başka şey de bu her şeyden bihaber memleketten biraz uzaklaşma fırsatı bulabilmek..."

"Amcam senin zararsız olduğunu biliyor, ben de biliyorum."

"Bu bir iltifat mı, yoksa?"

"Zaten sen sadece bitmiş malın ticaretini yapıyorsun, Venedik kristaline dünya çapında ün kazandıran sırların değil..."

"Majestelerinin Cumhuriyeti'nde pek çok adamın uğruna hayatını yitirdiği sırlar..."

"Yani sonuçta şunu söylemek istiyordum ben sana: Denizlerde, böyle kendinden başka hiç kimseye şans tanımayan korsanlarla dolu bir denizde kendini gereğinden fazla açığa vurmamalısın."

Hüseyin, altın dişini göstere göstere yürekten güldü ve "Tamam dostum," dedi. "Bundan böyle yolculukta Arapça ya da Türkçe dersi yok."

"Oldu Hüseyin."

"O zaman sen de bana Hüseyin demekten vazgeçmelisin."

Hemen toparlanıp, üzerine basa basa, "Evet Enrico," dedim.

Hüseyin tekrar güldü. "Bana korsan tehlikesine karşı korunma dersleri vermek için bir parça gençsin. Daha bilmediğin pek çok şey var. Ama zamanla öğreneceksin. Evet... Adım Enrico, Enrico Battista... İstanbul'a varana dek... Belki orada ben de seni Abdullah diye çağırırım, Tanrı'nın kulu, hizmetkârı..."

Sanki bir başka tartışmaya başlamamak ve konuyu kestirip atmak istermişçesine telaşlı adımlarla güvertenin öbür tarafına doğru gitti ve mallarını dikkatsizce taşıyan birine avazı çıktığı kadar bağırdı. "Hoop, yavaş, seni sersem herif. O elindeki kristal yüküne dikkat et."

Küfürler, tüm tüccarların, hangi dilde olursa olsun ilk öğrendiği şeydir. "İnek oğlu inek"ten "Senin anan mahallenin on para etmez orospusuydu"ya kadar... Onun Müslüman olduğunu bir anlasalar gerçekten hali haraptı. Neyse ki bu tarz küfürler Hıristiyanlar arasında bol bol kullanılırdı. Bu arada güvertedeki karışıklık çabuk sonlanmış ve ortalık eski düzenine dönmüştü, ben de böylelikle endişelerimden kurtulmuştum.

"Bakalım bu ihtiraslı, zorlu sevgilimizle başa çıkabilecek miyiz?" Hüseyin göz kırparak bana döndü.

"Evet, bakacağız Enrico Amca, beyefendi yani..."

Hüseyin'in kahkahalarına ben de katıldım. Sırtıma bir şaplak attı. Sanki, haydi sen kendi işine ben de benimkine, demek istiyordu.

VI

KARAYA BAKAN küpeşteden öyle bir sarkmıştım ki, oraya asılmış bir bayrak gibi sallanıyordum. Yağmur ve pus, günlerden beri ilk kez yoktu ve Venedik onu her zaman hatırlayacağım güzelliğiyle ortadaydı. Sanki suyun ortasından fışkırıyordu. Gökyüzüne doğru yükselen bayraklar ve büyük bacalar... Piazzetta, Düklük Sarayı'nın kubbeleriyle San Marko Bazilikası'nın kulesi arasından, fırıncı tavasındaki ekmek gibi kabara kabara limana açılıyordu.

Ve göz önünde alabildiğine uzanıp gidiyordu yaşam, böylesi bir azizden kaynaklanmış olan yaşam... Meydanda, şafak vakti idam edilmiş iki suçlunun sallandığı darağacının hemen önünden, yanlarında küçük çocuklarla geçen dadılar... Dilenci ailelerin arasında dolanan bir kadın küfrü bastı... Sergiledikleri ölülerini gömebilmek için gereken parayı sadakadan uman, sıran sıran oturmuş dilenciler. Ceset, en yardımsever insanın bile yaklaşamayacağı iğrençlikte, leş gibi kokana dek bu işi sürdürecekleri kesin.

Deniz tarafında, bin bir limandan getirdikleri malları indiren ya da yeni yükünü alan bizim gibi tüccarlar... Hızlı bir baharat gemisi kayalıkları geçmiş, limana yanaşmakta... Pruvası da, güvertesi de inanılmaz bir güzellikle süslü ve nakışlıydı... Öylesine yakınımızdaydı ki; kimyon, biber ve tarçın kokuları genzime doluvermişti birden.

Diğerlerinden hiç de daha az öneme sahip olmadıkları halde en sıradan görünenler, okyanusları aşan teknelerdi. Ve hâlâ toprak kokusu yayan sebzeleri taşıyan geniş karınlı mavnalar... Günlük nafaka peşinde, dalgaların tepesinde bir inip bir çıkan balıkçı tekneleri... Ve kalamarın o tuhaf, keskin.kokusu...

Denizcilerin bağırışları, martı çığlıklarına karışıyordu. Sürekli olarak zamanın akışını gösteren kilise kulesi saatleri... Sonra arada bir duyulan farklı bir çan sesi. Ya bir düğün ya da bir cenazenin habercisi...

Bütün bu insan, hayvan, toprak, su, hayat ve ölüm karışımının bitmeyen dağdağalı müziğini yine en çok dalgaların patlayan köpüklü sesleri ve ahşap teknelerin kendine özgü tok gıcırtıları bastırıyordu. Gözlerimiz ise deniz ve gökyüzünün yansımalarıyla boyanıyordu. Fırıncının ürettiği o lezzetli ekmek gibi bir karışımdı bu. Kendi başlarına pek hoş ya da anlamlı olmayan kokular, görüntüler ve sesler bütünleştiğinde, işte tıpkı o taptaze ekmeğe benziyordu, tepesi çıtır çıtır, nar gibi kızarmış bir ekmek. Ve bu ekmeğin pekmez dolu bir çanağa daldırılması gibi, bu harika karışım da limanın sularıyla öyle buluşuyordu.

Ama bugün her zamankinden de daha muhteşemdi...

"Ey kızıl saçlım nerelerdesin, gel de görsün gününü şu manzara..." Bu, yanımdan geçerken, daima yaptığı gibi, hoş bir şekilde sevdiği şairlerden mısralar okuyarak bana işimin başına dönmem gerektiğini ima eden amcamdı.

Fakat ne çare, hemen yanı başımızdaki baharat yüklü gemi beni günlük yaşamdan kopartıp almıştı. Tarçın, kuş üzümü ve balla tatlandırılmış bir yortu kekinin başındaymışçasına, bu ses ve görüntü cümbüşünün karşısından bir türlü ayrılamıyordum.

San Sebastian Günü'ydü, suların yükselmeye başladığı gün. Üstelik Pazardı da... Ama deniz ve yılın bu ilk seferi kutsal dinlenme için izin vermiyordu.

Bütün bir Cumartesi, manastırdan adeta cesedini sürükleyerek çıkardığı kızla gelecek olan yaşlı halaya bir el vermek için kıyıya inmek zorunda kalıp kalmayacağımı düşünüp durmuştum. Ve işte şimdi Piazzetta'yı geçerek geliyorlardı. Hizmetkârlar, açılmış şemsiyeler, fino köpekleri, kanaryalar... Sanki yürüyen bir çarşı...Tabii ki onun ayrılmaktan nefret ettiği yer aslında manastır değildi. Tüm entrikalarını çoktan çevirmeye başlamıştı meydandaki halka.

Sesleri duyamayacak kadar uzakta olmama rağmen sızlanmaları, yalvarmaları, iç çekmeleri tahmin edebiliyordum. Üzerindeki göz alıcı, pembe elbiseyle zaten maskaralıklarını izleyememek olanaksızdı. Sanki o bir dansöz ya da oynayan bir ayıymış gibi etrafında çoktan bir kalabalık oluşmuştu. Bazıları ona yakınlık duyup tezahürat yapıyorlardı. Diğerleri onun Dük'ün ve hatta Tanrı'nın kurallarına karşı çıkmış bir kafadan sakat olduğunu düşünüp el kol hareketleriyle protesto ediyorlardı.

Baffo'nun kızı fenalık geçirdi. Baffo'nun kızı etrafına yumruklar attı. Baffo'nun kızı kaçmaya çalıştı ve onu yola getirmeye çalışan mürettebat tarafından yakalandı. Mürettebatla flört etmeye çalıştı. Eteklerini havaya kaldırdı, onlara bacaklarını gösterdi, öpücükler yolladı, para dağıtmaya çalıştı ve önlerinde gözyaşları içinde yerlere kapandı. Ve bunlardan hiçbir sonuç alamayınca, bütün kuşlarını, kedilerini, köpeklerini ortaya saldı, onlar olmadan gemiye adım atmayacağı tehditlerini savurarak...

Bu sonsuza kadar devam edemezdi, amcam emretti. "Çağır onları Giorgio, bu vedalaşma yeteri kadar uzadı... Ya bir sonraki çan sesiyle demir alırız, ya da bir başka med zamanını bekleriz."

Kıyıdaki adamlarımıza işaret ettim ve neler olacağını merak içinde izlemeye başladım.

Kanaryaların durumu ümitsizdi. Belli ki Venedikliler haftalarca kanallarda, onların rengârenk kanatlarını seyredip, seslerini dinleyeceklerdi. Ama diğerleri, köpekler ve yaşlı hala perişan bir durumda da olsa artık emin ellerdeydiler. Rıhtımın alt taraflarında bir yerlerde o müthiş pembeli de ele geçirilmişti.

"Çok çok iyi..."

Tam bu sırada Baffo'nun kızı öylesine büyük bir hızla, adeta bir gülle ateşi gibi fırlayıverdi ki, herkesin nutku tutuldu, benim de... Adaletin sembolü gibi meydanın ortasında dikilen iki kırmızı granit sütuna koşmaya başladı. Parlak pembe leke darağacına doğru sıçradı, boş bir ipi kaptı ve bu sabah asılanların yanında kendini sallandırmaya kalkıştı.

Kızın halası öldü mü bayıldı mı, belli değildi. Kalabalık soluğunu kesmişti, kimileri çığlık çığlığa nöbetçileri yardıma çağırdı, kimileri bir heykel durgunluğunda, bu garip çarmıha gerilişi seyretmeye koyuldu. Hüseyin yanı başımda, kötü ruhlardan korunmak için Arapça bir dua mırıldanıyordu. İp hemen hemen boynundaydı, danteller, inciler, yakutlar ve altınların arasında bir yerde... Daha önce de fark ettiğim gibi uzun boylu bir kızdı. Bir adam boyu olan bu mesafeye erişebilmek için parmaklarının ucuna kalkması gerekmiyordu.

Bir tekmeyle sehpayı itti ve amcamın adamı Piero'nun siyah kollarının arasına düştü. Onu, kızı güvenlik içinde gemiye getirmesi için ben görevlendirmiştim ve beni düş kırıklığına uğratmayacağını biliyordum, ama doğrusu yine de heyecanlanmadığım söylenemezdi, derin bir "ohh" çektim. Sonra da kıyıdaki ve denizdeki herkesle beraber kahkahalarla gülmeye başladım. Piero, cesetlerden birinin yanına çökmüştü, Baffo'nun kızını dizlerine yatırmış ve tüm Venedik'in sevinç çığlıkları arasında ona hak ettiği tokadı basıyordu. Manzara unutulmazdı, kocaman kapkara bir adam ve çırpınan pembe kollar bacaklar... Gördüklerim o kadar hoşuma gitmişti ki, Konstantinopolis'e gider gitmez amcamın adamına armağan olarak bir mercan küpe almaya karar verdim. Bu düşüncelerle kafam dinç, işime döndüm. Madonna Baffo bu gemide bize daha fazla zaman kaybettiremeyecekti.

Bu genç hanımın toplum tarafından evcilleştirilmesi bana özgüvenimi yeniden kazandırmıştı. Kafeslerin arkasındaki bir harem kadını gibi, öylesine uzaktan seyretmiştim bu kepazeliği. Bunun verdiği gücün farkındaydım. Limanın ortasındayken bana onun güzelliği vız gelmişti. Hareketleri saçma sapandı. Aptalca ve çocuksu... Ondan korkmam için bir neden yoktu. Bu deniz onu da adam ederdi.

Arkamızdan esmeye başlayan rüzgâr yavaş yavaş yelkenleri dolduruyordu. İşte gemimiz dalgalar üstünde yine şarkılar söylüyordu. Gemiciler taptaze ve heves doluydu ve akşam üstüne doğru İstria yarımadası çoktan gri, uzak bir gölge halini almıştı. Batan güneşin ışıklarıyla parıldayan sahil anlatılamaz bir çeşitlilik içindeydi. Rüzgârlar bizi koynunda taşıyan geminin atası çam ormanlarının kokusunu getiriyordu. Günbatımının canlı renkleri ertesi günün iyi geçeceğinin müjdecisiydi. Akşam yıldızı bir elmastı sanki. Yunuslar zıplayıp duruyordu.

Bir yığın işim vardı yapacak... Artan rüzgârlara göre yelkenlerin düzenlenmesi, dar ve zor kanallardan geçerken kürekçilerin ayarlanması hep benim görevimdi. İşlerine canla başla sarılan bu adamların suyu yararak ilerleyen küreklerinin ucundan gökkuşakları akardı.

Doğrusunu söylemek gerekirse, o ana kadar bizim dik kafalı yolcumuzu hiç hatırlamamıştım. Oldukça sessiz durmuştu.

Ama, "Çocuklar çok sessiz olunca," derdi yaşlı dadım, "mutlaka bir yaramazlık peşindedirler."

VII

AMCAM, YAŞLI RAHİBEYİ bana getirdi ve "Bu benim yeğenim Giorgio, ikinci kaptandır. Sorununuzu o çözecek" dedi. Dışarı çıkarken de gözlerime öyle bir baktı ki, bu, "Böyle problemlerle uğraşacak hiç zamanım yok" demekti.

Rahibenin deniz tutmasından yeşilimsileşmiş yüzü gözyaşlarıyla yıkanmıştı. Meydan okuyan bir ifadeyle bana baktı, cesaret almak istercesine tespihinin tanelerine yapışmıştı, sanırım beni onlardan yansıyacak kutsallıkla etkilemek istiyordu.

"Kutsal rahibem."

"Genç Sinyor Veniero", bana doğru göğsünü şişirerek döndü, ne yazık ki insanın aklına erotizmden başka bir şey getirmeyen bir tavırdı bu. "Bay Veniero, adamınızı yola getirmenizi istiyorum sizden."

"Adamımı mı?"

" O siyah yaratığı beyefendi."

"Piero mu? Neden? Ne yaptı?"

Bir iki kere sudan çıkmış balığın zorlanması içindeymişçesine ağzını açıp kapadı, ama galiba başına gelen felaketi anlatacak kelime bulamıyordu. Tek çare beni güverteye çıkarıp, kürek çekenlerin yanına götürmekti. Gittik ve bana bu "rezilane!" durumu elleriyle gösterdi. Baş kasarasındaydık, önümüzde altınımsı ışıklarla yayılan deniz, tepemizde alacakaranlık bir gökyüzü...

Amcamın adamı, onu bulmayı umduğum yerdeydi. Günün son ışıkları altında, ayağında pamuklu pantolonu, bacakları çapraz, oturmuş ipleri tamir ediyordu. Buraya kadarı normaldi. Şaşırtıcı olan, yanı başındaki bir halat kümesinin tepesine çökmüş olan Vali Baffo'nun kızıydı.

Kıyafetini değiştirmişti. Yaldızlı kurdelelerle süslenmiş, kırmızı erik renginde bir kadife elbise giymişti. Ama pembe ipek hâlâ ortalardaydı. Sanırım bütün öğleden sonrayı elbiseyi kesip biçerek geçirmişti, şimdi de elinde iğne iplik, ondan bizim ihtiyar Piero'ya bir gömlek dikmeye çalışıyordu. Bu sabah limandaki çılgınca gösteri ve darağacında sallanma numaralarının yanında, bu "savaş artığı" kumaşı hayırlı bir işte kullanma çabası hiç yoktan iyiydi. Bu parlak rengin amcamın adamına ne denli yakışacağı Baffo'nun kızının gözünden kaçmamıştı.

Aslında projesinde henüz tam bir gelişme sağlayamamıştı, bir defa iyi bir terzi olduğu söylenemezdi. Sonra, elindeki işten çok Piero'nun elindekiyle ilgileniyordu. Onun parmaklarına bakıyor, ustalığı üstüne laflar söylüyor, sanki ertesi gün ipleri kendisi tamir edecekmiş gibi aklına gelen her türlü abuk sabuk soruyu soruyordu.

Halayla birlikte bunları seyrederken Baffo'nun kızının iki kez kölenin üzerine abandığını gördüm, ilkinde onu halatların arasına düşürdü, Piero elinden geldiğince bir kibarlık içinde savuşturdu hamleyi. Bunun beklediği gibi bir sonuç vermediğini görünce, memelerini ortaya çıkaran sahte bir ilgiyle eğilerek, ikinci bir deneme daha yaptı. Gerçek ortadaydı, Madonna Baffo gemideki bir yığın adamın arasından, bu sabah onu kurtaran zenci kölemizi seçmişti fingirdeşmek için.

Kendimi tutamayıp yüksek sesle güldüm.

"Bayım" diye ikaz etti hala beni. "Bu gülünecek bir şey değil."

"Çok haklısınız, asla gülünecek bir şey değil bu" dedim. "Ama zavallı Piero'nun ne yapmasını bekliyorsunuz bu–" Rahibenin acı çeken suratını görünce derhal çenemi kapatıp cümleyi düşündüğüm gibi tamamlamaktan vazgeçtim. "Yeğeninizi kamarama yollayın. Onunla konuşacağım."

"Yeğenimi mi?" diye sordu kadın. "Pek tabii ki bunu yapmayacağım. Düzeltilmeye ihtiyacı olan şahıs Sofia değil, sizin adamınızdır. Kaldı ki yabancı bir erkeğin odasına onu yollamam zaten söz konusu olamaz. Yalnız başına... Yanında ben olmadan... Tanrım sen bana acı..."

"Nasıl arzu ederseniz, aziz rahibem. Ama bizim adam pek aklı başında biri değildir. Karşınıza geçip, uslu uslu söylediğiniz her sözü başını sallayarak dinleyecektir, arkasını döner dönmez de dakikasında sizin ona yapmasını söylediğiniz şeyin tam aksini yapacaktır."

"Bay Veniero. Ben basit bir azarlamadan söz etmiyorum. Ben, bu arsız adamınızın cezalandırılmasını istiyorum. Dövülmesini, kamçılanmasını... Sizin şu deniz dünyanızın kuralları her neyse, bunun uygulanmasını istiyorum."

"Evet, kutsal rahibem, anlıyorum ama bunun çok fazla bir etkisi olmayacaktır. Bir boğa kadar güçlü ve sağlamdır o." Durumu idare etmeye çalıştığımın farkında olan Piero bana göz kırpıp duruyordu. Kadının ilgisini başka bir yere çekebilmek için sırtını gösterdim elimle. "Bakın," dedim. "Bakın şu izlere, bunlar normal bir adamı kolayca öldürecek yaralara ait. Gördüğünüz gibi ona vız gelmiş. Korkarım ki, pek yola gelebilecek cinsten bir adam değildir."

"Amcanız neden bu adamı tutuyor acaba?" diye sertçe cevap verdi kadın.

"Ondan sağladığımız yarar, çıkardığı belalardan çok daha fazladır efendim."

Tabii ki yalan söylüyordum. Piero bizim için bir köleden çok daha fazlaydı. Ailenin parçasıydı, üstelik benim atladığım bazı işleri fark edip hemen halledebilecek bir zekâya sahipti. Saf ruhlu rahibe yalan söylediğimi düşünmemişti bile.

"O zaman," dedi, "Sizin sözünüze uyacağım. Ama kapının dışında durup konuşulan her kelimeyi dinleyerek... Eğer yeğenim içini bile çekerse... Ayrıca..." Garip çiftin oturmuş olduğu ip yığınlarına ayağı takılmıştı, mırıldanmaya devam etti, "Sizin, benim ona vermiş olduğum nasihatlardan farklı ne söyleyeceğinizi bilemiyorum. Sevgili İsa, şu kardeşimin yanına sağ salim bir varabilsek..."

"Kızın bekâreti bozulmadan...", yaşlı rahibenin yüzüne bakınca cümleyi içinden böyle tamamlamış olduğunu okuyabiliyordum.

❧

Kapım çalınıyordu. Daha ben, "Gelin Madonna Baffo" derken o odaya girip kapıyı kapatmıştı bile. Amcamın yüksek arkalıklı koltuğuna kurulmuştum, sesime otoriter bir sertlik vererek, "Buyrun oturun," dedim.

Oturdu.

"Biraz şarap?" Bardağı doldurdum. "Çok güzel, geçen yılın ürünü, Kıbrıs üzümünden."

Tedbirli bakışlarla baktıysa da tehlikeyi göze aldı, kadehi önüne çekti. Bardağımı onun şerefine kaldırdım ama buna cevap vermedi. Çabucak şarabını bitirdi. Gemide içmeye alışık değildi. Ani bir sallanma güçlü içkiyi ağzından burnundan fışkırtıverdi. Öksürdü, tıksırdı. Sesi duyan hala hızla içeri girdi.

"Halacığım, bir şey yok" dedi kız, hâlâ nefesini düzeltememişti. Bir parça utanmış gibiydi, hala dışarı çıkarken bu ilk zaferimin verdiği hoşnutlukla gülümsedim.

Kendini toparlayan Baffo'nun kızı, gözlerinde kibirli ışıklarla bana bakıyordu. Onun görüntüsünün bende yarattığı acizlikle başa çıkmam gerekiyordu. O, mükemmellikti. Kırmızı erik renginin ona çok yakıştığını düşündüm. Gece ışığında yüzü temiz, soluk, soğuk bir ay gibiydi. Sakin bir adamı bir anda çıldırtabilirdi bu. Tüm avantajımı yitirme tehlikesiyle karşı karşıyaydım.

"Madonna Baffo," dedim, "Âşık oldunuz galiba..."

"Bu sizin üzerinize vazife değil. Sizin işiniz beni geminizde götürmek, hepsi bu."

"Pek tabii ki sizin gönül işleriniz beni ilgilendirmez. Yalnız şöyle bir şey var, mendilinizi önünde düşürdüğünüz kişi bizim adamımız." Bir yudum şarap daha aldım ve göz ucuyla ona baktım. "Doğrusu, Madonna Baffo... Sizin gibi genç güzel bir hanım... Bir gemi dolusu sağlıklı genç adam... Tüm başarınız bir zenci köle, öyle mi? San Marko aşkına... Bir adam sizin hayatınızı kurtardığı için onu ödüllendiriyorsunuz zeki bayan, öyle mi? Ama bilmelisiniz ki, ben ona sizi koruması için para veriyorum ve o belayı hallettiği için ayrıca bir de mercan küpe sözü verdim kendisine. Ona bedel ödenmiştir. Eğer birine teşekkür etmek istiyor idiyseniz, bu ben olmalıydım."

Bana borçlu olmaktan hoşlanmadığı gözlerinden belli oluyordu. Bunu kendi açımdan yine iyi bir puan saydım.

"Haddini bilmez biri olmadığımın şahidi olarak halanızı buraya getirdim. Hemen söylemeliyim ki, bana bir şey ödemek durumunda değilsiniz. Ödül istemiyorum. Sizin güvenliğiniz benim görevimdi. Bu bir iştir. Ondan başka bir şey değil."

Baffo'nun kızı şüpheci bir havada bakıyordu.

"Ama, yine de, bir şeyi hâlâ anlamış değilim..."

Baffo'nun kızı koltuğunda kımıldandı.

"Anlayamıyorum, neden, neden bunca gemicinin arasından Piero?"

Kız kamaranın ışığında, güvertenin aydınlığından çok daha farklı parıldayıp gölgelenen memelerinin beyazlığını göstererek bana doğru eğildi.

"Tahmin et" dedi, bir yudum şarap daha aldı.

"Pekâlâ" dedim, bir süre düşündüm. "Halanızı kıskandırmak istiyorsunuz."

Kıkırdadı. "Hayır."

"Beni incitmek istiyorsunuz. Bir şeyler demek isteyen bir saldırı." Bana en etkili nasıl saldırabileceğinin düşüncesiyle yüzüm kızarmıştı. Foscariler'in evinde kolumu tutuşturan o kol... Kendimi toparladım. "Bilerek değildir herhalde, evet yemin ederim bu yüzden adamımın peşine düştünüz."

"Kendinizi fazla şımartıyorsunuz Bay Veniero."

Bu defa o bir puan almıştı... "İyi, o zaman gemideki başka birini incitmek için."

Kafasını salladı.

"Gemideki biri değil, ama biri var... Birini incitmek istiyorsunuz, peki kimi?"

"Babamı."

"Babanızı mı?"

"Tabii ki onu... Ve evlenmemem gereken şu aptal köylüyü. Bay Veniero siz çok safsınız."

"Fakat yine anlamıyorum, sizin bu gemide yaptığınız şeyler... Bunları bilmeyen, görmeyen insanları nasıl incitebilir?"

"Kolayca." Bir sonra söyleyeceği sözle oyunu kazanacağından emin arkasına yaslandı. "Sizin sevgili Piero'nuzun bana bir çocuk vereceğini umuyorum. Babama vâris olarak bir küçük marsık verince nasıl eğleneceğimi kimse tahmin edemez."

İçinden gele gele kahkahalarla gülmeye başladı, tabii kapıdakinden hemen malum reaksiyon geldi. Hala, ortada sakıncalı bir durum olmadığını görüp tekrar dışarı çıktığında ben de gülmeye başlamıştım. Onun bu neşesine katılmam karşısında Sofia bir an duraksadı. Gözlerimden yaşlar gelene kadar gülüyordum. Kadehinin üzerinden, yumruğunu öfkeyle sıkarak bana bakıyordu. Gülme krizimi durduran bu öfkeli bakış oldu. Tanrım, o endişeyle karışık, tepeden bakan tavır bile güzeldi.. Artık bu küçük oyunu kazandığımdan neredeyse emin olmama rağmen kendimi ciddi bir tehlike içinde hissediyordum. Kontrolümü henüz kaybetmemiştim ama o sakıncalı gülünçlük devam ediyordu.

"Gelin Madonna, size bir şey göstermek istiyorum."

Masadaki defterden bir sayfa aldım, kalemimi mürekkebe batırıp yazdım:

"Madonna, bunu okuyabilir misiniz?"

Yazışmamızın güvenliğinden emin olmak için kapıya şeytan gibi baktı. Kalemi aldı ve yazdı. "Sanırım."

Teknenin ve kalemin gıcırtısından başka ses yoktu. Tekrar yazdım, "Madonna. Amcamın adamı sizi hamile bırakamaz. O bir hadımdır."

"Bu da ne demek?" diye yüksek sesle sordu.

Kahkahamı zor tuttum ve onun bu cahilliği karşısında bir şefkatli baba gülüşü takınmayı daha doğru buldum. "Bir hadım" diye yazdım. "Geçen Cumartesi Foscari'lerin salonunda şarkı söyleyen kastrato gibi bir adamdır. Yoksa Andrea Barbarigo ile çok meşgul olduğunuzdan izleyemediniz mi? Bir hadım, erkeklik organları kesilmiş bir adamdır ve iktidarsızdır. Türkler arasında, amcamın onu satın aldığı yerde, bu çok rastlanan bir durumdur. Kadınların yanına koyacakları kölelerden emin olabilmek için, oradaki köleleri..."

Yazmayı bıraktım, daha fazlası gerekmiyordu. Bu bir yalandı. Piero üzerine uydurduğum yalanlardan rahatsız olmaya başlamıştım. Adamın ne aptallığını, ne de iktidarsızlığını bırakmıştım. Aslında onun gibi güçlü bir hadım pazarlarda bizler gibi denizcilerden çok daha fazla para ederdi. Tabii o pazara gelene kadar ameliyattan ötürü sağ kalabilirse... Yani uzun lafın kısası, o da en az bizim kadar erkekti.

Yine de kâğıt üzerindeki bu palavralarım işe yaradı. Eğer ben, Korfu'ya giden bir geminin aptal ikinci kaptanı, onun başarısızlıkla sonuçlanan özgürlük atağının hikâyesini bu kadar bilebiliyorsam, Venedik sosyetesi kim bilir daha neler söyleyecekti. Genç kız koltuğunda aşağılanmış bir şekilde sallanıyordu.

Yeniden kibarca gülümsedim, ama gözlerini benden kaçırdı.

Onu bu denli burnu sürtülmüş görmekten neredeyse üzülmüştüm.

"Gitmeden şarabınızı bitirin. Kalp kırıklığından ölmenizi engeller."

Her bir damlayı ayrı ayrı savuran azgın bir öfkeyle kadehi yere vurdu ve odadan dışarı fırladı. Halasının meraklı sorularının hiçbirine cevap vermeden güvertede kaybolup kamarasına gitti.

Arkasından kapıyı yavaşça kapattım, oturup şarabımı bitirdim, ve onun o küçücük "sanırım"ını seyrederek hayallere daldım. Ardından cinsiyetsizlikle ilgili bir yığın şey yazdığım o küçücük "Sanırım". Aşkım diye başlayan notun altındaki "S"nin aynı. Hâlâ yeleğimin cebinde sakladığım o not... Bu yazışmayı da katladım ve aynı yere koydum.

Ertesi sabah ortalarda ne hala, ne de yeğen vardı. Yalnızca öğleden sonra rahibe deniz tutmasına karşı bir parça hava almak için güverteye çıkmıştı. Ona geçmiş olsun dileklerimi ilettim ve alaycı olmamaya çalışarak, denizlerde büyümüş birinin ona ne gibi bir yardımda bulunabileceğini sordum. O kadar rahatsız birinde görebileceğimden çok daha büyük bir minnet ifadesi vardı yüzünde.

"Tanrı sizden razı olsun sinyor," dedi, başka bir şeyler daha eklemeye çalıştı. "Dün kamaranızda yeğenime ne söylediğinizi bilmiyorum ama, gerçekten harikalar yarattınız. O andan bu yana değil dışarı çıkmak, yatağında dönmedi bile..."

"Umarım hasta değildir."

"Tanrı'ya şükür, hasta değil. Demirden bir midesi ve çelik gibi bağırsakları var. Yalnızca. Ne diyecektim? Boyun eğmiş durumda. Evet, tam kelimeyi buldum. Boyun eğmiş. En sonunda boyun eğdi. Bunun Korfu'ya kadar devam etmesi için Tanrı'ya dua edeceğim."

VIII

YIL 1562. Ocak ayının sonu. Kış semasının altında Dalmaçya kıyıları olanca sadeliğinde, kendisi gibi... Beyaz granit kayaların son nefesine kadar savunucuları köknarlar... Ragusa'da hem fırtınadan korunmak, hem de yemeklik almak için biraz mola vermiştik, şimdi fırtına dinmişti. Ve iki ya da üç gün içinde Korfu'ya ulaşacaktık.

Bu kadar olaysız bir seyir olması inanılmazdı. Yine de tum kısalığına karşın o Tanrı'nın cezası Baffo'yla yapılan yolculuk, benim için yeterince sinir bozucuydu.

Onu tekrar görmüştüm tabii ki... Halasından yükselen öğürtülere ve kokulara dayanamayıp temiz hava alabilmek için kendini kamarasından tekrar dışarı atması bir günden fazla sürmemişti. Ama bir şekilde teknede hep benim olduğum yerlerin tersinde bir yerlerde dolaşmıştı. Ben açığa bakan tarafta balıklarla uğraşan adamlara yardım ederken, o gidip karayı seyrediyordu. Ben geçtiğimiz yerleri işaretlemek üzere kara tarafına gittiğimdeyse, açıktaki günbatımını çok daha ilginç buluyordu. Ben kıç tarafında dolanırken, o pruvanın en ucunda, Korfu'ya bir an önce kavuşmak istercesine ileriye uzanmış oluyordu. Ve ben ileriye gelince, kıçtan geride bıraktığımız kara parçasına oralardan zorla koparılmış gibi dalgın bakıyordu.

Zavallı Piero'dan ise bir vebalı gibi kaçıyordu ve o ünlü pembe gömleği de asla bitirmeyi düşünmediği belliydi. Dostum Hüseyin'le sohbet ettiğini görmüştüm zaman zaman. Önceleri beni kıskandırmaya çalıştığını düşünmüştüm ve umurumda değilmiş gibi davranmayı yeğlemiştim. Sonradan da oturup düşünmüştüm, belki de ona Müslüman erkeklerle ilişkiye giren genç Hıristiyan kadınları bekleyen tehlikelerden söz eden bir not yazmalıydım. Ona haremin karanlık duvarlarını anlatmalıydım. Galiba bunda bana en fazla cazip gelen, onunla yeniden kamaramda baş başa kalabilme umuduydu, loş ışıklar altında, morlar, yaldızlar arasında ona tekrar bir kadeh şarap ikram edebilmek...

Neyse ki ben bu aptallığı ve ihaneti yapmadan, Hüseyin bana kızın onunla niçin ahbaplık ettiğini anlattı. Hüseyin, amcam ve benim dışında onun gemide konuşabileceği tek insandı. Amcam, işiyle yeteri kadar yoğunlaşmıştı ve bir çocukla zamanını harcayamazdı. Bana gelince, göz göze bile gelmek istemediği biriydim onun için.

Sanıyorum bu barış ve sessizlik için şükretmeliydim. Ama çok gençtim ve Baffo'nun kızının babasının kollarına güvenlik içinde kavuşmasıyla, hayatta bir daha karşılaşılamayacak o gerçek macerayı ıskalayacak olanın, sadece o olmayacağını biliyordum, bu duygu da içgüdüsel bir şekilde beni deli gibi çekiyordu.

Hüseyin'e hangi düşünceyle duygularımı açtım bilemiyorum ama, "tam düşündüğüm gibi..." derken gülümseyen ağzında parıldayan o altın dişin ışıltısını hatırlıyorum, "Ne düşünüyorsun ki?"

"Sen âşıksın dostum."

"Saçma."

"Tamam. Senin dediğin gibi olsun. Âşık değilsin."

Hüseyin omzunu silkti. Sonra dalgacı bir bakışla karanlık gecede denizi seyretmeye koyuldu.

"Tamam," dedim, "kazandın, ama bu o kadar aleni mi?"

"Senin duyguların senin için ne kadar aleniyse o kadar.."

Suçüstü yakalanmış bir yaramaz çocuk gibi utandım.

"Evet, onun benden ne kadar tiksindiğini biliyorum."

Dudaklarındaki alaycı gülüşü saklamaya çalışan Hüseyin, "Bunu bilemem" dedi. "Ama eğer öyleyse, demek bu duygu sizin aşkınızda ikiz bir duygu..."

"Sana bunu mu söyledi?" Kıskançlıktan kudurmuş gibi sormuştum bunu, geminin benden uzak yerlerinde tadına varılan bir sırdaşlığa nasıl tahammül edebilirdim...

"Yok, yok, genç dostum. Yalnızca havadan, Venedik'ten söz ettik biz. Ama sana bunu söyleyebilirim, eminim bundan..."

"Dostum" dedim gülerek, elimi onun düşüncelerini de kovalarmışçasına salladım. "Sen, saygın hiçbir kadının halk arasında yüzünü bile göstermediği bir ülkeden geliyorsun. Kadınların düşüncelerini okuyamazsın, hiçbir deneyimin yok. Eğer dikkat etmiş olsaydın, onun geçen hafta boyunca nasıl benden uzaklarda, beni hiçe sayarak dolaşmış olduğunu fark ederdin. Seninle bir kocaman altın için bahse girerim ki, ben açığa gitsem o kesinlikle, hiç nedensiz, içgüdüsel olarak kara tarafına koşar."

"Altının senin olsun" dedi Hüseyin. "Eminim ki sen haklısın. Sana vebalı gibi davranıyor."

Onun bu açıklamasından memnun olmuştum. Kürekçilerin rahatlıkla yayılmasından, ortalıkta yalnızca erkeklerin olduğu belliydi. Bu gece kamarasına erken gitmiş olmalıydı. Onu karanlıkta kaybolmaya yüz tutana kadar izleyen ben, bundan emindim. Hiçbir şey söylemedim, Hüseyin devam ediyordu.

"Siz, arkadaş olmadan önce, birbirine tırnak göstererek tıslayıp pıslayan kedi yavruları gibisiniz. Ben daha profesyonel bir yaklaşımı tercih ederdim. Baba, kızını ticarette birtakım ayrıcalıklar karşılığında veriyor. Hem keseye hem de vicdana yararlı bir şey... İnsanın ömrü uzar..."

"Eee tabii Hüseyin, ticaret yaptığın yerler kadar karın var senin. Halep'te bir tane, Konstantinopolis'te bir tane, Venedik'te bir tane..."

"Bana bunları sağlayan peygambere şükürler olsun. Ama galiba işin aslında yirmi karım bile olsa, senin şu acıklı, yaralı romansını tercih ederdim."

"Benden ne yapmamı bekliyorsun Hüseyin? Gidip kendimi Vali Baffo'ya sunayım mı? *Hizmetinizdeyim efendim, kızınızı o soylu Korfuluyla evlendirmeyin.*

Benim gibi engel tanımaz bir çalışkan damada sahip olmaktansa niye bu adada saplanıp kalıyorsunuz? Üstelik de geleceğim parlak, Venedikli iyi bir aileden geliyorum, Tanrı'yı inkâr eden, içen, küfreden bir adamım ben, on ayın dokuzunda uzaklara giden, kızınızı Venedik'te bir başına bırakacak olan bir adam..."

"Venedik, onun yaşamak istediği yer."

"Allah korusun... Onu, para ve özgürlük içinde Venedik'te tek başına bırakmak... Bu dünyada onu bırakabileceğim en son yer olur."

"Doğru, bu çok mantıksız olurdu" dedi. Herhalde gözünün önünden haremin duvarları gelip geçiyordu.

"Ya da bunun zıddı? Ben, Giorgio Veniero, Venedik'te dükkânımda hiçbir halt etmeden oturup paralarımı sayacağım ha? Ben denizle evliyim."

"Ve o berbat bir metrestir."

"Hüseyin, dostum. Sanıyorum siz Araplar'ın denizi bir erkek olarak kabul etmesinden yana gönlüm."

"Seni günün sonunda evine yollayan bir efendi. Bir metres çok daha iyidir, seni kapının önünde elinde terliklerin ve yüreğinde bin bir arzuyla bekler..."

"Ne yapmalıyım Hüseyin?"

"İstediğim kadar iyi İtalyanca konuşayım, uygun elbiseler giyeyim, ben asla bir Venedikli olamam. Siz kendi yarattığınız denizin hayalini seviyorsun. Belki başka hayaller de işinize gelir. Siz Venedikliler daima kafa yorup durursunuz 'ne yapmalıyım, ne yapmalıyım?' Sanki elinizde durumları değiştirebilecek güç varmış gibi.. Hiç de yok... Dostum, bu Allah'ın ellerindedir, bizim gibi küçük karıncaların yapabileceği pek fazla bir şey yoktur. Biz Müslümanlar onun için, 'inşallah' deriz, 'Allah'ın dediği olur' deriz."

Bir ses, bizi felsefe dolu bu konuşmadan kopardı. Solumuzdaki odun yığının oradan gelmişti. Biz sese doğru döndüğümüzde, uzaklaşan bir şekil gördük. Bu patırtının nedeni saten eteklikli bir şekildi.

"Bu neydi" diye sordum.

"Sormaya ihtiyacın mı var dostum?" dedi Hüseyin.

"Tanrım, Baffo'nun kızı. Acaba ne kadarını duydu?"

"Her şeyi" dedi Hüseyin, kadere bak, dercesine anlamlı bir gülümseme vardı yüzünde.

Kızın kazandığı bu zafer yumruk gibi oturmuştu mideme. Kafamdan söylediklerimi defalarca geçirdim, ama hiç kurtuluş yoktu. Sadece bir kerecik benim yanıma gelmişti, ona olan aşkımı itiraf etmemi dinlemek için... İşittiklerini inkâr etmenin bir yolu yoktu. Kahkahalarını, oh olsunlarını, cephaneleğini bir bir saymasını hayal etmek tahammül ötesiydi. Güçsüz, salak bir itirafın çıkmazındaydım.

Düşündükçe anlıyordum, bu itirafın nedeni Hüseyin'in alaycı gülüşüydü. O kıza âşık olduğuma inanmıyordum aslında. O, her şeye rağmen bir çocuktu. Yaramaz, saf bir çocuk, akıldan daha çok öfkeye, sevgiden daha çok tutkuya sahip bir çocuk.... Gerektiğinde kuvvetle, acımasızca durumu kontrol altına alabileceğime ikna etmeye çalışıyordum kendimi, bunun güvencesini hissedebilmek için tüm gece uğraştım. Sabaha karşı, güverteye çağrıldığımda uykusuzluktan yorgun ve tahammülsüzdüm. Onun duyduklarını düşünmekten hâlâ kendimi alamıyordum, aşktan da daha tehlikeli bir durumdu bu.

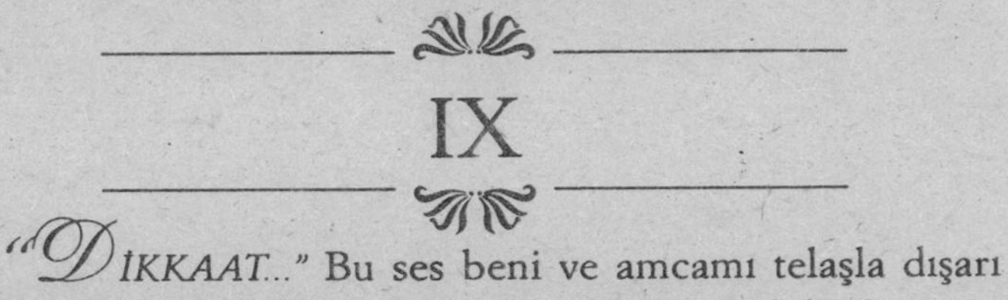

IX

"DİKKAAT..." Bu ses beni ve amcamı telaşla dışarı fırlatmıştı. Ve etrafa bakar bakmaz onu gördük. Gecenin karanlığında bir yıldız sanarak üzerinde durmadığımız ışıktı bu. Şafağın aydınlığında, bayrağını görebileceğimiz yakınlıktaydı artık. Kapkara zeminde bir beyaz Malta haçı. Aziz Jan'ın Malta Şövalyeleri.

Ellerini çırparak Tanrısal bir sevinç gösterisi içinde olan rahibe, "Tanrı'ya şükürler olsun," dedi. "Onların korsan olmasından ödüm kopmuştu."

Başımı sallayışım ve cevap yerine çıkardığım homurtudaki endişeyi yakalamış olacaktı ki, "Herhalde dost insanlardır" diye devam etti, "Hıristiyan bayrağı taşıyorlar."

"Yine de bize yanaşıp, ortalığı arayacaklardır," diye cevap verdim.

"Ama neyi?"

"Onlar Türk ararlar." Önümde sallanan kapıya bastım tekmeyi.

"O zaman sorun yok. O musibet Türkler'den kimse yok bu gemide, öyle değil mi?"

Bana baktı.

"Tabii ki yok" dedim çabucak. "Ama bu bizi yavaşlatacak. Korfu'ya ulaşmamız iki gün daha gecikebilir."

Kırık dökük görüntülü ama ağzına kadar silahlanmış gemi bize bordaladığında rahibe ve yeğeni güvertede dizlerinin üzerine çökmüş, ateşli bir şekilde dua ediyorlardı. Eğer ben bir Sen Jan şövalyesi olsaydım bu manzara bana gerçek olamayacak kadar dindar görünürdü ve Türk kokusunu hemen alırdım. Ama herhalde yaşlı kadının taklit edilmez tavrının etkisinden olacak hızla geçip gittiler. Ve yine herhalde sinyorinanın saçlarının altın parıltısıyla bundan vazgeçtiler. Kaptanlarının onun bukleleri arasında parmağını gezdirdiğini gördüm, neyse ki ortalıkta bulabilecekleri bir Türk yoktu. Öfkeyle yanıyordum, ama bunun nedeni o dokunuştan çok, kızın ona cevap veren bakışları ve gülümsemesiydi.

Şövalyelerin kaptanı zayıf biriydi. Omzuna dökülen kahverengi saçları ıslak keten gibi yumuşaktı. Zırhlarının üzerine o geleneksel korumalarını da giymiş olan mürettebat içinde bir çift tabancayla donanmış olarak yalnızca o vardı. Göğüs göğüse, ya da kılıçla onun hakkından kesinlikle gelebilirdim. Allah ona ne zekâ, ne de kuvvet vermişti. Ama, muhtemelen çalıntı silahlarla talih ondan yana dönmüş görünüyordu ve önünde kurt karşısındaki kuzular gibi diz çökmemiz gerekiyordu.

Tüm bir sabah süren araştırmadan sonra şövalyeler şüpheli bir şey bulamadılar ve tarafımızdan davet edildikleri akşam yemeğine memnuniyetle katıldılar. Ahçı, şarapla terbiyelenmiş tuzlu domuz, kızarmış elma ve bisküvi hazırlamıştı. Deniz tutmasından yeşermiş suratıyla daha bir dindar görünen rahibe ve saygın bir Hıristiyan kılığındaki Hüseyin de dahil olmak üzere herkes sofrada yerini almıştı.

Artık biraz rahatlayıp Türkler'den arındırılmış bir denizin şerefine kadeh kaldırabilirdim. Ayaklarımı uzatıp, arkama yaslanarak, bir gece önceki uyku kaçıran çürük ruhun etkisinden kurtulabilirdim. Yemek ve içkiler mükemmeldi, güneş sıcaktı ama taptaze bir meltem vardı esen. Gökyüzü mükemmel bir mavilikte, deniz parlatılmış bir ayna misali ışıldamakta... Boş direklerin arasında evindeymiş gibi dolanan martılar...

Ama heyhat, bu rahatlık devam edemezdi. Ensemde

hissettiğim bir tokat kadar etkileyici bakışlarla arkama döndüm ve onun gözlerini gördüm, benim huzurumla delice bir kıskançlığa tutulmuş gözler... Bu ihtiraslı, kısılmış kahverengi gözler diyordu ki, *Şimdi görürsün...* Bu sözleri yüksek sözle söylenmişçesine duyuyordum.. Göz göze gelince bakışlarını çevirdi, ama mesajın ulaşması için yeterli zaman geçmişti. Benimle adil bir oyun oynamak ister gibiydi, gelen tehlikeyi sanki haber veriyordu. Ya bu nedenle, ya da kazanacağı zaferden emin olmanın verdiği pervasızlıkla hiç çekinmemişti bunu yapmaktan.

Dikkatimi çektiğinden emin olunca, Baffo'nun kızı yerinden kalkıp halasının yanına gitti. Burası tam da şövalyelerin sıska kaptanının dirseğinin dibiydi.

Kız, "Sayın Şövalye" diye başladı .

"Evet Madonna?" Böyle hitap edilmekten biraz mahçup olan adam pür dikkat bakıyordu.

Madonna Baffo buz gibi soğuk ve beyaz görünüyordu. Devam etti, "Sayın Şövalye, neden Hıristiyan gemilerinde Türk arıyorsunuz? Zaten hiçbir iyi Hıristiyan onlarla ticaret yapmaz."

"Söyleyeceklerim sizin için bir sürpriz olacak herhalde bayan. Onlar fare gibidirler ve her gemide bulunabilirler."

Madonna Baffo şaşkın ama eğleniyormuş gibi bir ifadeyle sordu. "Ne çeşit bir Hıristiyan bunu yapabilir ki?"

"Bir haini ilk bakışta anlayabilmek çok kolay değildir Madonna. Ama size şunu söyleyebilirim. Sizin Venedikliler en berbat işbirlikçilerdir. İspanyollar'dan da Fransızlar'dan da daha beterdir onlar."

"Buna inanamıyorum."

"Tanrı şahidimdir ki doğru söylüyorum."

"Ama niçin?"

"Çünkü onlar parayı İsa'dan daha çok severler. Onlar biz Kudüs'ü zapt ettiğimizden bu yana Türkler'in tarafında yer almışlardır. Yüce Kitap'ta söylendiği gibi onlar, içleri ölüm ve fesatla dolu mermer mezarlara benzerler."

"Ben buna inanamam, ben de bir Venedikli'yim."

"Ama sız saf ve temizsiniz bayan. Dünya pisliklerinden habersizsiniz. Böyle bir masumiyeti korumak bir erkeğe onur verir. Yaptığım işten övünç duyuyorum sizin karşınızda."

"Size bunun için minnettarım, Meryem Ana ve melekler sizinle olsun."

Ona aptal rolü yapıyordu. Bu adamın karşısında gerçekten de aptal rolü yapması gerekiyordu, ama başka şeylerden bile söz etseler bunun yine de çok tehlikeli bir oyun olduğunu biliyordum.

Yavaşca ayağa kalktım ve sönmekte olan ateşin başında, domuzu ısıtmaya çalışan aşçıya doğru yürüdüm. Maşayla, parıldayan bir kömürü tuttum. Salağımsı bir havada, gizli bir dikkatle dinlemeye devam ettim.

"Peki benim gibi cahil biri böyle biriyle karşılaştığını nasıl anlayabilir? Şimdi siz bana bu geminin temiz olduğunu söylüyorsunuz. Siz olmasanız ben bunu nasıl bilebilirdim? Gemide Türkler olduğunu sanabilirdim. Mesela, kaptanımız Sinyor Veniero'nun bir Türk dostu olmadığından nasıl emin olabilirdim?.. Gerçi kendisi zararsız biri, ama..."

"Kaptan Veniero sizde bir kuşku mu yaratıyor Madonna?"

"Yok canım bu sadece benim sersemliğim..."

"Belki de değildir" dedi şövalye, ciddi bir biçimde ilgilenmişti bu konuyla. "Asla kesin olarak bunu bilemezsiniz... Kaptan ne yaptı?"

"Aslında hiçbir şey. Ama işte şu iriyarı zenci köleleri... Onu İstanbul'dan aldıklarını söylüyorlar. Bir Türk ve bir kâfir o, eminim. Benim ödümü koparıyor. Bakın onu düşündüğümde bile tüylerim diken diken oluyor." Tam o sırada bembeyaz tenini göstererek dantellerle süslü manşetini bileğine doğru sıvadı, sonra da sanki kazaylaymışcasına o nefis kolunu ortaya çıkarıverdi.

"O zenciye bakmanın bile dehşet verici olduğunu kabul ediyorum, evet. Özellikle de sizin gibi ince zevkleri olan biri için. Ama affınıza sığınarak söylüyorum ki Madonna, o bir hadımdır ve bir köledir ayrıca..."

İzin verilir verilmez yelken açabilmek için direklerdeki ipleri gözden geçiren Piero'yla göz göze geldik. Ona bir kutlama bakışı attım, doğrusu üstüne düşen bölümü iyi oynuyordu. Elimdeki maşayı çaktırmadan arkama götürdüm ve güvertedeki yerime yöneldim.

Şövalye ikna edici konuşmasını sürdürüyordu, "Ondan korkmanıza gerçekten gerek yok hanımefendi. Eminim ki kaptanınız onu vaftiz ettirip bir de uygun Hıristiyan adı vermiştir. Üstelik de onu bu denizlere getirerek zavallı devin ruhunu arındırıyor."

Şövalyenin, Piero'nun kafasını uçurmaması Baffo'nun kızını çok şaşırtmıştı. Bu duygudan sıyrılır sıyrılmaz kendine yeni bir tatmin yolu aramanın peşine düştü.

"Kaptan Veniero konusunda haklılığınızı kabul ediyorum" dedi. "Sizin bu konulardaki deneyiminizin yanında benimkilerin lafı bile olmaz ve sizin değerlendirmenizi hiç kuşkusuz kabul ediyorum."

Şövalyenin bu kadar yağlanmaktan başı dönmüştü. Saldırının tam zamanıydı.

"Ama yine de... Onun yeğeni genç Sinyor Veniero, ikinci kaptan meselesi... Bir gece onun yaptığı garip bir konuşmaya kulak vermek durumunda kaldım da..."

"Bu konuşmayı kiminle yapıyordu?"

"Bay Battista ile, gemideki tüccar."

"Evet?"

"Yalnız ona Enrico diye değil de, Hüseyin diye hitap ediyordu."

"Hüseyin?"

"Evet, kulağıma öyle geldi. Daha önce hiç duymadığım bir isimdi bu. Oysa onun vaftiz adının Enrico olduğunu hepimiz biliyoruz. Sizce bu tuhaf değil mi?"

"Evet öyle" dedi şövalye, yalnız kızın dolambaçlı konuşmasından ötürü kuşkulu gibiydi.

"Ama o değil de..."

"Madonna Baffo," dedim. Bunu çarçabuk ama beni göz ardı edemeyeceği bir tonda söylemiştim "Tek bir kelime daha söylemeyin Madonna. Aksi takdirde hepimizin pişman olacağı bir şey yapmak zorunda kalacağım."

Şövalye, kız ve tüm diğerleri bana dönmüşlerdi. Elimdeki korla topun ağzı arasında ancak kıl kadar bir aralık vardı ve top şövalyeye hedeflenmişti. Bu mesafeden yapılacak bir atış gemiyi rahatlıkla ikiye bölerdi.

Şövalyenin eli silahlarına gitti. "Onları yere at" dedim. "Adamların da atsınlar..."

Söylediğimi yaptılar.

"Şimdi" diye devam ettim, "Çok sessiz ve sakin bir şekilde, kendi geminize gidin, demir alın ve bizim güvenlik içinde Korfu'ya gitmemize engel olmayın."

Amcam yanıma gelmişti. Bana fiziksel olarak engel olmaya kalkışmamıştı, zaten bunun mümkünü yoktu. Yalnızca başka asilerin tümünü ikna edebilecek sert bir tonda konuşuyordu. "Giorgio," dedi. "Ne yapmaya çalışıyorsun? Bütün bu Hıristiyanlar'ın hayatlarını tehlikeye atarak? Üstelik de basit bir Türk ve onun kumaş dolu sandıkları uğruna..."

Söylemiştim, amcam benim tüm ihtiyaçlarımı karşılayan bir babaydı, ama Hüseyin de benim ruhsal ihtiyaçlarımı sağlayandı. "Evet, Hüseyin için yaparım bunu, ama bir de beri yanda Baffo Valisi'nin rezil kızının babasının kollarına, Korfu'ya güvenlik içinde teslim edilmesi işi de var. Ve Tanrı'dan diliyorum ki, onunla evlenecek köylünün iki bacağı da tahtadandır ve sırtında da koca bir kamburu vardır."

Bunun üzerine Madonna Baffo patladı, "İsa aşkı için görürsün sen. Onlara dün gece duyduklarımın hepsini söyleyeceğim ve sen, sen Veniero, beni durduramayacaksın."

"Madonna Baffo, sizi uyarmıştım."

"Bay Battista ile üç dört karı almaktan bahsediyorlardı. Bay Battista'nın Türkçesinden söz ettiler. Sonra Bay Battista o şeytan tanrısı adına yemin etti. 'Allah için' dedi. O an geminin şeytanlar tarafından sallandığını hissettim."

Ambarın üzerinde, yumrukları sıkılmış, gözlerinden alevler fışkırtarak dikiliyordu. Altın bukleleri şapkasının kenarlarından fırlamıştı ve göğsü ihtirasla inip kalkıyordu. Ciddi tehdidimin, şövalyelerin tam da ihtiyacı olan kanıt olduğunu düşünemiyordum. Bu kıza bir ders vermenin delice öfkesi içindeydim.

Daha fazla düşünmeden kıpkırmızı koru fitile dokundurdum. Aynı anda, belki de biraz daha önce, kız sıçradı, şövalyenin yerde duran silahlarından birini kaptı, savaş çığlığı atarcasına adama bağırdı ve silahı ona fırlattı. Adam ateş etti. Bana nişanlanmış kurşun önüme geçen amcamın göğsüne saplanmıştı ve amcam yerde, ayaklarımın dibinde can çekişiyordu.

Top büyük bir gürültüyle patladı. Amcama bakarken kulaklarımı kapamayı unutmuştum ve sesin şiddetiyle sarsılarak birkaç saniye sersemledim. Kendime geldiğimde, kadırganın delinen gövdesine çoktan sular dolmaya başlamıştı.

Şövalyeler hiç zaman kaybetmediler. Silahlarını toplayıp geminin kontrolünü ellerine aldılar. Dostum Hüseyin'i bağlayıp batmakta olan geminin güvertesine fırlattılar. Kollarımda ölmüş olan amcamın cesedini de... İki gemiyi bağlayan ipleri kestiler ve yelkenlerini açarak olabilecek en büyük hızla uzaklaştılar.

Ben zincire vurulmuştum ve ambara hapsedilmiştim. Daha sonradan öğrendim ki, beni bir sonraki Venedik limanında cinayet ve isyandan yargılanmak üzere sağ bırakmışlardı. Karadaki işkence aletleri çok daha gelişmişti. Ama amcamın son sözlerinin kulaklarımdaki yankılanması benim için en büyük işkenceden daha beterdi.

"Kardeşimin oğlu", demişti. "Ne yaptın? Denizlere açılan son Veniero olacaksın. Ve bu da senin son yolculuğun."

X

AMBARIN KARANLIĞINDA, günlerin farkına varmadan geçiyordu zaman. Tek yakın akrabam olan amcamı ve dostumuz Hüseyin'i yitirmekten duyduğum derin üzüntü denizinin dalgalarında boğuluyordum. Bir küçük aralıktan gece olduğunu anlıyordum ve o zaman her yer ruhum gibi zifiri bir karanlığa bürünüyordu.

İkinci gündü herhalde, büyük bir fırtınaya yakalandık. Acımasızca oradan oraya savruldu gemi ve ben güverte deliklerinden giren sularla ıpıslaktım, tuzdan gözlerim körleşmişti. Yine de şövalyeler beni kürekçilerin arasına koymadığı için şanslı sayılırdım. O zavallı adamlar hiçbir korunmaları olmaksızın öylece kalırlardı yağmurun, güneşin altında, çoğunun değiştirecek bir ikinci gömleği bile olmazdı.

Karanlığı fareler, kumaş çuvalları ve Venedik camı dolu sandıklarla paylaşıyordum. Feci şekilde deniz tutmuştu beni. Güvertede kısa bir yürüyüş, dalgalarla sakin bir bütünleşme, bir iki derin, taze havayla dolu nefes beni hemen kendime getirirdi ama bunlardan yoksundum. Piero'nun bana getirdiği yemek bir rezaletti. Zaten, üzerinde yaşadığım kendi pisliğim insanda iştah bırakmayacak boyutlardaydı.

Aynı azabı çeken rahibe ve diğerleri için daha fazla merhamet duyuyordum artık. Sevdiklerimi kaybetmenin derin acısı ve Sofia Baffo'nun ihanetine karşı duyduğum öfkeyse devam ediyordu. Onun Foscari sarayından kaçmasına engel olmakla ahmaklık etmiştim. Eğer çenemi tutabilseydim bugün lanet,Venierolar'ın değil, Barbarigolar'ın üzerinde olacaktı. Bu düşüncelerin içinde kendime acıyıp duruyordum. Esir düşmüştüm, yapayalnızdım ve her kımıldadığımda canımı yakan bileklerimdeki zincirler kendimden başka birine acımama izin vermiyordu.

Kaç gün geçtiğini bilemememe rağmen Adriyatik'ten ayrılıp, İtalyan çizmesini aşarak açığa doğru yol aldığımızı fark etmiştim. Sallanmaların sayı ve büyüklüğünden sakin havanın geri geldiğini bile anlayabiliyordum. Demek ki gemimiz Korfu'ya gitmekten vazgeçmişti.

Piero beni onayladı. "Şövalyeler riske girmek istemiyorlar."

"Evet. Yaptıkları, Korfu'da kolaylıkla korsanlık olarak değerlendirilebilir."

"Genç bayan..."

"Onun bu kararla bir ilgisi olduğuna bahse girerim."

Karanlıkta Piero'nun kara kafasını göremiyordum ama başını sallayarak beni onayladığını biliyordum.

"Venedik'e geri dönemese de, Malta en azından bir süre için ona daha uyar. Korfu'dan ve babasının onun için düşündüğü beraberlikten kesinlikle daha iyi bir durum tabii ki..."

"Genç bayan..." Piero kibar bir anlatım bulmaya çalışıyordu. "...Şövalyelerin ilgi merkezi."

"Bana karşı kibar olman gerekmiyor Piero."

Bu görevine sadık kölenin, sık sık -doğrusu tam da hak ettiğim gibi- aile büyüklerinin emrine uyarak, bazı gençlik hataları yapan beni dışarı çıkarıp kırbaçlamasından bile daha ağır bir şekilde cezalandırılmam gerektiğini hissediyordum... Ondan nasıl merhamet dilendiğimi hatırladım ve onun da benden nasıl iyi kalplilikle, acıyarak merhametini esirgemediğini... Ne yazık ki şimdi elinden bir şey gelmiyordu.

"Öyledir," dedim. "O kırmızı suratlı, sıska kaptan ona düşkünlüğünü yeteri kadar ifade edemiyordur. Tepemde birkaç defa flüt eşliğinde dans edildiğini fark ettim. Bir kadının yumuşacık adımlarını ve çizme gürültülerini duydum..."

"Şövalyelerin kaptanının göğe sövdüğünü de ben duydum" dedi Piero. "Baffo'nun kızına rastladıktan sonra kutsal dualardan vazgeçti galiba."

"Demek Malta'ya gidiyoruz. Şövalyelerin yurduna. Malta, Kuzey Afrika'daki Müslüman tehdidine karşı büyük bir savunma hattı."

Bunlarla acaba Piero'yu mu rahatlatmaya çalışıyordum, kendimi mi? Aslında kendimi asla rahatlatamıyordum.

Denizde geçen aşağı yukarı bir haftanın sonunda gemi, fırtınada kaybettiği mesafeyi kazanmaya çalışıyordu. Birden güvertedeki alışılmış etkinlik hızlanıverdi. "Dikkaat, iskeledeler..." Bu mesaj dört bir yanda tekrarlandı.. Kürekçiler anında hızlandılar. Gemi sancağa doğru hızla gidiyordu.

"Tanrım, Tanrım, tam üç tane.." Tepedeki bir şövalyenin bağırtısıydı bu. "Mahvolduk."

"Korsanlar! Türkler! Korsanlar!" Bağırış yankılanıyordu. "Sen Jan ve İsa adına silah başına..."

Zincirlerimi toparlayıp, olan biteni görebileceğim bir delik aradım ama faydasızdı. Anladığım kadarıyla üç takipçi gemi bizimkiler gibi büyük değildi ve bu yüzden de uzaktan görülemiyorlardı. Bu özellik onlara adaların arasında kolaylıkla, yılan gibi kayma imkânını veriyordu. Birden düşmanın tepesine biniveriyorlardı, onlar gemiye çarptıklarında çok geç oluyordu. Koca gemilere çabucak ulaşıveriyorlardı. Kısacası bizim kürekçiler, Venedik usulü ayakta, ne kadar hızla asılsalar da küreklerine, çok kısa bir sürede ateş menziline girecektik.

Şövalyeler ilk topu patlattılar, ama o küçücük Türk gemileri çok daha fazla silaha sahipti. Seslerden bize beş atış yaptıklarını anladım. Tek silahımız geminin ancak önünü korumaya yetiyordu. Kaçtığımız için orada da zaten kimse yoktu. Rüzgârın önünde kayarcasına giden gemileriyle Türkler, kısa bir süre içinde gemiyi işgal etmişlerdi.

Şövalyeler eşitsizliğe rağmen cesurca uzun bir süre dövüştüler ve cesaretleri yüzünden kadırgamız pek çok kez top ateşine tutuldu. Her isabette ambarın tahtaları sonbahar yaprağı gibi titriyordu ve ben bunun dayanabileceğimiz sonuncu vuruş olduğunu düşünüyordum. Batmış gemi enkazlarıyla ilgili duymuş olduğum tüm hikâyeler karabasanlar misali aklıma geliyordu. Zincirlere vurulmuş adamların çaresiz, korkunç bir şekilde nasıl öldükleri gözlerimin önünden geçiyordu. Benim gibi ambara ya da küreklerine zincirlenmişler... Bir de boğulmaktan kurtulabilmek uğruna, kol ve bacaklarını prangalardan paramparça ederek çıkarmaya çalışanlar... Bunlar ya gemi enkazının parçalarında ölüme mahkûm oluyordu, ya da diğer mürettebat gibi köpekbalıkları tarafından parçalanıyordu. Onlarla kıyaslanınca boğularak ölmek galiba daha iyiydi.

En dayanılmaz şey, içinde bulunduğum çaresizlikti. Elimde bir silah olsaydı bu kadere bu denli aldırmazdım. Savaşırken bir top ateşiyle denize fırlatılmak bile daha iyiydi. Hiç olmazsa, zaten kapkara bir yarı ölümün içinde olan bedenim ve ruhum bir işe yaramış olacaktı.

Yine de, güverteden gelen bir sesle yüreğim bir parça ferahladı. Bu, katı kalpli görünümü olan kadınların çığlık ve dualarıydı. Silahsızdılar ama katliamın tüm boyutlarını yaşıyorlardı. Ve bu çığlıklardan yukarda olup biteni hayalimde şekillendirebiliyordum. Bir başka top gemimizi sarsarken şöyle düşündüm. "En azından Baffo'nun kızının da tutkularının cezasını çektiğini bilerek derinlere gideceğim." Şimdi kimbilir Korfu'nun barış dolu sahillerine nasıl da gıpta ediyordu...

Savaş öğleden sonraya kadar devam etti. Açlık ve şiddet aklımı karmakarışık etmişti, sersem gibiydim. Birden bir gülleyle, ambarın köşesinde tam da benim tepemde bir delik açıldı. Batmakta olan güneşi ve bir de bize saldıran gemilerden birinin pruva direğini gördüm. Hızlı ve hafifti, yelkenlerini savaş için toplamıştı ama bayrakları, dövüşenlerin tepesinde şiddetle sallanıyordu. Bu gemi daireler çizerek yaklaşıyor, yaklaşıyordu. Daha önce kuşkum bile olsa bu bayraklar saldırganın milliyetini açıklıyordu. Üzerinde beyaz bir yıldız ve açgözlülükle onu yemeye çalışan bir hilal olan Osmanlılar'ın kızıl bayrağıyla İslam'ın yeşil bayrağı...

Akşam olduğunda bize bordalamışlardı ve meşale ışığında göğüs göğüse savaş devam ediyordu. Onun ağır ama dayanılmaz gelişimini seslerden ve kokulardan anlıyordum şimdi: Yükselen savaş naraları, yaralananların çığlıkları, siperlerinde ezilen dövüşçülerin bağırtıları, ayak sesleri, kılıç şakırtıları, hepsi de patlayan baruttan yayılan kalın bir kükürt kokusuyla kaplıydı.

Sonra, ana direğin önünde son bir duruş yaparmışçasına şövalyelerin kaptanı göründü. Gümüş tabancalarının barutu bitmişti ve on yaşında bir çocuğun çaresizliği içindeydi. "Teslim oluyorum," diye bağırdı. Türkler anlamamış gibi yaptılar ve onu dikildiği yerde vahşice Şam kılıçlarıyla biçiverdiler.

Yenilginin ardından ortalığa hâkim olan sessizlik bir süre daha devam etti. Gemi üzerindeki ağırlıktan ve aldığı yaralardan batacak gibiydi. Türkler ganimetlerini topluyorlardı. Bunu, gemiye atlayıp, malı kapıp gidenlerin hızlı ayak seslerinden anlıyordum.

Daha sonra, ambarı gözden geçirmeye karar verdiler.

İçeriye sarkıttıkları meşalenin ışığından gözlerim körleşmişti. Meşaleyi tutanın da gözleri iyi görmüyordu ki, seslendi: "Sana söylüyorum genç dostum, orada mısın?"

Sözler Venedikçe'ydi, aksanlı bir Venedikçe... Yarı baygın da olsam bunu tanımamam olanaksızdı.

"Hüseyin! İhtiyar adam! Bu Allah'ın belası yerde ne işin var?"

XI

YUKARI ALINIP temizlenmiştim, elbiselerim değiştirilmiş, önüme sıcak bir yemek konulmuştu. Türkler domuzu haram kabul ettikleri için tuzlanmış etleri denize atmış ve bunun yerine geminin kümesindeki tavuklardan kesmişlerdi. Tabii ki şarap da yoktu. Bütün fıçılar suyun dibini boylamıştı, bizim yerimize geminin dümen suyundaki balıklar içiyordu onları. Tahmin ettiğimden daha kısa bir sürede kendime gelmiştim. Hiç beklenmedik bir zıtlıklar yumağında yaşamıştım son birkaç gün içinde. Dostumla baş başa vermiş, bizi tekrar karşılaştıran göksel mucizeyi konuşuyorduk.

"Seninle bir daha ancak öbür dünyada buluşabileceğimi düşünüyordum," dedim. "Tanrı aşkına nasıl oldu da sağ kalabildin, anlatsana."

"Allah'a şükürler olsun, bu müminler kadırgayı batmadan önce gördüler. Onlardan biri olduğumu anlayınca da beni hemen kurtardılar ve derhal intikam almaya karar verdiler. O büyük fırtınada İtalya civarında bir küçük koya sığındık ve sizi kaybettik. Dün tekrar bulduk, gerisini zaten biliyorsun."

Onu son gördüğümden bu yana dostum oldukça değişmişti. Uzun Venedik tarzı elbiseler içindeki adam gitmişti. Özünde biliyordum aynı insandı ama, değişen kıyafetleriyle birlikte farklı bir karaktere de bürünmüş gibiydi. Koyu lacivert kadifeler içinde biraz daha yumuşak görünüyordu. Bu ince ve şefkatli hal başkalarına belki bir parça kadınımsı bile gelebilirdi, oysa ben bunu sade, doğal ve neredeyse kutsal bulmuştum. Bu renk, sakalındaki griliği daha bir vurgulamıştı ve onu hatırladığımdan daha yaşlı yapmıştı sanki. Titizce sarılmış sarığı, büyük ve yüce bir bilgelik katmıştı Hüseyin'in genel havasına. Karnına doladığı geniş çiçekli ipekten kuşak da onu irileştirmiş gibiydi.

Kuşağına soktuğu, muhtemelen henüz sıcak olan, iki gümüş tabancayla doygun bir burjuvayı andırıyordu ve bu da beni rahatlatıyordu. Brenta Nehri kenarında, orkideler arasında onu ilk tanıdığım anı hatırladım. Ortada birleşen kalın kaşlar ve onların altında nazik ve neşeli pırıltılar saçan iki kahverengi göz. Karemsi kesilmiş bir sakal, geniş, hafif kemerli bir burun...Ve her kahkahasında ortaya çıkan, bir çocuğun kolay kolay unutamayacağı altın diş...

Şıkırtılı Paduva güneşinin altında ne güzel bir yaz günüydü. Tanışır tanışmaz dost olacağımızı ikimiz de hissetmiştik. Bana kendi çocukluğunda öğrendiği şarkıları söylemişti, sözlerini anlamadığım şarkıları... Ama bunlar öylesine hoşuma gitmişti ki, derhal dadımın elini bırakıp onunkini tutmuştum. Şimdi gece olmasına karşın ve Brentan'daki topraklar borçlar karşılığında çoktan elden çıkarıldığı halde; bir çeşit altıncı hissin peşinde, içsel bir aydınlamaya uğramışcasına, o anın ışığı beni tekrar aydınlatıyordu sanki. Bu duyguyla anladım ki, Hüseyin'de en sevdiğim şey, onun Suriyeli kısmıydı. Venedikli adam benim dilimi konuşuyordu, ama o kılık içinde ona tam olarak güvenemiyordum, belki kendisi bile tam olarak güvenemiyordu.

Sanıyorum benzer bir düşünce onda da vardı bu gece. Onu savunmak için hayatımı tehlikeye attığımdan ötürü teşekkür eden sesi bana bunu gösteriyordu.

Aslında sözleri biraz fazla resmi ve şatafatlıydı, ama zaten insan, ruhunun üzerine bir pul gibi yapışıp kalmış bir borçlanma duygusu içindeyken daha başka nasıl minnetini ifade edebilirdi... Yine de aynı duyguları paylaştığımızı ses tonundan hissedebiliyordum. Belki o eski şarkılar bile gizlenmişti kelimelerin arasına.

"Bir şey değil dostum," dedim ve devam ettim. "Sen de benim için aynı şeyi yapardın."

"Hayır," dedi Hüseyin. "Yapacağımı söyleyemem. Gerçeklerden bahsetmek gerekirse, senin aklını yitirmiş olduğunu düşünmüştüm. İnanılmaz bir aptallık. Peki ama bu çılgınlığın nedeni neydi?"

"O kadırgayı batırmasaydım, şovalyeler hiç düşünmeden senin kafanı patlatacaklardı ve seni içine koyacakları tabutları da hazırdı."

"Allah'ın dediği olur. Biz buna inanırız. Fakat tüm özgüvenine rağmen sen bile, sen bile bunu hissedebilirdin içinde. Ama diyorum ya, tamamen aklın başından gitmişti. Evet, neydi o halin?... Korsanlara elindeki maşaya sıkıştırılmış bir kor parçasıyla meydan okuyuş... Yine de işin doğrusu, Allah'tan daima senin gibi bir savunucum olmasını dilerim."

"İşin doğrusu Hüseyin", dedim, "ruhumda ağırlığını taşıdığım tek vebal seninki değil. Amcam Jacope da var. Bundan sonra tüm yaşantımı Tanrı'ya dua ile geçireceğim ve kendimi asla affetmeyeceğim."

"Bu Allah'ın emriydi" diyerek Hüseyin beni rahatlattı. "Kendini suçlamamalısın. Beni gemiye aldığı için, şövalyeler zaten onu öldüreceklerdi."

Bir süre, amcamın iyiliğini andık ve ondan söz ettik. Sonra çaresiz bir şekilde, "O kız benim aklımı başımdan aldı" diye bağırdım. Hüseyin beni düşünceli bir yüz ifadesiyle, başını sallayarak onayladı.

"Pekâlâ söyle bakalım, ambarda geçirdiğin bir haftanın ardından bu kız için neler hissediyorsun? Şimdi daha bir sağduyuyla düşünebiliyor musun?"

Verecek cevabım yoktu.

"Sormamın nedeni", dedi Hüseyin. "Bizim komutan ganimetin paylaştırılması konusunda sabırsızlanıyor."

"Ganimet?"

"Tabii ki... Köleler, altınlar, mücevherler ve diğerleri. Bayağı iyi bir mal kaldırdık bu kadırgadan."

"Bizi de ganimet olarak gördüğünüzü mü söylemek istiyorsun?"

"Dostum, bu adil bir dövüştü, itiraf etmelisin ve biz de kazanan taraf olduk."

"Fakat... Venedik Cumhuriyeti sizinle dosttur, anlaşma da imzalanmıştı."

"Şövalyelere de dostsunuz..."

"Onlar bizim dindaşımızdır."

"Bir kılıcın pırıltısı ardına düşmüş olanlar, şimdi ya da sonra, daima bu inişleri de göze almalıdırlar. Haydi gel, suratını asıp durma. Tabii ki sen serbest kalacaksın. Onlarla konuştum ve senin benim manevi oğlum olduğunu söyledim. Sen Jan Şövalyeleri tarafından ambara tıkılan bir adamın asla tahmin edildiği oranda bir zındık olamayacağına karar verdi komutanımız. Mallarımı bana geri verdiler, bu da çok iyi. Gerisi de, bizim kendi korsanlık kurallarımız içinde paylaştırılacak, peygamber efendimizin de neredeyse bin yıl önce belirttiği gibi. Bu konuya benim asla bir itirazım söz konusu olamaz."

"Buna insanlar da dahil mi?"

"Gayet tabii dahil. Gemilerimizde kürekçiye ihtiyaç var, şehirlerimizde de kölelere... Bu adil bir durum dostum."

"Adil!"

"O zaman, buna Allah'ın isteği diyelim ve olduğu gibi kabul edelim," dedi Hüseyin. "Kürekçilerinizin arasında beş Müslüman tespit ettik ve onlara özgürlükleri geri verildi, şimdi yenileri gerekli."

XII

"HAYDİ, HAYDİ... Sana karşı çok haşin davrandım belki de, ama işlerin nasıl gittiğini ancak böyle anlayabilirdin. Komutanımız iyi kalpli bir adamdır ve şu seçenekleri sunuyor sana: Şimdi doğruca Korfu'ya yelken açabiliriz ve valiyle fidye karşılığı anlaşabiliriz. Ya da, benim hayatımı kurtarmış olduğun için, komutan kızı sana verecek ve Tripoli'ye varır varmaz serbest bırakılacaksınız. Bu adaletten de daha fazla. Bu büyük bir cömertlik. Ve dostum o kızın tadını gönlünce çıkarmanı dilerim."

Sessizce, Hüseyin'in varlığının bende yaratmış olduğu, o kısacık süren güven duygusunu arıyordum, ama sonuçta o da bir inançsızdı.

"Kararsız görünüyorsun dostum. Gel, seni kıza götüreyim ve komutanın yüce yürekli önerilerini daha sonra değerlendirelim."

Hüseyin beni güverte boyunca götürürken, bir Türk'ün üzerinde pembe ipeği, bir başkasının kulağında da gözyaşı damlası şeklindeki inciyi gördüm. Bana neden bu kadar aşina geldiklerini biliyordum. Kadın mahpuslar: Madonna Baffo, halası ve iki hizmetçiye kamaralarında kalma izni verilmişti ama tüm eşyalarına el konulmuştu.

Nöbetçi bize kapıyı açtığında, rahibeyi sıkıntı içinde, acı çekerken bulduk. İki hizmetçi hava alabilmesi için başlığını çıkartmış, alnına soğuk kompres yapıyorlardu. Darmadağınık, kırpık, solgun saçları yolunmuş kaz tüyü gibi diken dikendi ve bu hal, onu çırılçıplak görmekten daha müstehcendi sanki. Hemen arkamı döndüm, yeğeninin odada olmadığını fark ettimse de nedenini sormadım.

Bunu, kapıdaki nöbetçiye sert bir tonda, Türkçe olarak Hüseyin sordu. Adamın cevabı da aynı şekilde heyecanlıydı. Ne dediğini bilemememe karşın çaresizliğini anlatıp, merhamet için yalvardığını anlayabilmiştim. Elinden gelenin en iyisi için çabalamıştı, kabaca kızın gittiği yönü işaret etti.

Biz kadırgada o yöne aceleyle giderken Hüseyin kafasını salladı ve kumandanın öfkesiyle, Venedikli kızların salaklıkları üstüne bir şeyler mırıldandı. O türbanın altındaki kafanın endişeleri beni de sarmıştı. Baffo'nun kızı bir tutuklu ve hatta bir köleydi; bu şehvetli Türkler de kimbilir kaç zamandır haremlerinden uzakta, denizlerdeydiler. Onların, o güzel yüzü, genç ve narin vücudu görmezden gelmelerini nasıl umabilirdim? Kendimi neden iyi duyguların sakinliğine bu denli kaptırmıştım? Ambarda geçen günler benim öylesine aklımı karıştırmıştı ki, orada iyi bir yemek ve temizlikten başka bir şeye yer kalmamıştı. Ben rahatımın peşindeyken, birtakım sünnetliler onu, çığlık ve çırpınmalarının kulağımıza ulaşamayacağı, yan tarafımızda seyreden o küçük Türk gemilerinden birine atmış olmalıydı.

Biz kadırganın iskele tarafına geçip, bitişiktekine atlarken, o çığlıklar sessiz inlemelere dönüşmüştü herhalde. Ya da bunlar, tatmin olmuş vahşi adamların sesleriydi. Belki de o çoktan acı, utanç ve keder içinde ölüp gitmişti...

Türk gemisinde ilk gördüğüm şey yüreğimi ağzıma getiren büyük, siyah şekildi. İkinci bir bakışla onun Piero olduğundan emin olmuştum. Elindeki derisini parlatan meşaleyle bir kömür yığınına benziyordu. Yerlere kapaklanmış vücutlar arasında temkinli adımlarla yürüyordu.

Bunlar savaşta yaralanmış olanlardı: Kolundan, bacağından yaralanmışlar, yüzü bir kılıç darbesiyle paralanmışlar ya da patlayan barutla yanmış olanlar... İki tarafın da adamlarıydı bunlar ve pek çoğu geceyi çıkaramayacaktı... Gün boyunca izlediğim savaşın sonuçları dehşet vericiydi.

Bu insan mezbahasında, Piero'yu izleyen soluk altın renginde, ince uzun biri vardı. Tüm mücevherleri çıkartılmıştı, ama bana her zamankinden daha ilahi görünüyordu. Venedik mavisi giysileriyle uzanıp kalmış birinin başucunda diz çöktü, göğsünün üzerinde haç çıkardı ve dedi ki, "Bu adam ölmüş."

Gölge gibi iki denizci gelip, çabucak cesedi kaldırarak denize attı. Daha sonra onun bir Türk'ün önünde eğildiğini gördüm. Adamın yarasına baktı ve kovayı istedi. Kova, onun yaraları yıkamak için kullandığı şarapla doluydu. Ambar pamuklu ve yünlü kumaşlarla yüklü olduğu halde ona bir metre bile verilmemişti. Sargı gerektiğinde onun kalçalarını artık ancak örtebilen gömleğini yırttığını gördüm. Bezi hazırladığında, yaralı adama doğru tekrar eğildi, adam korku içinde ona gitmesini işaret etti. Tekrar denedi, yatıştırıcı sözler söylüyordu, bu kez asker öylesine bir dehşetle kaçmak istedi ki yarasından kanlar fışkırdı. Sanıyorum ölümcül yaralarından çok kızın efsunlu bakıcılığından korkmuştu.

Baffo'nun kızı ona şöyle bir baktıktan sonra ayağa kalkıp adamı takdis etti. "Allah'ın belası aptal Türk," dedi. Bunu öyle karmakarışık bir ruh halinin sesiyle söylemişti ki, adam asla manasını bilemezdi.

"Onu durdurmalısın", dedi Hüseyin bana. "Komutan gelmeden önce."

Ama artık çok geçti. O, çoktan kadırganın kenarında belirmişti bile. Güçlü görünüşlü bir adamdı; çenesinin kenarlarında çifte tabanca gibi sarkan simsiyah, kalın bıyıkları vardı. Yüzünün diğer yerleri traşlıydı. Yine de ya geçen hafta traş olmaya vakit bulamadığından, ya da sakalının azgınca büyümesinden (bence bu yüzdendi) suratında koyu bir gölge vardı. Kolları ve göğsü de kıl içindeydi. Elleri göğsünde kavuşturulmuş, güvertede dikiliyordu ve öylesine bir kükredi ki, sanki gücü yelkenleri dolduracak gibiydi.

Hüseyin bu öfkeye, "Muhterem efendimiz, saygıdeğer efendimiz..." gibi kelimelerle başlayan cümlelerle cevap verdi.

Böylesi bir şiddetin önünde hiçbir alçakgönüllülüğün yol alabileceğine aklım yatmadığı halde, her cevabın başına eklenen bu itaatkâr eğilmeler, dostumu yenilgiden kurtardı. Komutan, bıyıklarının arasından top ateşi gibi çıkan birtakım sert sözler söyledi sonunda. Ama Hüseyin bana döndüğünde, yüzündeki küçük gülüş, belayı sıyırdığımızın habercisiydi.

Hemen ardından, iriyarı iki Türk'ün gelip Madonna Baffo'yu derdest ettiklerini hayretle gördüm. Kız, onlarla ateşli bir şekilde mücadele ediyordu, ölmüş askerlerin yerine yenilerinin geleceğini düşündüm bir an, ama adamlar çok güçlüydü, küfür ve tekmelerine rağmen Madonna Baffo'yu alıp, kadırgadaki kamaraya götürdüler.

Odanın kapısına daha sert ve haşin bir nöbetçi yerleştirildi. Gözlerinde öylesine bir bakış vardı ki, eminim onları kaybetmemek için elinden geleni yapacaktı. Kapının öbür tarafında Baffo'nun kızı, çığlıklarla belalar okuyordu, eğer gece pırıl pırıl olmasa Tanrı'nın gazabının üzerimize gök gürültüleriyle ineceğini düşünebilirdim. Yine de sesler yeterince ürkütücüydü, Hüseyin'in nöbetçiyi bir küçük aralık için bile kandırması bayağı zaman aldı. Sanıyorum dostumun bana dönerek söyledikleri adamı ikna etmişti.

Bana daha sonra, "Onun senin kız kardeşin olduğunu söyledim" dedi.

Madonna Baffo bizi görünce yere kapaklandı, nefret ve hainlik ithamıyla dolu bir sessizlik içindeydi, bu da nöbetçinin bizi yalnız bırakmasına yardımcı oldu. Dışarı çıkıp kapıyı üzerimize kilitledi.

Hüseyin ve ben kapının yanındaki boş bir sandığın üzerine oturduk. Odanın dibinde, rahibenin yatağında da dört kadın... Madonna Baffo halasının elini eline almış, onu rahatlatıcı sözler söylüyordu. Bana bütün bunlar rolmüş gibi geldi. Ona göre bir kadının sinir bozukluğu ya da çarpıntı gibi hastalıkları; kılıç ya da barutla yaralanmış erkeklerin hastalığının yanında hiçbir şeydi. Bu çelişki bana, Baffo'nun kızının gözünde kadın yaşamlarının anlamı olmadığını düşündürdü. Ona göre kadınlar yumuşak ve zayıftılar. Bu izlenim beni öylesine etkilemişti ki, onu pislik ve kan arasında, yırtık pırtık giysiler içinde, saçı başı bir yanda yaralılarla uğraşırken çok güzel bulmuş olmama rağmen şimdi gözüme tiksindirici geliyordu.

Kadınlar hastalarıyla meşgul gibiydiler, Hüseyin ve ben ellerimize bakarak oturuyorduk. Fısıltıyla dedim ki, "Haydi dostum, kalk gidelim."

Hüseyin, kapıyla kadınlar arasında bir yerde durup, "Onu almıyor musun?" diye sordu.

"Beni şimdiye kadar tanımış olman gerekir Hüseyin" dedim. "Bir kadını bu şekilde alamam, bir köle olarak, ganimet gibi, siz Türkler'in yaptığı gibi. Eğer onu istiyorsam, alacaksam onu kazanmalıyım, ruhunu da bedenini de... Hak etmeliyim."

"Tanrı sana bir daha böyle bir kısmeti nasip etmeyebilir."

"Bırak bu Tanrı'yla benim aramda kalsın," dedim. Ölüme kadar bile gidebilecek bir yolda yürüyen adam gibiydim.

Hüseyin, "Nasıl diyorsan," dedi. "Ama doğrusu siz Venedikli erkeklerin hayatı on kat daha zorlaştırmasını da bir türlü anlamıyorum. Şunu da eklemeliyim, işleri komutan için de zorlaştırıyorsun."

"Oh, evet," dedim bir parça alaycı bir biçimde. "Şimdi komutanın, onun sunacağı zevklerden tek başına yararlanabilir."

"Dostum," dedi Hüseyin, sesi incinmiş gibiydi. "O, kızı sana vermek istedi. Sorumluluktan kurtulmak istiyordu. Bu kızla başa çıkmanın çok zor olacağını biliyordu..."

"Komutanının şehveti tepeye vurmuştur şimdi herhalde."

"Komutanı aşağılıyorsun Veniero, ben buna izin veremem. Uluç Ali Saltanat donanmasındandır ve Kaptan Paşa'dır. Bu denizlerde harem teslim edilecek kadar dürüst olmasıyla tanınmıştır. Kadın esirlerine kız kardeşi gibi davranır."

Arkadaşımın sesindeki içtenliğe güvenmem gerekiyordu. İçimdeki bazı acılı şeyleri de dökmem... "Yine de onları, haremde gibi kilitli tutacak."

"Onların kendi güvenlikleri için..."

"Madonna Baffo yaralılarla uğraşıyordu, oynaşmıyordu..."

"Pek çok kişi bu işle görevli zaten. Onun yanında işlerini yapamazlar. Erkek hastalara erkek bakıcılar gerekir. Kadınlar kendi rahatlarına bakmalıdırlar."

"Ama yaralı adamların arasında ona ne zarar gelebilirdi ki?"

"Bunu biz değil, Allah bilebilir."

"Ama adamların çoğu Hıristiyan'dı ve onun Hıristiyanlar'dan çekinmesini gerektirecek hiçbir şey yok."

"Gerçekten mi?" dedi Hüseyin, "Bizim Malta Şövalyeleri'yle ve diğer Haçlılar'la olan deneyimlerimiz daha farklı. Mesela, Cezayir'deki kadınlarımız şuna inanmışlardır ki, iblis Hıristiyanlar'ın merhametine sığınmaktansa, kocalarının kılıcına göğsünü dayamak daha evladır. Hayır, dostum. Eğer komutanımın sana sunduğu merhametinden yararlanmayacaksan, o zaman onun kurallarını tartışmak da sana düşmez."

"Kumandanına Korfu'ya gitmemizi söyle o zaman" dedim. "Bırakalım böyle olsun..."

XIII

İKİ GÜN BOYUNCA, ufukta Korfu adasını seyrederek oturduk durduk. Direğe çektiği beyaz bayrakla Türk kumandan, elindeki rehineler için pazarlık yapmaya çalıştı. Ne denli yumuşak öneri yolladıysa da bu asla geri gelmedi. Cevabı, meydanda idam edilenleri gözlerimizle görmüşçesine biliyorduk: Allah senin belanı versin Türk. Senin tanrıtanımazlığına tek bir altın bile ödemeyiz biz, geber..."

Valinin kızı gururlu ve inatçı bir teslimiyet içinde olan biteni izliyordu.

Üçüncü gün, Korfu limanındaki tüm gemiler, sanıyorum ki zaten tamamı dörttü, aceleci bir öfke içinde bize doğru harekete geçtiler.

"Vali bir aptal," dedi Hüseyin, "Üstelik de bir barbar. Ne çeşit bir adam öz kızı ve kız kardeşinin içinde olduğu bir gemiye saldırır?"

Uluç Ali, Hüseyin'e göre, yeteri kadar merhamet göstermişti. Gemilerimizi geri döndürdü ve anlamsız bir savaşta hayat kaybetmektense uzaklaşmayı tercih etti. Büyük kadırga bizi yavaşlatıyordu. Gövdesindeki delikler, tüm tamirata karşın su alıyordu. Ama Türkler buna karşı hazırlık yapmışlardı. Bizi ve ganimetlerini öbür gemilere geçiriverdiler. Bana bir başka seçenek daha sunulmuştu: Kadırgada kalıp vatanıma dönmek ya da Türkler'le kalmak...

Amcamın ölümünden sonra hiçbir yakın akrabam kalmamıştı ve İtalya'da bir geleceğim olacağı da şüpheliydi. Hüseyin benim en iyi dostumdu, ama yine de Venedik'i bir daha görememe olasılığı vardı. Madonna Baffo da bunu duymuş olmalıydı, gözlerini bana dikti, sanki şunları demek istiyordu: "Sen bir korkaksın Veniero. Umarım babam seni bir hain olduğun için parça parça keser."

Kaderim bir çift gözle mühürlenmişti. Türk gemisine çıkan merdivenleri tırmandım ve bu hareketle Venedik limanına "elveda" dedim.

Korfulu gemiler üzerimize saldırmaya başlayınca, Türkler kadırganın iplerini kestiler. Vali Baffo ona yanaşıp ele geçirmeye çalışırken biz de uygun bir rüzgarın koynunda seyretmeye başladık, gün batarken açık denizde, her türlü tehditten uzak ilerliyorduk.

"Şimdi nereye gidiyoruz dostum?" diye sordum Hüseyin'e.

"Konstantinopolis'e," diye cevap verdi Hüseyin şıkırdayan bir gülüşle. Dilinden bu sözler saf bal gibi dökülüyordu, tek başına yenemeyecek kadar kuvvetli ama dayanılmaz...

Bundan iki gün sonra, rahibe bu dünyanın kahrından kurtulup Tanrısına kavuştu. Bir hafta sonra da bir salgın hastalıktan ötürü hizmetçilerden biri. Bu ateşli hastalık birkaç yaralı askerle birlikte bizim ihtiyar zenci Piero'nun da sonu oldu. Daha önce de denizde ölümler görmüştüm ve buna dayanmayı başardım. Hüseyin'le geçirdiğim her an çok daha hoşuma gitmeye başlamıştı. Anlattığı hikâyeler, söylediği şarkılar yaşıma uyan yeni numaralarıydı ve ben henüz çocukluktakilerin büyüsünden bile kurtulamamışken bunları nereden bulup aktardığını anlayamıyordum.

Bu arada onun dilini de öğrenmeye çalışıyordum. Doğrusu bu onun dili değildi tam olarak. Anadili Arapça'ydı, ama şu anda İslam dünyasının politikası Türkçe'ydi ve Hüseyin benim bu gayretimi anlıyordu. Daha önceden, amcamla dolaştığım zamanlardan "Selam" kelimesini ve pazarlık etmesini öğrenmiştim. Ama şimdi bu işin bir milletle dalga geçen deyimlerden daha fazla bir şey olduğunu anlıyordum. Kesinlikle apayrı bir dildi, Venedik dilinden ne bir eksiği, ne de bir fazlası vardı. Ve daha da önemlisi, daha önce hiç hayal etmediğim bir dünyayı ifade ediyordu. Eskiden birkaç kez Antakya ve Konstantinopolis'e gitmiştim, oradaki yaşam bana kukla tiyatrosu gibi görünmüştü, seyirciler gittikten sonra hiçbir gerçekliği kalmayan bir gösteri...

Şimdi görüyordum ki böyle değildi. Yalnızca bir gerçek değil, aynı zamanda bir derinlik ve hayat vardı. Üstelik bu öyle bir hayattı ki, benim geride bıraktığımla ilgili kuşkularım çoğalıyordu. Güvertede oturup evlerinden söz eden gemiciler diğer gemiciler gibiydi ve ben hayata bakışımın ikiye katlandığını hissediyordum.

Yürekten bir kahkaha atarak bu konuşmalara dahil olmaya çalışıyordum. Ama beni kabullenmelerinin ardında yatanın, bir dalgacıyla muhabbet değil de yeni bir yandaş edinme olduğunu daha sonra anladım. Yarım düzine ya da daha fazla memleketlim Türk gemilerinde kürek çekerek ölmenin cazip bir son olmadığına karar vererek İslam'a geçmişlerdi. Onları bu dönmelerinden ötürü suçlayamıyordum. Bunu nasıl yapabilirdim, on on beş kelimelik bir anlatım farkı buna yetmiyordu. Ve sonunda gördüğüm, aslında bizim tümüyle ayrı bir topluluk olduğumuzdu.

Sadece bir şey eksik geliyordu bana. Bu Müslümanlar, bilindiği gibi asla kadınlardan söz etmiyorlardı. Bu konuda gayet tutucuydular, bu onların dininin bir gereğiydi. Suriyeli Hüseyin bile, Santa Lucia'da sohbet ettiğim Venedikli Enrico'dan farklıydı. İçlerinden biri Cezayir'de bir kerhaneden söz etmeye kalkışınca, onun sert bir bakışıyla konu yok olup gidiyordu ve ondan itibaren bir gemi dolusu keşiş olup çıkıyorduk.

Madonna Baffo ve ona eşlik etmek için bırakılan kadın ayrı bir yerde, güvenlik içindeydiler. Ama bu bile yetmemiş olacaktı ki, kamarası olmayan küçük geminin dibinde bir faaliyet başlatıldı. Kırık sandık parçalarından ve eski yelken bezlerinden bir odacık yapıldı. Böylelikle haklarında tek kelime bile edilmeyen kadınlar, göz önünden de yok oldular.

Diğerleri için bu katlanılabilirdi, ama benim için asla... Bir gün, geminin bu köşesinden geçerken rastladığım nöbetçi beni hareketlendirdi. Benim Madonna Baffo'nun kardeşi olduğumu zanneden adamdı bu. Yaklaşıp, yukarı kaldırılmış perdeye bir göz attım. Valinin kızı, adamdan bir şeyler istemeye çalışıyordu, ama amacına ulaşamıyordu..

Kıza gülümsemeyi daha çok arzu ettiğim halde mecburen nöbetçiye gülümsüyordum. Sordum. "Nedir problem?"

Madonna Baffo, inanılmaz soğuklukta bir sesle cevap verdi, "Sadece bizi nereye götürdüklerini öğrenmek istemiştim."

"Konstantinopolis" dedim. İyi haberlerle doluydum.

"Konstantinopolis ha? Anlıyorum, teşekkürler Sinyor Veniero" dedi ve örtüyü kapattı.

Konuşmayı becerebildiğim kadarıyla nöbetçiye aktardım. Başıyla anladığını ifade etti. "Kadınların basitliği" diye tercüme edilebilecek bu durumun ne kolay anlatıldığına ikimiz de güldük.

Daha sonra konunun kapandığını düşündüm ve derinde bir acı hissettim. Bu iki kadın, bir haftadan daha fazladır gelecekleri hakkında hiçbir bilgileri olmadan çaresiz ve yapayalnız duruyorlardı. Kim bilir ne korkunç şeyler türetmişlerdi hayallerinde. Şimdi gerçeği biliyorlardı ve içleri daha da sıkılabilirdi. Madonna Baffo babasının gemilerini ve güvenli limanını gözleriyle görmüştü, ama büyük bir hayal kırıklığına uğramıştı. Eğer Korfu onun için bu kadar bilinmez idiyse, herhalde barbarların ve inançsızların şehri Konstantinopolis dünyanın sonu sayılabilirdi.

Belki de onun yanına gidip yüreğini ferahlatmalıyım diye düşündüm. Ona, bu kentin Hıristiyan dünyasında bir eşi daha olmayan büyüklükte, Venedik'ten bile daha zengin ve düzenli olduğunu anlatmalıydım. Ama gerçek yaşamında asla göremeyeceği peri masalları olurdu bunlar. Erkekler için gemiler ve madenler varsa, kadınlar için de geriye kalan haremde kölelikti. O küçük kısa konuşmaya kadar kafamın gerisine atmayı başarabildiğim acı geri gelmişti. Ve gerçekten de derinden vuran bir ağrıydı bu.

Üstelik bunu paylaşamıyordum. Türkler'e kadınlardan söz edilemiyordu, bir de zaten onlar kadınlardan bile daha aşağıydılar, onlar Allah'ın isteğiyle köle olanlardı. Genç kadınların yaşadıkları iç sıkıntısını bir parça anlayabiliyordum. Bu çektiğim acıyı daha da içselleştirdi, iltihaplandırdı, hatta gangrenleştirdi. Hiç olmazsa onlar bunu birbirleriyle paylaşabiliyorlardı. Konuşmayla irin akabilirdi. Benimse hiç kimsem yoktu. En sevgili ve en yakın dostum olan Hüseyin'le bile konuşamıyordum. İtiraza ve şikâyete hiç mi hiç hakkım yoktu, seçimimi kendim yapmıştım ve şimdi bir Türk gibi bunun gereklerini yerine getirmeliydim.

Son günlerde kuşku ve korkular kafamın içinde kör dövüşü yapıp duruyorlardı. Bazen öylesine bir ruh haline giriyordum ki, denizcilerle oturup yapacağım hoş bir sohbetten vazgeçip, gemide tek başıma bu acıyı çekebileceğim bir yer arıyordum. Bulduğum yer ise yiyecek dolu varil ve kutuların arasıydı.

Türkler yalnızlığı sevmiyorlardı. Onlar için en kötü birliktelik bile yalnızlığın şiddetinden daha iyiydi. Hüseyin, bana bunun eski zamanlardan kalma bir duygu olduğunu söylemişti. Steplerde, çöllerde geçen uzun ve lanetli bir tek başınalık... Yine de bir Hıristiyan'ın karakter özelliklerine hürmet ediyorlardı. Gözlerinden tek başına bir aklın neler ürettiğine dair kuşkular geçen ahçı bile, kutularda bir şeyler aranırken saygılı bir tavır içinde oluyordu.

Bu köşenin bir yanı kadınlara ayrılmış bölümle bitişikti. Ne büyük bir çelişki... Ben burayı kendimden kaçabilmek için kendi irademle bulmuştum; ama öte yandan bu, kadınların asla istemedikleri bir mahpusluğun da yeriydi. Sadece bir duvar... Aramızdaki tahta parçalarının birinin üzerinde Baffo-Korfu yazıyordu, kendimi ondan koparıp; sakin, huzur verici, zihin yıkayıcı denize bakmayı tercih edebilmem bayağı zaman almıştı.

Günlerden bir gün her şey karışıverdi. Ortalık olağanüstü sakindi, kürekler ıskarmozlarda ritmik sesler çıkarıyordu. Sancak tarafında biraz önce Patmos'u görmüştük. Bu detayı net olarak hatırlıyordum, çünkü bu ada her yerde Sen Jan'ın evi olarak bilinirdi ve benim hissettiklerim de bu gerçeğin vurgulanmasından ibaretti.

Bir sandık yığınının yanında Sofia Baffo göründü. Kollarında dikkatle taşıdığı bir bohça vardı. Bununla tam bir zıtlık oluşturan ilk karşılaşmamızı düşündüm. Adımlarına hâlâ bir müzik eşlik ediyor gibiydi, ama bu daha çok bir cenaze müziğini andırıyordu.

O yaklaşırken düşündüm ki, onu bu şekilde kavramak belki de daha kolaydı. Küllenmiş bir odun, alevler içindekinden çok daha kolay tutuşabilirdi ne de olsa... Şu anda Madonna Baffo da bana böyle sönmüş bir odun parçası gibi görünüyordu.

Apollo'nun altın atlıları gibiydi, onların ışıkları da gökyüzüne dağılıp Samanyolu'nu yapmışlardı. Onun da son yolculuğunun ateşleri mutlaka Akdeniz'de bir iz bırakacaktı. Ve Konstantinopolis'e ulaştığımızda geride yalnızca o parlak iz kalmış olacaktı.

Bakarken bunu görebiliyordum. Esir düştüğünden bu yana aynı pırıltılı elbiseyi giyiyordu ve giderek daha zayıflıyordu. Eşarbının altından görünen saçları bile parlaklığını yitirmiş gibiydi. Havaya dağılan o güzel kokusu olmasa onun yaklaştığını anlayamazdım.

Üç adımda Baffo'nun kızı varlığımı hissetti ve bana baktı. Daha bir solgunlaşmış ve incelmişti sanki bana yaklaşırken. Hemen topuklarında dönüp uzaklaşmaya yeltendi.

"Gitme, gitme..." diyen sesim fısıltıdan biraz fazlaydı. Durdu, döndü. Bunlar birbirinden kesinlikle ayrılabilen, aralıklı omuz hareketleriyle yapılmıştı. Bana doğru bir ya da iki adım attı, ama hissedebiliyordum, tam olarak güvenmiyordu.

"Ne istiyorsun?" diye sordu. Bunu çok sessizce söylemişti, işitilmekten korktuğu belliydi.

"Nasılsın?... Nasılsın?" diye sordum sevgi dolu bir yumuşaklıkla.

Bakışları bana ne kadar salak ve duyarsız olduğumu anlatır gibiydi. Bu koşullar altında zaten nasıl olabilirdi ki? Bu soru bir cevabı hak etmiyordu.

"Üzgünüm," diye kekeledim. Sonra cesaretlenip, "Kollarındaki nedir?" diye sordum.

Bana şöyle bir baktı, yanıma yaklaştı. Kucağındaki bohçanın ucunu azıcık açıverdi. Kalbim yerinden hopladı ve gördüklerim karşısında kafam yine karıştı. Kollarında tutuğu en sevdiği minik köpeğiydi. Hala, hizmetkârlar, kanaryalar, köpekler... Ve işte bu en sonuncusuydu. Hayvanın yarı açık ağzındaki sivri diş tuhaf bir şikâyet gibi görünüyordu.

Ne diyeceğimi bilemedim ve sonunda sersem bir şekilde dudaklarımdan "üzgünüm" sözü döküldü.

Eminim öylesin, diyen bir bakıştı gözlerindeki. Sonra o küçük yaratığı sarıp sarmaladı, kenara yanaşıp, sessizce denize bıraktı.

Bana tekrar dönüp bakana kadar uzunca bir süre geçmişti. Gözlerini görüyordum, kupkuruydular, kireç gibi, gözkapakları yanıyor olmalıydı.

"Adı, Şöyle Böyle'ydi..." Değdiği her yeri kavuran bir bakışla bunu söylemişti. "Şöyle Böyle... Çünkü yarı kahverengi yarı beyazdı. Ona küçücük bir yavru olduğundan bu yana bakıyordum." Son sözleri bir hikâyenin acıklı bitişi gibiydi: "Babamın Korfu'ya gitmesinden önce bana bıraktığı bir armağandı o..."

"Üzgünüm," diye tekrarladım.

"Ona tek başıma elveda demek istiyordum ama, sen buradasın..."

"Üzgünüm" dedim üçüncü kez. "Gidiyorum." Ve ayağa kalktım.

"Bir dakika" dedi. Türkler'in paraladığı sandık parçalarının yanındaydık.

"Evet, uzun süredir yapayalnızım ve düşünmek için bol bol zamanım oldu..." diye devam etti.

"Ne konuda?" diye sordum. Benim düşüncelerimi kelimeleştiriyordu.

"Merak ediyordum..."

"Evet?"

"O akşam, şövalyelerin gemiyi işgal etmelerinden önceki akşam, arkadaşına söylediklerin..."

"Evet, tabii ki Hüseyin bir Türk, şüphesiz..."

"Hayır... Onu demek istemedim. Benim için söylediklerin..."

"Oh..." Yüzüm kızarmıştı. Her şeyi duymuştu demek.

"Bunu söylemek istememiştin değil mi?" Kafasını sessizce salladı ve arkasını döndü.

"Hayır, hayır!" diye haykırdım. "Onu demek istemiştim."

Bu kadar eveleme gevelemeden sonra kendimi yere bakarak, saf bir şiirsellik içinde buldum. Ben, onun gözlerine yakalandığımı düşünüyordum ama, galiba o da aynı tuzağa düşmüştü. Sözler ve zamanın anlamını kaybettiği bir anın içine yuvarlanmıştık. Davranışların, el tutuşların paylaşılan duyguların yanında lafı bile edilmezdi. Her şey bildik aşk konuşmalarıydı. Ama ben hâlâ bunları kâğıda aktarırken yetersizliğin kollarındayım. O kâdir olanın sözlerine başka ne katabilirim?

"Ve o yedi ses, onların adlarını söyledi,
Ben yazmak üzereydim ve cennetten
Bana seslenen birini duydum,
Gök gürültüleri içinde diyordu ki, onları yazma..."

Binlerce yıl gibi hissedilen birkaç dakika sonra o gök gürültüsünden kurtulduk. Ölümlüler olarak bunu yaşamak zorundaydık. O güzelim avuçlarını, bileklerini ateşli veda öpücükleriyle donatırken bana dedi ki:

"Sadık ol, aşkım."

"Aşkım," diye yemin ettim. "Seni kurtaracağım ve birlikte o mutlu sona ulaşacağız. Yaşadığım sürece bunun için sana söz veriyorum."

XIV

SİSLİ KAYALIKLARDA NÖBETÇİLERİN DURDUĞU Lesbos ve Limnos'un dantelli kıyılarını dolaştık. Bunların silahlarının morumsu uzun gölgeleri uzanıp gidiyordu sularda.

Doğal güzellikler umurumda değil gibiydi, aklım fikrim tekrar Sofia'ya ulaşmak ve baltayla paralanmış tahtaların arasından ona aşkımı bir kez daha fısıldamaktaydı. Tutkuyla dolu o buluşma asla tekrarlanmadı. Sönen bir ateşin son kıvılcımları gibiydi daha sonraki konuşmalarımız. "Eğer mümkün olabilseydi...", "Ne kadar isterdim..." gibi sözlerle başlayan konuşmalar, umutsuzlukla yüklü uzun suskunluklar, bakışmalar...

Aramızdaki ateş beni hiçbir şans olmamasına karşın koşulları zorlamaya itiyordu. Hüseyin'e açılmaya karar verdim. Aşkımıza ihanet etmeyi düşünmüyordum, yalnızca Türkler'in merhamet denizine oltamı sallayacaktım o kadar.

Hüseyin, "Dostum, merak ediyordum..." diye başladığım cümleyi tamamlamama bile izin vermedi. Elini [illegible]ma koydu.

"Genç dostum," dedi. "Sorma bile bunu. O seçenekler sana başta sunulmuştu, ama şimdi artık çok geç. Sana özgürlüğünün verileceği Tripoli limanı gerilerde kaldı. Kısa bir süre içinde Konstantinopolis'e varacağız ve Uluç Ali rotasında kararlı. Kendini Allah'a bırak, ona güven. Önümüzdeki günlerin senin için neler hazırladığını birlikte göreceğiz."

Başka bir şey söylemedim, omzumdaki el sessiz bir uyarıydı. Bu arayışımda yeterince önlem aldığımı düşünmüştüm ama, şimdi görüyordum ki, dayatmam yalnızca özgürlüklerimizi değil, hayatlarımızı da tehlikeye düşürebilirdi. Hareketsiz bekleyişim uzun sürmedi. O gece Türkler kutsal şehir Mekke'ye doğru yaptıkları ibadetlerinin yönünü değiştirmişlerdi. Artık Dardanel'e gelmiştik. Ertesi sabah ise, Altın Boynuz'lu Konstantinopolis pusun içinde ikinci bir güneş gibi parıldıyordu.

Demir atılıp, yükler indirilirken aşkımla bir kez daha konuşabilme şansım oldu. Santa Lucia'nın San Marko amblemli bayrakları, kutsal haçı, Meryem Ana tasvirleri küpeşteden aşağı sarkıtılmıştı. Etraftaki gemilerden bu zafer işaretlerini görenler selam duruyorlardı. Sultan'ın payı olan beş sandık hemen toparlanıp sarayın gösterişli deniz kenarı surlarındaki gümrükçülere yollandı.

Madonna Baffo'ya küçük köpeğini denizin koynuna bıraktığı noktada rastladım, olan biteni izliyordu. İkonalarımızın başına gelen rezilane durumun onu perişan etmesinden korkuyordum. Ona, baş aşağı edilmiş bile olsalar cennetin sahiplerinin doğru insanların dualarını duyacaklarını söylemeliydim.

Seslendim, orada olduğumu belli ettim, ama bana dönmedi. Gözlerini manzaradan ayırmıyordu. Yüzlerce gemi... Balıkçılar, kadırgalar... Tıpkı Venedik pazarındaki insan kalabalığı gibi. Deniz kıyısındaki surların dibinde inanılmaz bir hareketlilik vardı. Arkada saraylar ve yoksul mahalleler arasındaki minare ve kubbeleriyle şehir yükseliyordu. Sofia, dinimize yapılmış hakaretin farkında bile değildi.

"Konstantinopolis burası mı?" diye sordu.

"Evet," dedim. İlgisini çekebilmek için bütün bilgimi döktürmek istiyordum, amà yalnızca, "Evet, burası Konstantinopolis'tir," dedim. Açıktı, dünyada bundan daha büyük bir şehir yoktu.

Ona önemli yerleri göstermeye ve anlatmaya başladım. "Türkler buraya İslambul diyorlar, anlamı Müslüman'ı çok olan yer demekmiş. Şu büyük kubbe Aya Sofia'dır. Senin o güzel adının da kaynağı olan Aya Sofia. Bir zamanlar Hıristiyan âleminin en büyük ibadet yeriydi. Yüzlerce yıl sürdü bu, sonra da Türkler'in eline geçti. Onun altında gördüğün daha küçük kubbeler Aya İrini'ninkiler ve o sütunlar..."

Benim rehberliğimden hoşlanmıyordu. Onun konsantrasyonunu kesinlikle bozmamamı isteyen bir sesle, "Tanrım, muhteşem!..." dedi.

XV

HÜSEYİN BANA KARŞI sabırlı davranmıştı. Ve karaya çıktıktan hemen sonra geldiğimiz sur içindeki meydanda ağır ağır dolaşmaktan hoşnut görünüyordu. Bir an için de olsa Sofia'yı görebilmek ve nereye götürüleceğini öğrenmek arzusuyla yanıyordum. Konstantinopolis'in rıhtımları, bizim Duka'nın balkonunun altındaki düzenli olanlara göre çok gürültülü patırtılı ve karışık görünüyordu. Şehir, çeşitli boy ve cinsten karıncaların bir araya geldiği bir karınca yuvası tepesine, hatta üç dört tane karınca yuvası tepesine benziyordu. İtişip kakışmalar, dövüşmeler, öne arkaya, sağa sola anlamsız koşuşturmalar hemen göze çarpıyordu. Sadece, tıpkı yuvada özenle istiflenen karınca yumurtaları gibi yiyecek maddeleri de daha bir dikkatle toparlanıp, insanlara ya da hayvanlara yükleniyordu. Yine de bu amaçla, aceleyle yapılan en az yirmi hareketin yalnızca biri akıllıca oluyordu.

Sanki dunyanın çeşit çeşit milletine ait oyun kartları, hiçbir kuralı bilmeden, yalnızca ortalığı allak bullak etmek isteyen bir küçük çocuk tarafından karıştırılmış gibiydi. Bu da çok tuhaf durumlara yol açıyordu: Bir tarafta, fildişi işlemelerle bezeli ince Çin işlerinin başında bir koca Afrikalı zenci; diğer tarafta, sırtına yüklenmiş vahşi görünümlü fil ve gergedan dişlerinin ağırlığı altında iki büklüm, kaburgaları sayılacak kadar sıska, beline doladığı bezden başka üzerinde hiçbir şey olmayan yarıçıplak bir ufacık Çinli... Şişko İtalyanlar'la Arabistan'dan gelmiş kokular için, hangi dilde olduğunu Allah bilir, pazarlık eden yılan gibi kaygan derileriyle sakin Hintliler. Tahıl cuvallarını sanki çok değerli amber yüküyle doluymuş gibi dikkatle gözeten, beyaz başörtüleri ve beyaz elbiseleriyle etten kemikten yapılmamış gibi duran, sessiz, hayaletimsi, gizemli Araplar...

Ve her yerde Türkler... Değişik biçim ve boyutlarda Türkler... Zenginler, dilenciler, balıkçılar, tüccarlar, paşalar, askerler, amiraller, yankesiciler ve gümrük görevlileri...Yabancı bir ülkede bir Türk hemen fark edilebilir ama, kendi ülkelerinde hepsinin ortak özelliğinin ne olduğunu bilebilmek olanaksızdı. Görünen oydu ki, burada en karikatürümsü milllet Venedikliler'di.

Bu karmaşanın içinde olup, onu objektif bir şekilde izlemekten hoşnuttum. Deneyimlerimden biliyordum, kalabalıkla bütünleşmek, bu çılgın muhabbetin parçası olmak zor değildi. Bunun, benim kendi yaşam biçimim oluvermesi çok kolaydı ve hatta kendimi bir anda onun dualarıyla, kaderim için gözyaşları dökerken bulabilirdim. Beri yanda bir aydan fazladır denizde olmaktan ötürü, attığım her adım, acıyla kemiklerimi sızlatıyordu. Başka yerlerden getirilmiş büyük bir yün kumaş balyasının üzerine oturtulmuştum, böylelikle hiçbir rahatsızlık duymadan kendime daha kolay gelebilirdim .

Rıhtımdaki çeşitli insan curcunasında tek bir eksiklik vardı. Bu "kadın"dı, hiçbir ırk ya da milliyetten kadın yoktu ortalıkta. Venedik limanını arşınlayan boyalı fahişeler bile yoktu. Üç aylık deniz serüveninden sonra karaya yeni çıkmış iki adamın umutsuz fısıldaşması da bunun üzerineydi. Ama yine de böylesi bir sohbet için daha güvenli bir yere gitmeleri şarttı. Sofia Baffo'nun bunca erkek arasında, karelerin içinde bir daire gibi duracağından emindim.

Onu ilk gören Hüseyin oldu. Baffo'nun ince uzun, altın sarısı siluetini değil de, sabah boyunca Uluç Ali'yle pazarlık edip duran kısa boylu yapışkan tüccarınkini araması ne denli akıllı olduğununun göstergesiydi.

Kız ve hizmetçisi çarşaflara sarılarak gemiden indirilmişlerdi, insandan çok gelip geçen gölgelere benziyorlardı. Hüseyin onları gösterdikten sonra ancak hangisinin o olduğunu söyleyebilirdim. Alışıldığından çok daha uzun boyluydu ve çevresindeki değişik ortamı görebilmek için yüzündeki örtüyü kımıldatıp duruyordu. Canı sıkılan köleci adam onu ikaz etti. Belki bu şekilde o, etrafını daha iyi görebiliyordu ama etrafı da onu daha iyi görebiliyordu. En değerli malını bir rıhtımda eğlencelik gibi göstermeye hiç niyeti yoktu adamın. Neyse ki tüccarın onları bekleyen bir kapalı tahtırevanı vardı. Sofia'yla hizmetçisini çarçabuk bindirdi buna. Sekiz tane çam yarması hamal dev adımlarla uzaklaştırıverdiler tahtırevanı. Zavallı bacaklarım tüm acılarına karşın yine de ileri atılmak istedi, ama Hüseyin'in omzumdaki ağır eli bunun aptalca olacağının işaretiydi.

Hüseyin beni evine götürdü, orada öylesine iyi karşılandım ki, onun öz oğlu olsam ancak bu kadar büyük bir samimiyet görürdüm. Daha önceki Konstantinopolis ziyaretimden biliyordum, aslında burası onun değil kayınpederinin eviydi.

Bir Antakya yerlisi olarak Hüseyin, Konstantinopolisli varlıklı bir tüccarın tek kızıyla evlenerek ticari geleceğine sağlam kapılar açmıştı.

Şehrin içinde olmasına karşın ev, Marmara Denizi'nin kıyısında, Langa Bostanı'ndaydı. Yüksek duvarların arkasındaydı ve güzel bir bahçesi vardı. Ortada yeni yeni meyve vermeye başlamış büyük bir incir yükseliyordu. Üzerlerinde hâlâ limon ve portakallar olan ağaçlar, zamanı gelince ortalığı renk ve kokuya boğacak olan güller ve mimozalarla sarılmıştı. Saksıdaki yasemin tomurcuklanmıştı ve şimdiden yaşlı, güngörmüş bir kadının parfümü gibi bahçeye kokusunu salmaya başlamıştı bile.

Ev, belki Konstantinopolis'in yeni zenginlerinin gözünü kamaştıracak cinsten değildi, ama ahşap yapısı doğayla bütünleşiyordu.

Girişteki sütunların süslemeleri daha çok Rum işine benziyordu, sanıyorum fetihten önceye kadar gidiyordu evin yaşı. Kafeslerle korunan ikinci kat pencereleri hareme aitti.

Orada kaldığım sürece selamlığın beyaz badanalı, halılar ve minderlerle döşenmiş üç odasından başka bir yer görmedim. Odalardan biri denize bakıyordu, iki duvar boyunca yerleştirilmiş divandan irili ufaklı gemiler seyredilebiliyordu.

Karısını tabii ki asla görmedim. Ama oğluyla karşılaştım. Hatırlamadığı babasına hoş geldin demesi için bu küçük oğlan, haremden dışarı gönderilmişti. Altın dişini göstererek, gür kahkahalarla gülen adamdan korktuğu belli oluyordu. Yeni giydiği kırmızı ipek gömleği lekelenen ufaklık ağlamaya başladı ve hemen gerisingeri götürülmek zorunda kaldı. Hüseyin gerçek bir saygıdeğer beyefendiydi. Karısı da bunun belli ki farkındaydı, ikili, uzun bir aradan sonra şefkatli bir sevgi ve saygıyla yeniden buluşmuşlardı. Bunu daha önce pek az çiftin paylaştığını görmüştüm.

Evin özel bir hamamı vardı ve bu titiz Türk tüccarlarının eve gelir gelmez ilk verdikleri emir onun hazırlanması oluyordu. Hüseyin ve kayınpederi beni kendileriyle birlikte yıkanmak üzere hamama davet ettiler. Ama ben yan çizdim, kendi başıma düşüncelerimin ağırlığına daha iyi tahammül edebilirdim. Onlar akşam ibadetlerine döndüler ve beni kendi kendime yıkanmak üzere yalnız bıraktılar.

Küçük odanın musluklarından inanılmaz derecede bol kaynar su akıyordu. Yeleğimi ve gömleğimi çıkardım, kafama bir tas su döktüm ve denizin tuzlu yapışkanlığını saçlarımdan temizlemeye koyuldum. Yıkandıktan sonra fark ettim ki, bir kenara benim için temiz kıyafetler konulmuş: Bir şalvar, gömlek, yelek, kuşak ve hepsinin üzerine giymek üzere bir uzun yelek daha. Onların bu tuzağına düşmedim ve kendi kokumu taşıyan elbiselerimi tekrar giydim. Bu kadar kolay efemine bir Türk'e dönemezdim.

Tekrar bir araya geldiğimizde Hüseyin ve kayınpederi bakıştılar. İçlerinden geçeni biliyordum. Ama bir kibarlık denizinde yüzdükleri için hiçbir şey demediler ve eski konuşmalarına döndüler.

Ev sahiplerim uzun uzun, Türk geleneğine uygun olarak hiç acele etmeden, özel bir başlığa bile girmeden konuşuyorlardı. Gece olmuştu, yemek faslı çoktan bitmişti, ev derin bir sessizlik içindeydi ve arkadaşım yolculuk maceramızı anlatmaya ancak şimdi başlıyordu. Acaba daha önce ne konuşmuşlardı? Aslında konunun esir tüccarına ve köle ticaretine dönmesinin sabırsızlığı içindeydim ama elimden bir şey gelmiyordu, öylesine dinliyordum. Hüseyin, henüz şövalyelerin gemisinin batma hikâyesindeydi, başımı salladım, kayınpederi, "Allah korumuş seni" ve "Allah böyle kaderi düşmanımın başına vermesin" tarzından laflar ederek onu ilgiyle dinliyordu.

Uyandığımda hâlâ geceydi, misafir odasında yalnızdım, lambalar söndürülmüştü. Karadenizden gelen kış rüzgârının üşütücü nemi bu odaya kadar yolunu bulabilmişti.

Sanıyorum ki Hüseyin, en sonunda "Allah izin verirse" yeni bir oğlan çocuk yapmaya gitmişti ve ihtiyar adam da kendi odasına çekilmişti. Benden söz eden seslerin ninnisi yoktu artık, aklım ve sinirlerim gerginlik içindeydi, uyuyamıyordum. Karanlıkta oturmaktansa kalkıp bir lamba aramaya karar verdim, ama hiç şansım yoktu.

Uzandığım yere pek de uzak olmayan mesafeden bir tıkırtı işittim. İlk aklıma gelen fareler oldu. Her gemici gibi bu ip ve erzak düşmanlarından nefret ederdim. Onlardan birine dokunma fikri bana çok tiksindirici geldi. Çıktıkları delikleri bulup, nasıl olsa çekip giderler, diye düşündüm.

Aniden bir lambanın titrek ışığı belirdi. Fareler ateş yakmayı beceremezlerdi. Çok şaşırmıştım. Önce elleri gördüm, ardından yüzü. Sonunda da o ışığın gölgesinde çekici bir zenci kızın vücudu belirdi.

"İyi geceler efendimiz" dedi, ellerini göğsünde kavuşturmuş, karşımda eğiliyordu. Gülümsedi. Dişleri mükemmeldi, gözleri lambanın alevlerinden bile daha parlaktı.

"İyi geceler," diye cevap verdim.

Üzerinde yalnızca bir gömlek vardı, oysa odaya sıcak denilemezdi. Şeffaf kumaşın altından iyi tuzlanmış kara zeytine benzeyen nefis teni görünüyordu. Büyük bir iştahla bunu ısırmamak için kendimi zor tutmuştum.

Neden burada olduğu belliydi. Ev sahiplerimin büyük konukseverliğinin bir parçasıydı bu. Kız, akşam yemeğinde sunduğu leziz yemeklerle dolu tabaklar gibi kendisinin de sunulmasından rahatsızlık duymuşa benzemiyordu. Anlaması kolaydı. Ergin bir kızdı o. Ve öyle bir yerdeydi ki, sık sık evden uzak olan evin erkeği geldiğinde zaten tamamen karısına aitti. İhtiyar adam ise çoktan şehveti unutmuştu. Beri yandan tüm köle kadınların peşinde olduğu arzu onun'da içinde yanıyordu: Özgür bir adamdan oğlan çocuk doğurmak... O zaman çocuk özgür oluyordu, böyle bir çocuk da annesini köle olarak bırakmıyordu.

Ben onun hakkında bunları düşünürken, o çoktan yanıma sokulmuştu. Mırıltılarla beni okşayıp duruyordu. Ama ne yazık ki benim erkekliğimle ilgili olarak büyük bir hayal kırıklığı yaşıyordu.

İçimdeki gerçek aşk, bekâretimi bu şekilde harcamama izin vermemişti. Kıza bu durumu anlatmaya çalışıyordum, ama ikimizin Türkçesi bir türlü buluşmuyordu. Bu dilin bir kadına karşı nasıl kullanıldığını bilmiyordum ve bu çok farklı bir durumdu. Onun anlayabildiği sözlerim ise kızı kıkırdatıyordu. Çünkü bunlar tüccar ve gemicilerin kullandığı sözlerdi. Bir köle kızla böyle konuşmak çok gülünçtü. Benim onunla cilveleşmek istediğimi sanıyordu, hatta bundan emindi, beni ciddiye almadan işine öylesine iştahla devam ediyordu ki, onu itmek zorunda kaldım. Ve hatta sonunda gözlerinden yaşlar getirecek kuvvette bir tokat bile attım.

"Hayır," dedim. "Hayır!"

Kız odanın bir köşesinde titreyerek ağlıyordu. Uzattığım battaniye bile onun titremelerini durduramıyordu. Onu daha fazla susturmak niyetinde değildim, ne de olsa gecenin içinde yankılanan bir köle kızın hıçkırıkları düşüncelerime en iyi uyan acıklı eşlikti ve bu beni uyanık tutuyordu. Kız hıçkırdı, hıçkırdı, ertesi sabah efendisinden görevini yerine getiremediği için yiyeceği cezalardan korkuyordu.

Bir şekilde, bu davranıştan cesaret kazanmıştım. Hüseyin eve dönüşünün hoşluğunu yaşarken benim dertlerimi unutmamıştı demek ki. Bu kızı, beni aşkımdan koparabileceğini düşünerek yollamıştı odama büyük bir olasılıkla. Ama yarın sabah, bu kızın gözyaşlarını görünce, benim asla değişmediğimi anlayacaktı.

XVI

HÜSEYİN'İN DAVRANIŞI ÜSTÜNE düşündüklerimde yanılmamıştım. Sabah namazdan dönüp, beni uyandırdığında iyi haberi verdi: O ve kayınpederi, Sofia Baffo'nun satışıyla ilgili olarak ortaya elli kuruş koymaya karar vermişlerdi.

Haliç'te yaptığımız bir tur sonunda, yüz elli kuruşluk bir umut daha doğmuştu. Benim memleketlilerimin yaşadığı Galata'da, Venedik büyükelçisi ve Vali Baffo'yu tanıyan başka ince ruhlu insanlar memnuniyetle yardımlarını sunmaya karar vermişlerdi.

Amcamla olan deneyimlerimden biliyordum, Konstantinopolis'te paranın kime ait olduğu durumu değiştirmiyordu. Venedik, Hollanda, Alman parası fark etmiyordu, yeter ki olsundu. Türkler bunları kendilerininkinden bile daha değerli buluyorlardı, çünkü imparatorluğun bir yığın eyaletinin ayrı ayrı bastığı paralar kendi aralarında dahi bir ortak değere sahip değildi. Her biri ayrı bir ayarda, ayrı bir ağırlıktaydı.

Müslüman âleminde resim yasaktı, sadece Sultan Süleyman bunu yıkarak Arap şekillerinin dışında bir para bastırtmıştı. Ayrıca bir yığın şekli anlayıp öğrenmeye çalışmaktansa belli başlı olanlarıyla işi götürmek tüccarlara çok daha kolay geliyordu. Türkler'in üzerinde daireler, haçlar olan paralarla başa çıkamadıklarını biliyordum, ama öte yandan Arap harflerini bilmeyenler için bunun bile daha kolay olduğu söyleniyordu.

Her değişim ayrı bir anlaşma gibiydi. Değişik kurlarda bilinen değişimlerin en net sonucu o sırada cebe giren parayla anlatılabilirdi. Herkes bir gümüşün kaç para edeceğine kendi şartlarıyla karar verirdi. Bir de bütün bunların her an yasaklanabileceği bir yerde bulunmak da değişimlerin işleyişini etkiliyordu. Zamanı gelip de köle pazarlığına girişince pek çok detayın ortaya çıkacağını tahmin edebiliyordum.

Ama, sonuçta ne cins olursa olsun, tamamı iki yüz kuruş eden bir sermayeye sahip olmanın mutluluğu içindeydim. Amcam Jacope bana kuruşun, büyük gümüş paraların, Venedik grosso'suna eşit olduğunu söylemişti. Bir de öbür gümüş paralar vardı, yani küçük pullar, bunlardan yüz yirmi tanesi bir kuruş ederdi. Sultan'ın, emrinde elli adam çalışan başaşçısının günde kırk küçük gümüş yaptığını öğrenmiştim. Ancak üç gün çalıştığında bir kuruş toparlayabiliyordu. Ve şu anda elimizdeki para, bu adamın neredeyse iki yıl tatil yapmadan çalışmasının bedeliyle denkti. Bir köle daha fazla eder miydi? Sahibinin bir de onu beslemesi, giydirmesi gerekiyordu. Üstelik Hüseyin bana, çulsuz bir gemicinin Sofia Baffo gibi bir kadına sahip olmanın altından kalkamayacağını söylemişti.

Hüseyin belki başka insanların da elli kuruş katkıda bulunabileceklerini ve bunun için bir iki gün beklemenin iyi olacağını da söylemişti. Ama benim sabrım kalmamıştı. Bu kadarı benim özgüvenimi yeterince sağlamıştı.

Zenci kızla ikinci gece de birincisi gibi geçti. Sabırsızlık içindeydim. Ertesi gün, benim dayatmamla Hüseyin'le birlikte, cebimizde iki yüz kuruş köle pazarının yolunu tuttuk. Konstantinopolis'te köle almak için gidilecek pek çok yer vardı. Kürekçiler rıhtımda sürekli müşteri değiştirerek denizin sesinden ve kokusundan mahrum kalmıyorlardı. Eğer bir güçlü kuvvetli Etiyopyalı adam, ya da elinden her iş gelen bir Sudanlı kadın arıyorsanız, bunun yeri Haseki kervansarayının hemen yakınındaki bir binaydı.

Hüseyin beni, Babıali'nin hemen yanında, daha özel bir yere götürdü. Oraya ulaşabilmek için inci tüccarlarının arasından geçtik. Çeşitli renk ve boyutlardaki kıymetli taşlar, dükkânların vitrinlerinde, kadifeler üzerinde sergileniyordu. Bu tantanalı gösteri çok sıkı bir denetim altındaydı. Eğer paha biçilmez vitrinlerden birinin önünde fazlaca vakit geçirirseniz, köle pazarının göbeğindeki bu yerden uzaklaşmanız için uyarılıyordunuz.

Yüksek mozaik sütunların dibinde halılar, alçak sehpalar ve pirinç mangallar vardı. Bütün bir gün boyunca alışverişten çok bir davetteymiş gibi ortada salınan varlıklı alıcılara şerbetler ikram ediliyor, önlerine nargileler getiriliyordu. Sanki pazarda satılan mal buradaki en önemsiz şeydi. Erken baharın ılıklığı altında, dükkân kapılarının dibinde oturuyorlardı.

Biliyordum sabırsızca davranmak fiyatı yukarı çekerdi, ama yine de Hüseyin'in en ufak bir aylaklık yapmasına bile izin veremezdim. Kolundan çekip, bir sütunun dibindeki tanıdık yüze doğru götürdüm onu, bu Sofia Baffo'nun hizmetçisiydi. Kadın şık bir dükkânda, iki Çerkez çocuğun arasına oturtulmuştu. Elinde bir parça kumaş ve iğne iplik vardı. Dikişteki marifeti vurgulanmak isteniyordu . Gözlerinden ip gibi yaşlar iniyordu.

Kafasını sallayarak, "Aptal kadın," dedi Hüseyin. "Mutsuz olsa bile etrafa gülücükler dağıtmalı. Bu suratla ona talip olacak adam ona hayatı zindan eder." Arkadaşım bu gösterinin yanındaki masaya oturup şerbet ikramını beklemeye başladı. Bense kendime hâkim olamayıp kadının yanını koşturdum.

"Maria, Maria", diye seslendim. "Hanımın nerede?"

Kadın, sanki bir an acısından sıyrıldı ve bir süre konuşamadı. Benim ilgilendiğimi gören satıcı hemen yanımıza geldi.

"Bu köle kadınla mı ilgileniyorsun dostum?" diye sordu. "Doğrusu zevk sahibiymişsin. Bütün şehri adım adım günlerce dolaşsan da, hatta aylarca tüm İslam âleminde aransan da bundan iyisini bulamazdın. Uzun süren deniz yolculuğundan ötürü bir parça zayıf görünüyor, ama cömert mutfağınızda birkaç haftada kendine gelecek ve şişmanlayacaktır. Çok da becerikli bir kadındır, çalışkandır, ne denirse yerine getirir. Her şeyi öğrenmek için sabırsızlanıyor zaten. Otuz beşinde ya var ya yok, daha önce bir çocuğu olmuş, ama memleketinin rutubetli havasından ölmüş bebek. Buranın havası ona yaracaktır, eminim sana nur topu gibi iki oğlan verir hemen, onlara da mükemmel bir ana olur. Belki de üç, dört tane... Allah'ın izniyle... Yani uzun lafın kısası bu kadın, fiyatını bir senede sana geri ödeyecektir."

Maria'yı bu kadar iyi tanımıyordum ama adamın anlattıklarının üçte birinin bile doğru olmadığından emindim. Ayrıca doğruysa, bunları nereden öğrenmişti ki? Türkçemin zayıflığından ötürü duraksadım. "Ben arıyorum..."

Hüseyin zora düştüğümü görüp hemen yanıma geldi. "Aslında," dedi, "biz bu kadınla aynı gemideydik ve..."

Adam atıldı, "Allah'ın lütfu... Ne güzel bir rastlantı."

Hüseyin devam etti. "Ve biz bir başka kadını arıyoruz, daha genç, sarı saçlı olanını. Biz onunla ilgileniyoruz."

Genç adam dudaklarını büzdürerek, düşünceli düşünceli başını salladı. "Affedersiniz," deyip dükkâna girdi. Kısa bir süre sonra yanında kısa boylu, yapışkan tüccarla dışarı çıktı. Genç olan, adamın kulağına eğilip, hızlı hızlı bir şeyler fısıldadı.

"Ben Kemal Ebu İsa" dedi tüccar, "bu da oğlum. Lütfen içeri girin."

Hüseyin de kendini tanıttı, karşılıklı yağdırılan iltifat bolluğu içinde dükkâna girdik. Her tarafım titriyordu.

XVII

"*LÜTFEN BUYRUN OTURUN,*" dedi tüccar. "Oğlum şimdi tütün ve tatlı tepsisini getirecek."

Bu nezaket gösterisinin başka memleketlerdekinden farkı yoktu. Adam yağlı çenesini ovalıyordu. Hüseyin önce kayıtsızca ikram edilenlerin tadına baktı, sonra beğenisini öyle bir anlatmaya başladı ki, bu kadar övgü kelimesinin başka hiçbir dilde olmadığını düşündüm. Onlar konuşurken ben, masanın altında sinir içinde bacaklarımı sallayıp duruyordum.

Bayağı uzun bir zaman sonra tüccar konuya girdi. "Oğlum sizin özel bir genç köleyle ilgilendiğinizi söyledi. Biz de onu yeni aldık. Köleyi kendiniz için mi istiyorsunuz, yoksa aracı mısınız?"

"Aracı değiliz," dedi Hüseyin.

"Açık konuşacağım için beni affedin", dedi yaşlı adam. "Ama sonuçta bu bir iş, değil mi? Herkes hayatını kazanmak ister, tabii Allah'ın izniyle. Söyleyin efendiler, kaç para ödemeyi düşünüyorsunuz?"

Hüseyin sanki kararsızmış gibi ağzında bir şeyler geveledi ama ben hemen atıldım, "Benim iki yüz kuruşum var."

"İki yüz kuruş", diye sözlerimi tekrarladı adam. "Yine affınıza sığınıyorum. Böyle bir peri için iki yüz kuruş? Ben yüz yıl yaşasam, Allah bana onun gibi birini bir daha nasip etmez. Üç yüz ve hatta daha fazla eder. Benimle pazarlığa kalkışmayın dostlarım. O bir mücevher. Ne benim, ne de sizin gibiler için uygun bir köle o... Söylediğiniz tutarın çeyreği karşılığında onu size gösterebilirim. Ama iki yüz kuruşa onun yanındakini satın alabilirsiniz. O da Avrupalı, beyaz tenli. Olmaz mı, diyorsunuz, haydi sizin için yüz elli olsun. Hayır? İlgilenmiyorsunuz demek. Haydi arkadaşlar, kusura bakmayın ama neticede ben de bir insanım ve hayatımı kazanmam gerekiyor Allah'ın izniyle. Altın saçlı olan bir bakire... Ebeler bunu tespit ettiler. Allah şahidimdir ki böylesini gerçekten yüz yıl arasam bulamam."

Yerimden fırlayıp adamın gırtlağına sarılmak üzereydim, Hüseyin beni yatıştırdı.

"Söylediklerinde haklısın", dedi adama. "Doğrusu tam bir ödül. Ama söyle bana, hiç olmazsa onu görebilir miyiz?"

"Elli kuruş", dedi tüccar, yine çenesini ovuşturuyordu. "Hem ben malı sizin evinize getiririm. Âdet budur."

Âdet ya da değil, Hüseyin en sonunda pazarlık edecek bir şey bulmuştu. Önümüzdeki bir iki gün içinde büyük bir olasılıkla dört yüze çıkması gerekecek olan paramızın elli kuruşunu harcamakta kararsızdım. Ama arkadaşımın altın gülüşüne güveniyordum. Israr etti ve sonunda çifte yalanla işi halletti. Aslında derdimizin onu satın almak olmadığını ve benim onun erkek kardeşi olduğumu söylemişti adama. Merhamete gelen tüccar da onu bize para almadan göstermeye razı olmuştu.

"Pekâlâ, tamam, ne de olsa sizler benim arkadaşlarımsınız," diyerek sözü bağladı yaşlı adam.

Şerbetin hazırlandığı ve nargilelerin saklandığı küçük bir arka odadan geçtik. Odanın duvarına bir çan asılmıştı. Adam bunu çalarak içerdeki kadınlara ortalıktan kaybolmalarının işaretini verdi. Bir perdeyi çekti, bu kez kendimizi sağında solunda çoğu sürgülü ağır kapıların olduğu bir koridorda bulduk. Kapı aralığından gördüğüm kadarıyla bunlar küçük olmalarına karşın kötü odalar değildi. Kapalı ama kilitli olmayanlar sanıyorum adamın kendi kadınlarının oturma ve çalışma odalarıydı.

Koridorun dibindeki kapı kilitliydi. Boynuna asmış olduğu anahtarla tüccar kilidi açtı ve kenara çekilerek bizi içeri aldı.

Geniş bir odaydı burası. Tavandaki pencerelerden bol bol hava ve güneş giriyordu. Kadın seslerinin geldiği bu pencerelerden bir adamın sürünerek içeri girebileceğini hemen fark ettim. Daha önce gördüğüm Türk odalarının aynısıydı burası da. Parlak renklerde, zevkli desenlerle bezenmiş minderler ve yastıklar, halılar... Hüseyin'inkinden bile daha süslüydü bu oda aslında.

Darmadağınık yastıkların üzerine uzanmıştı Baffo'nun kızı. Kendini yüzükoyun, bacakları havada divana atmıştı, bu pozisyon daha çok ağlamaya uygundu, ama onun ağlamadığı kesindi. Geç bir kahvaltının tadını çıkarıyordu besbelli, yanı başında gümüş bir tepsi dolusu tatlı vardı.

Normalde sert satıcının içeri girmesiyle korku içinde toparlanması gerekirdi, oysa aldırmadı bile. Kahvaltısına devam etti, göz ucuyla beni ve Hüseyin'i fark edince, bize daha iyi bakabilmek için divanda yuvarlandı. Başını bir eliyle tutmuştu, diğer eli kalçasının üzerinde tembelce sallanıyordu. Düz bir çizgiyle uzanan kolu, kalçalarının yuvarlaklığını daha da belirginleştirmişti. Bana karşı bu ilgisiz tavrını devam ettirirse gözyaşlarına boğulabilirdim. Ve devam ettirdi.

"Giorgio" demedi, "Veniero," dedi. "Aşkım" demedi... Neden?...

Ses tonu sanki her gün gidip gelen biriyle konuşur gibiydi. "Bugünkü ziyaretin ne hoş..."

"Nasılsın, sana nasıl davranıyorlar?" diye merakla sordum.

"İyiyim," diye cevap verdi. "Bundan daha iyi olamam."

Sesindeki donukluk, anlamsızlık beni konuşamaz hale getirmişti. Onun ise bu umurunda bile değildi.

"Bak", diye bağırdı. "Bak, bana giymem için neler verdiler." Bize kendini daha iyi gösterebilmek için ayaklarının üstüne zıpladı.

Kılığının en önemli bölümü kırmızı, portakal renginde desenleri olan altın işlemeli bir kadife ceketti. Kol ağızları bileklerine kadar uzundu ve dantellerle süslüydü. Sıkıca tenine oturan bel [illegible] sıra küçük inci sallanıyordu. Etek uçları aşağ[illegible] genişleyerek açılıyordu. Ceketin belden yukarı [illegible]adan ikiye ayrılmıştı. İncecik bir kumaş, buradan kendini belli eden göğüslerinin şişkinliğini örtüyordu.

Bu detayın farkında olduğu belliydi. Kumaş [illegible] ve kıkırdadı.

"Eskiden, Venedikli kadınların göğüssüz görünmek uğruna çektikleri acılara katlanmamak için daha fazla büyümeyeyim diye Tanrı'ya dua ederdim. Şimdi de tersi için dua edeceğim."

Odayı aydınlatan ışıktaki bir değişim, kumaşın şeffaflığını ortaya çıkardı, meme uçları kahverengi şekerlemeler gibi görününce kalbim heyecandan duracaktı sanki, yüzüm gözüm kızarmıştı.

"Ve bak!" diye bağırdı. "Şuna bir bak, pantolon, tıpkı erkeklerinki gibi..."

Uzun ceketin aşağıya uzanan iki ucunun arasından kırmızı ipek pantolonu gösteriyordu. Çok boldu, bu bolluklar küçük ayak bileklerinde bağcıklarla toplanmıştı, pantolonun ağı neredeyse dizlerine kadar sarkıyordu. Bütün bunlar bana hiç de uygun bir kıyafet gibi gelmemişti.

"Şalvar deniyor buna", diye açıkladı, telaffuzunun doğruluğunu tüccara onaylatmak istercesine adama baktı.

İhtiyar adam başını öne doğru salladı ve hazinesinin bu güzel gösterisinden hoşnut gülümsedi. Ayağındaki kırmızı terlikler ve tüllü küçük bir şapkayla kıyafeti tamamlanan kızın gerçekten inanılmaz bir mal olduğundan emin olmanın keyfini sürüyordu.

"Bir de şu yediklerime bak." Bunu söyleyen Sofia tepsisinin başına dönmüştü tekrar. "Ne inanılmaz tatlılar... Bak bu ayva, yoğurt ve baldan yapılmış. Bunlar bademle doldurulmuş hurmalar, şu çok güzel bir tuzlu peynir. Ya rezeneli, kimyonlu enfes ekmeklere ne demeli? Ama hepsinin içinde en çok şunları seviyorum, neydi bunların adı?" Tüccara baktı.

"Lokma." Adam güldü.

"Evet, lokma. Karısı benim için kızartıyor onları, ben de kaymağa batırarak yiyorum. Gerçekten harika bir şey. Al Veniero, tadına bak."

Almadım ve hemen bir bahane bularak ayağa kalktım. Oradan kaçma arzusuyla doluydum, bizi uğurlayan adama bile zorlukla veda ettim. Dışarı çıktık.

"Saraydan..." Hüseyin düşünceli bir yüzle bana bakıyordu.

"Ne?" diye sordum.

"Şu hadım saraydan," diye açıkladı. "Uzun beyaz kavuğundan ve kenarı kürklü yeleğinden belli."

"Hangi hadım? " diye sordum tekrar. Bu pazarda o kadar çok şey vardı ki, neyi gösterdiğini anlayamamıştım.

"Şu adam," dedi, "Ebu İsa'nın yanında oturan. Onu fark etmedin mi, yanından geçtik. Ebu İsa'nın oğlunun ona getirdiği nargileyi tüttürüyor."

Nereden fark edecektim, benim aklım bambaşka bir yerdeydi. Dönüp baktım ama gördüğüm bana hiç de ilginç gelmedi. Nargileden tüten dumanın gerisinde, kulemsi kavuğunun altında ekmek hamuru gibi solgun, beyaz yüzüyle bir adam oturuyordu. Dikkatsizce dokunulursa toz olup uçacak gibiydi.

Arkadaşımın yanında aceleyle yürürken, 'İhtiyar bir hadımdan bana ne?' diye düşündüm.

XVIII

HÜSEYİN ISRAR EDİYORDU. "O genç kız hayatından çok memnun."

"Adam onu dövmesin diye öyle davranıyor."

"Ebu İsa tüm İslam âleminde tanınan bir tüccardır. Malını incitecek kadar enayi değildir."

Esir pazarından çıkmıştık, Hüseyin beni ortasında çeşme olan bir küçük meydana getirdi. Karemsi tuhaf alan bir yamaçtaydı. Yerlerdeki taşların Romalılar'dan kalmış oldukları belliydi ve herhalde o günden bu yana da kimse onlarla ilgilenmemişti.

Sucuların, şekercilerin ve kabadayılığa özenen çocukların bağırışları arasında zincirli ayısıyla bir çingene vardı. Uyuşuk, zayıf hayvanın sarı postu uyuz gibiydi, aptal bakışlarla seyrettiği bu insanlar âlemine mutlaka ormandan kaçırılarak getirilmişti. Çingene onu itekleyerek oturttu. A[illegible]ek numaraları olarak kaldı, çünkü hayvan oturur oturmaz herkesi utandıracak bir biçimde pembe cinsel organlarını ortaya döktü ve yalanmaya başladı. Bu seyreden çoluk çocuğu çok eğlendirdi ama hiç kimse çingenenin tasına para atmadı.

Sanıyorum Hüseyin benim kafamı dağıtmak amacıyla bu gösteriyi bahane ediyordu. Ama bu olanaksızdı, tam tersine sabrım daha da tükenmişti, saldırganlığımsa azmıştı. Arkadaşım tam ilerleyecekken geri dönüp adama günün tek meteliğini vermeye kalkınca, eline vurdum.

"Lütfen," dedim, davranış biçimimin kabalığı için özür dileyebilirdim ama bunun nedeni için asla. "Keseden tek bir pulu bile boşa harcamamalısın, yarın belki iki katı gerekecek."

Hüseyin konuşmak üzere ağzını açtı, ama ne demek istediğini asla anlayamadım. Tek gördüğüm küçük kahverengi bir elin onun beline doğru uzandığıydı. El uzandı ve arkadaşımın kesesini kaptı.

"Hırsız!" diye çığlığı bastım.

Sonra beynime kazınmış bir kelime aklıma geldi. "Oğlan." Ve avazım çıktığı kadar bağırdım. Bunu iyi biliyordum çünkü Hüseyin bana bunun bir çeşit ağır hakaret olduğunu defalarca söylemişti. Küçük erkek çocuk anlamına gelen bu kelime, kavgalarda ağır bir küfür olarak kullanılabiliyordu.

Aşk perisi Cupido, topuklarıma ve kollarıma güç vermişti galiba. Madonna Baffo'nun fiyatının yarısının, avucumuzda taşıdığımız yarısının, bu beter meydancıkta yok olması karşısında yaptıklarım, tam tamına lirik bir şairin anlatabileceği biçimdeydi. Hüseyin'i kenara ittim, kahverengi elin sahibinin çıplak kahverengi bacağına bir çelme attım ve keseyi içinden bir pul bile eksilmeden geri aldım. Bunu anlatmak yapmaktan daha uzun sürerdi, öylesine çabuk davranmıştım. Ama şair, benim çığlığımın sonuçlarını hesaba katamazdı. Meydanı dolduran Türkler, hayâsızlığını onların orta yerine taşıyan çingeyi cezalandırmak için zaten bir bahane arıyorlardı, benim bağırışım bunu vurgulayan bir ses olmuş gibiydi.

Gençlerden birkaçı ben onu yakalamadan önce kaçmasını engellemek için yolu kesmişlerdi. Ben muzaffer bir edayla Hüseyin'in yanına döndüğümde onlar sıraya girip cezalandırmanın geri kalanına çoktan başlamışlardı. Durum öyle itiraz edilmezdi ki, kara gözleriyle tıpatıp ona benzeyen babası sesini bile çıkartmamıştı. Adam, zincirin el verdiğince bir hızla meydandan uzaklaştı. Doğrusu buna hız denilemezdi çünkü, benim meydandaki çığlığımdan hiçbir şey anlamayan tek yaratık olan ayı, oturduktan sonra kendini zar zor toparlayıp ayağa kalkabilmişti.

Hüseyin davranışlarımda şiirsel bir şey olduğunu sezmişti. Daha sonra bana öylesine bir teşekkür etti ki, Türk cömertliğini ifade etmek için kullandığı Venedikçe kelimeler oldukça yetersiz kaldı. Bir süre ses çıkarmadan kesesinin iplerini sıktı.

Bıyıklarını ve sakalını sıvazladı, en sonunda şöyle dedi. "Bu genç kadının özgürlüğünü sağlamak senin dünyada en çok istediğin şey, bundan eminsin değil mi?"

"Dünyada en önemli şey..." Nefes nefeseydim, bunun nedeni hâlâ bir tehlike olduğunu düşündüğümden değildi, belki Hüseyin öyle olduğunu sanıyordu ki, bu da benim umurumda değildi, yalnızca sabırsızlığıma gem vurmaya çalışıyordum. Bu kısa, tombul, evine meraklı Suriyeli'nin böyle umutsuz bir durumu kavraması ise olanaksızdı.

"Yapabileceğimiz bir şey var," diye mırıldandı.

"San Marko aşkına neden duruyorsun?"

San Marko sözü kılını bile kıpırdatmadı. "Daha çok para yapabilirim."

"İki yüz kuruş?"

"Belki daha fazlasını. Çok, çok daha fazlasını..."

"Çabucak?"

"Belki de Allah izin verirse akşam olmadan."

"O zaman yapalım. Tanrım hiç zamanımız kalmadı."

Hüseyin elini sakalından çekti ve başını salladı. Küçük çingeneyi dövdükleri için hoplayıp zıplayan çocuklardan birinin yakasına yapıştı. Ona hızlı hızlı bir şeyler söyledikten sonra, kurtarılmış kesesini açıp üzeri garip şekilli, ekmek peynir parası diye tarif ettikleri saçma sapan metal paralardan küçük bir tane verdi. Oğlan fırladı gitti, kıymetli paracıklarımızdan bir tanesinin gitmesini sineye çektim. Hüseyin nasılsa bir çare bulacaktı.

"Gel," dedi kolumu çekerek.

Bu acayip yerden ayrılmaktan memnundum ama yine de sordum. "Nereye?"

"Hamama."

"Hamama mı? Evde zaten senin hamamın var."

"Evet, üzerimdeki denizi orada yıkadım. Ama evdeki hamam genel bir yer değildir."

"Yani hiç anlamıyorum. Kazanmamız gereken iki yüz kuruş var ve sen gidip hamam sefası yapmak istiyorsun."

Benim kabalığımı yumuşatmak istercesine Hüseyin, "Şaşırabilirsin," dedi. "Pek çok iş hamamlarda çözümlenir. Siz Venedikliler, Türkler'in çok kapalı bir toplum olduğundan şikâyet eder ve ticaret sırlarımızı sizlere açmadığımızı, bunun eşitliği bozduğunu söylersiniz. Kim bilir belki arada bir yıkansanız böyle sırlar olmaz."

Büyük, yaygın, geniş bir çarşıda ilerliyorduk. Venedik için Grand Kanal neyse burası da Konstantinopolis için oydu. Yerel kültürün düzeyi açıkça ortadaydı. Pahalı kahvehanelerin tenteleri, kumaşçılar, ağaçlı meydanlarda sayısız cami...

Tüm gün çalışan çöpçüler, inanılmaz bir titizlik içinde kaldırım taşlarını süpürüyorlardı. Bunu her köşesi fare yuvası çöplüklerle dolu, Venedik'le kıyaslayınca, hiç gübrelenmemiş bir bahçe geliverdi aklıma. Orada nasıl olur da bir şeyler yetişebilirdi? Ama açıkça görülüyordu ki, gübre hiç problem değildi. Atılan her yeni adım, kalabalıktan bir başka yüzü getiriyordu insanın gözünün önüne. Dünyanın bir o ucundan, bir bu ucundan yüzler... Bazı Türk yüzleri, Rum yüzleri; hepsinde aynı kararlılık, hayatını sürdürebilme kararlılığı... Ama eğer bir yüzde mutluluk işareti yoksa, onda hayatiyet olabilir miydi?

Sarayların süslemeleri yolun telaşesine zıt bir oturmuşluk içindeydi. Pek çoğunun tarihi, Müslümanlar'ın burayı almasından öncelere dayanıyordu. Bir yabancı için buraların zenginlere mi, yoksa perişan yoksullara mı ait olduğunu anlamak olanaksızdı. Zengin bir Türk, daha çok dar bir arka sokağın dibinde oturuyordu. Bu çelişkili dünyada sadelik, eğer görmeyi başarabilirsen, büyük bir gösterişi saklıyordu.

Konstantinopolis'ten daha fazla ticaretle bütünleşmiş bir başka şehir yoktu. Kemerlerinin altında bir araya gelmiş işadamlarının konuşup durduğu yollardan geçerek Kapalıçarşı'ya geldik. Bu, sekiz demir kapıya, sayısız kubbeye sahip büyük pazarda her istediğinizi satın alabilirdiniz; leblebi de, külçe altın da... Hatta Türkler'in dolambaçlı metodlarını kullanarak bütün başkente istediğinizi sattırabilirdiniz de. Ticari anlaşmaların karmakarışık yapısı da, daha öncekilerden bir mirastı.

Amcam Jacope yüzünden bu konularda bilgim vardı. İslam âleminde faiz yasaktı, ama bu bile ticareti durduramamıştı. Hiçbir risk olmaması için iki yöntem uygulanıyordu. Birincisi faizsiz borçlanmaydı. Diğeriyse, değerli bir şeyleri takas etmekti; at, ev ve hatta bazen bir çift ayakkabı gibi. Mal önce bu borçluya satılıyordu, sonra da üzerinde anlaşılmış bir yüzde eklenerek borç verene.

Kuytu köşelerinde değişik paralarla garip oyunlar oynanan Kapalıçarşı bizim amacımıza en uygun yerdi herhalde. Ama değilmiş... Türkler'in çapraşık ve karışık yöntemlerini unutmuştum. Hüseyin beni dışarı çıkardı, yeniden yola koyulduk.

Kuzeyi duvarlarla kaplı, ağaçların altında düzensiz mezarların olduğu bir yere gelmiştik. Duvarların arkasını görebilmek olanaksızdı. Ama kırmızı elbiseli yeniçerilerden buranın saltanata ait bir yer olduğu belliydi. Padişahların önüne gelenle yatma alışkanlıklarının sonucu olarak, imparatorluğa yayılmış bir yığın saraya gereksinimleri olmalıydı. Kapatmalar ve babasız çocuklar...

Böyle cinsel konular Hüseyin'i ilgilendirmiyordu, o daha çok sağ tarafımızdaki camiyle ilgiliydi. Tam öğle namazı zamanıydı. Büyük kubbelerin etrafındaki göğe doğru yükselen minarelerden ezanlar okunmaya başlanmıştı.

"Mimarı Yakup Şah" dedi Hüseyin. "İki üç nesil önceki padişahımız Sultan Beyazıd için yapılmıştır."

Bu bina ile zerre kadar ilgilenmiyordum ve Hüseyin'in diğerleriyle birlikte ibadet etmek istemesi canımı sıkmıştı.

"Kaybedecek hiç vaktimiz yok," diye ısrar ettim.

"Allah'la geçen vakit kaybedilmiş değildir," dedi. "Üstelik tüm dünya Mekke'ye dönmüşken kim iş yapabilir?"

"Venedik'in çanlarını dinlemeyi tercih ederdim."

Ben dışarda meydanda kaldım, meydanın karmaşası ruhumun karmaşasına yetişemezdi. Yeniçeriler nöbette olduklarından namaza gitmemişlerdi. Güneş, minarenin tepesinden dönmüş ve ortalık soluk, erken bir mart ışığıyla dolmuştu. Bu yumuşak sıcaklık bir soğukluğun üzerini örtüyor gibiydi.

Kumrular bu ışığın çiftleşmek için en uygun ortamı yarattığını düşünüyorlardı. Kuşlara özgü bir tavırla kalabalık gruplar eşlere bölünmüştü, ortalıkta henüz yavru görülmüyordu. Koyu morumsu renkli erkekler ince "hu" ve kalın "pu" sesleriyle etrafında dolandıkları dişilerinden başka her şeye karşı kayıtsızdılar. Kuyruklarını kaldırımlara sürtmek bu yaltaklanmanın parçasıydı. Tüylerinin nasıl paralanmadığına şaşmıştım. Aksi takdirde bir daha uçamazdı bu zavallı aşk şarhoşları. Bir sürtünme sesi duydum. Sese döndüm, neredeyse gücü tükenmiş bir kumru derinden gelen "hu"lar çıkararak, adeta kendinden geçmiş bir vaziyette mezar taşının birinin tepesinde yukarı aşağı gidip geliyordu. Bir diğeriyse aynı şeyi bir ağacın dışarı fırlamış köklerinde yapıyordu.

Beyaz dişiler hep birlikte erkeklere yüz vermeme halindeydiler. Her zamanki gibi yerlerdeki kırıntılarla meşguldüler. Onlar havalanınca, çeşmeden mezarlara, mezarlardan çeşmeye sonuçsuz ve usandırıcı takipçileri bu "hu" ve "pu" mırıltılarıyla peşlerinden gidiyordu. Cami kemerlerinde bir yükselip bir alçalan Arapça nağmelerin arasında birden fark ettim ki, bu tüylü kafaların dışındaki tüm erkeklerden kopmuş gibiydim.

Bu düşüncenin içinde dallanıp budaklanacaktım ama ibadet edenler dışarı çıktı. Cami boşalmıştı. Hüseyin yanıma geldi ve beni caminin batısına, h[illegible]namın olduğu yere doğru götürdü.

"Bu da Sinan tarafından Beyazıd için yapılmıştır," dedi.

"Ama hep Hıristiyan bir geçmişten yararlanarak."

Hamamın girişindeki mermer sütunların süslemelerini işaret ettim. Birbirini izleyen daireler ve ovallerin tamamladığı tavus kuşu motifleriydi bunlar. Belli ki eskiydiler ve Bizans işiydiler.

Hüseyin, "maşallah" çekerek, benim ses tonumu hoş gördüğünü belirtti.

Konstantinopolis'in onların eline geçmesi tabii ki Allah'ın isteğiydi. Bunu anlayabiliyordum, *"che sara sara"* diyen amcam Jacope da, Tanrı'nın gücünü böyle anlatırdı. O meşum sonu bir kez daha acıyla hatırladım, hâlâ kabullenememiştim.

"Şunu da unutma," dedi Hüseyin, "Buranın en önemli pagan tapınaklarını yakıp yıkanlar Hıristiyanlar' dır."

Arkadaşım değerli paralarımızı dağıtmaya devam ediyordu.

XIX

HAMAMA GİRDİĞİMDE beni ilk allak bullak eden görüntü, sırtlarında küfelerle ilerleyen köle zinciri oldu. Bunlar suyun kaynar tutulabilmesi için ateşe sürekli odun taşıyorlardı. Gözle sınırlarını göremeyeceğimiz kadar büyük olan binanın kadın ve erkeklere ayrılmış olan iki bölümünün de sıcak suyu tek ocaktan sağlanıyordu. Ama bu, aralarında yaşlıların da olduğu kölelerin işini kolaylaştırmıyordu.

Yüzümü buruşturdum. Hüseyin'in belirsiz planı işlemezse, kim bilir zavallı Sofia Baffo'nun ince, narin, genç vücudu hangi ağır yükler altında ezilecekti?

Hüseyin aklımdan geçenleri anlamıştı, güven anlamına gelen bir şekilde elini omzuma koydu ve beni binaya soktu.

"Bana güven, Allah'a güven," dedi. "Ve Ebu İsa'ya da güven. Ebu İsa kendi malına zarar verecek bir şey yapmaz."

Beni soktuğu ilk oda pek çok küçük odacığa bölünmüştü. Bunların arasındaki alçak duvarlar, sudan lekelenmiş, gözenekleri küflü, zamanın yıpranması içindeki mermerlerle kaplanmıştı.

İkimiz birden boş bir odacığa hamle ettik, Hüseyin daha öndeydi. "Dostum sana şunu söylemeliyim ki, kölelikle ilgili çok tuhaf bir algılamanız var. Ahlaken bunun yanlış olduğunu düşünüyorsunuz ama siz Venedikliler denizlerin en ünlü kölecileri değil misiniz?"

Kafalarına sarılmış havlularla, bedenleri çıplak, bellerinde kırmızı beyaz çizgili kumaşlarla köleler, odacıklar arasında oradan oraya dolaşıyorlardı. Ara duvarın tepesinden rahatlıkla bizi görebilecek kadar uzun boylu bir Afrikalı bana çok sık dokunmuş bir kumaş uzattı. İki ucundan püsküller sarkıyordu. Elimi üzerinde, çevresinde dolaştırdım.

Hüseyin bölmenin üzerinden konuşmasına devam ediyordu. "Rahmetli amcanın da ihtiyar zenci Piero'su vardı."

Kumaşı merakla incelemem uzun Afrikalı'yı eğlendirmişe benziyordu. Kalın, morumsu dudaklarında eğri, alaycı bir gülüş vardı. Kumaşı işaret edip "peştemal" dedi. Üzerimdekileri çıkarıp ona sarınmam gerektiğini anladım. Bunu yabancıların, özellikle de bu inançsızların arasında yapmaya hazır değildim. Yan odacıklardaki adamların hepsi, Türkler'in barbar geleneği gereği sünnetliydiler. Bu Afrikalı bile belki usturanın hışmından geçmişti. Kendimi bu gerçeğin karşısında çok rahatsız hissettim, erkeklik organımın ağırlığı altında eziliyordum.

Yine de şunu söylemeliyim ki, hamamda bir namus anlayışı vardı, alaycı bir gülüşle bölmenin üzerinden bakan Afrikalı bile buna uyuyordu ve başını çevirmişti. Bu, Hüseyin'in anlattığına göre dinin bir gereğiydi. Aynı hamamda yıkanan erkekler arasında bile bir utanma söz konusuydu. Benzer peştemalların altında benzer sakatlıklar olduğunu düşünmek beni rahatsız ediyordu. Öylesine aptalca bir korku içimi sarmıştı ki, sanki peştemalım belimden sıyrılırsa, onun içindekini de kaybedecektim. Bu, yapmam gerekenlerin hızını oldukça yavaşlatıyordu.

O sırada Hüseyin beni çocuksu bir tavırla cesaretlendirip duruyordu. Onun benden uzakta olmadığını ima etmeye çalışıyordu ama, bu beni, onun da bu yaratıklardan biri olduğu gerçeğinden koparamıyordu.

"Babanın sağlığında da evde çalışan en az dört beş kişi vardı."

Hüseyin haklıydı ama, ona hak verdiğimi söyleyemezdim. "Tanıdığın biri olduğunda iş farklıdır," dedim.

"Hatırladığım kadarıyla, seni emzirmiş olan dadın da özgür biri değildi ve bu senin onu daha az sevmeni gerektirmemişti."

Bu köşeye sıkışmışlıktan bunalmıştım, kendimi odacıktan dışarı attım, bana güven veren elbiselerim geride kalmıştı. Hüseyin'i çıplak görünce tuhaf olmuştum. Teni balık solgunluğundaydı, kadın gibi tüysüzdü de, üstelik kadınımsı göğüsleri ve koca bir göbeği vardı. En şaşırtıcı olan başıydı, onu daha önce ya kafasında Venedik işi bir şapka, ya da Türk sarığıyla görmüştüm. Tepesinde düğüm gibi bir iz olan kafası cascavlaktı. İnsanın kafasındaki yara bere izleri de en az çıplaklığı kadar zarafet dışıydı.

Afrikalı bize birer çift terlik verdi. Atkıları sedef kaplıydı ve kayıp düşmeyi engelliyordu. Tabanlarında "Santa Lucia"nın bayrak makarasındakine benzer koca koca tahtalar vardı. İçin için bunlarla kendimi Pizza'da dolanan bir fahişe gibi hissediyordum.

Hüseyin, "Bu nalınlarla hem soğuk mermere, hem de pis sulara basmaktan kurtulursun, üstelik kayıp düşmeni de engellerler," diye övüp duruyordu garip tahta terlikleri.

Bu arada, bana yardımcı olarak, belimdeki peştemalın düşmemesi için bir düğüm attı. Hatta ben ayağımdakilere alışmak isterken, yürümeme yardımcı bile oldu. Bu iki hareketinden başka, benim buraya yabancı olduğumu hatırlatacak başka bir şey yapmadı. O sırada ben bu tavırların, artık bana ne kadar alışılmış geldiklerini düşünüyordum.

Varlığım Hüseyin'i, benim ondan ve odadaki diğer adamlardan rahatsız olduğum kadar rahatsız etmiyordu galiba.

Sanırım bu gözlem yetersizliğinin nedeni kafasının başka bir yere, işe yoğunlaşmış olmasındandı. Tam o sırada evden bir köle gelmişti, herhalde biraz önceki pazarlığımızla ilgiliydi bu. Adamın elinde küçük bir sandık vardı. Bunun, yaklaşık bir ay önce "Santa Lucia"ya yüklenmiş olan samana sarılmış Venedik camıyla dolu olanlardan biri olduğunu fark ettiğim an saçmalamaktan vazgeçip kendime geldim.

"Ona bu hamamda bir müşteri bulmanın mı peşindesin?" diye sordum.

Hüseyin güldü, ama öyle ya da böyle bir cevap vermedi. Köleye, sandığı kendi odacığına bıraktıktan sonra yanımıza gelmesini emretti. Pazarlığın da bizim kıyafetimize benzemesi durumunda hamamların ne garip alışveriş yerleri olabileceğini anlamıştım. Bir pazarlıkçının niyetini saklaması gerekirdi, elbise kıvrımları da buna yardımcı olurdu. Buradaysa...

Yine de Hüseyin'in kendi kazancından benim uğruma fedakârlık etmesini takdirle karşılamıştım. Değerli kadehler muhtemelen gerçek fiyatlarının yarısına giderdi burada, ama yine de bu davranış beni etkilemişti. Cömert evsahibime karşı daha nazik olmaya karar verdim.

Adamının yanımıza gelmesini beklerken Hüseyin laflamaya devam etti. "Bir kadırga kölesinin hayatı özenilecek bir şey değildir, bundan eminim."

"Dışarda odun taşıyanların da..."

"O gördüklerin özgür insanlardır, oduncular onlar."

"Anlıyorum. Peki o zaman neden o kadar, o kadar..."

"Umutsuzlar?"

"Evet, neden umutsuzlar?"

"Özgür bir adamın akşam evine ekmek götüreceği garanti değildir. Oysa, sahibi eğer parasını batırmıyorsa bir kölenin böyle bir sorunu yoktur. Özgür bir adam, açlıkla, çocuklarının nafakasıyla, büyüklerinin hastalıklarıyla, yaşlılıkla, işin yıpratıcılığıyla savaşmak zorundadır. Bir kölenin sırtındaysa bu yükler yoktur."

Uzun Afrikalı'ya yine gözüm takılmıştı. Odada ritmini yalnızca kendisinin duyduğu bir Afrika müziğiyle sallanırmışçasına dolanıyordu. Yukardan bir edayla yapmacık bir şekilde tebessüm ediyordu, tepesine yeniçeri başlığı gibi sardığı havlular ne onun giderek eskimesinin, ne de sahibinin paralarının göstergesi olabilirdi. Venedik'teki Aziz Gummarus yatırını anımsadım. Her zaman dolu olurdu. Adaklar dolar taşardı etrafında. O tükenişlerin, yoklukların aziziydi ve daha çok da hamalların.. Biz ona "Zannis" diyorduk. Bir umutsuzun özgür yaşamı, işe yaramadan sona eriyorsa...

"Tamam anlıyorum, haklısın. Ama Hıristiyan ya da Müslüman, siyah ya da beyaz, fırıncının ateşindeki herhangi bir odun gibi, adsız bir çabanın içinde yiten, adsız bir beden olmak da bir yaşam demek değildir. Köle ya da özgür, aslında herkes buna dahil. Ben topluma karşı suç işlemişlerin dışında, hiç kimsenin kadırgalarda köle olarak kullanılmaması gerektiğine inanıyorum. Buna ev hizmetlileri dahil değil tabii, onlar zaten sahiplerinin evinde ve güvenlik içindedirler."

Hüseyin'in kölesi sonunda gelmişti. Hüseyin'in özüyle sözünün bir olmasını doğrusu takdir ediyordum. Üçümüz birlikte yan odaya geçtik. Burası da yoğun bir erkek kokusuyla kaplıydı. Tavandaki kubbede yıldız şeklinde bir yığın pencere vardı, buralardan gün ışığı süzülüyordu. Bizans işi olduğunu sandığım dört aslan başlı çeşmeden dökülen soğuk sular, önce mermer zemine yayılıyor, sonra da kenarlardaki küçük kanalcıklardan akıp gidiyordu. Bir köle hizmetkâr, Hüseyin'in sözlerini haklı çıkarırcasına kırmızı beyaz kumaşların üzerinde uyuyordu. Bu sözler, sedeflerin ve tahta topukların mermerdeki tıkırtılarının arasında insana acı vererek yankılanıyordu.

"Yoksul Kafkas köylülerinin çocuklarını, özellikle de kız çocuklarını zengin İstanbullu tüccarlara satmaları öylesine yaygındır ki dostum. Yalnızca kendileri için para sağlamak değildir amaçları. Asıl önem verdikleri, çocukların iyi beslenmesi, iyi giyinmesi yani zavallı köylerindekinden daha iyi olanaklara kavuşmalarıdır."

Bu odada, köle, Hüseyin'in vücuduna kireçli bir kostik sürdü, içinde çok az da arsenik varmış. Bunu gözlerime ve ağzıma değdirmemem için beni uyarmaları gerekmiyordu. Hiç kimse beni böyle bir işleme razı edemezdi, aşağı yukarı on beş dakika sonra köle, Hüseyin'i bir midye kabuğuyla temizlemeye başlamıştı ve onun doğal olmayan kılsızlığının sebebini anlamıştım. Batıya gittiğinde uygulayamadığı bir modaydı bu.

"Biliyor musun, Sultanımız Kanuni Süleyman, Allah selamet versin, diğer padişahlardan daha farklı, garip bir iş yaptı. Oğullarının annesiyle evlendi. Genellikle Sultanın haremi, satın alınmış talihli kızlardan oluşur. Bunların hepsi de Valide Sultan olabilmek için karda çıplak ayak koşmaya razıdırlar. Tabii büyük bir şey. İmparatorlukta bir kadının ulaşabileceği en yüksek mertebe. Sultan'dan sonra en yetkin insan odur. Bunda acınacak ne var? Görüyorsun bizim sultanlarımız da köle kadınlardan olmadırlar."

Hüseyin bunları söylerken kırmızı beyaz çizgili peştemalını, kölenin, onun cinsel organının etrafını da kıllardan temizleyebilmesi için açtı. Buna Türkler arasında ne kadar kalırsam kalayım asla razı olamazdım. Belki de bu saçma sapan sünnet oyununun başlamasının nedeni bir midye kabuğu kazasıydı, kim bilir?

Yine de ısrarlara direnemeyip köle tarafından sabunlanmaya razı oldum. Mis kokulu bir suyla beni bol bol sabunladıktan sonra adam ellerini bir havluyla kuruladı. Kıllı bir bezle beni ovalamaya koyuldu, ardından da kurutulmuş bir kabak lifiyle bu işi tekrarladı. Üzerimde tek kullanmadığı galiba bir tel zımparaydı, ama yine de bu yaptıkları vücuduma iyi gelmiş, beni rahatlatmıştı. Bir midye kabuğunun yapacağının daha fazlasını bu arada kaybetmekten korkmuştum. Ama harika bir cilde kavuşmuştum. Eksik dişli bir sırıtışla bana bakarak konuşan hizmetkârım sanırım hiçbir müşteriden bu kadar kir çıkmadığını anlatmaya çalışıyordu.

Bir başka kurnada ben yaşlarda bir genç, yaşlı ve hasta babasına aynı şeyleri yapıyordu, bu manzara benim içime dokunmuştu.

"Esaret ne zannettiğin kadar umutsuz, ne de güçsüz bir durumdur." Hüseyin, su seslerinin arasında konuşuyordu. "Özellikle de senin Sofia gibi yetenekli ve güzel bir kız için."

"Ve kabul et ki, onu bıraktığımızda hayatından çok memnundu," diye tekrarladı. "Bu sabah tadına vardığı yiyeceklerden sonra senin ona sağlayacaklarınla yetinebilir mi artık? Affedersin ama dostum, o çok uçarı ve dönek bir kız. Pahalı zevkleri var ve senin gibi bir öksüz denizcinin bunlarla başa çıkmaya çalışmasından üzüntü duyarım."

"Haydi, gel mutlu ol. Sana o genç zenci kızı yine yollayayım ve bu gece onu dışarı atma. Onun tadını çıkar. Seninle onun da hayatı güzelleşir. Ve Allah isterse senin olur. Onda kendini kaybet, göreceksin ki Sofia Baffo'nun hayali bile seni bir daha kandıramayacaktır. Madonna Baffo, Allah'ın ona sunduğu kaderden hoşnut. Dostum sen de kendi kaderinden hoşnut ol."

Hamamın üçüncü bölümüne geçerken sertçe başıma götürdüğüm elim, asla hoşnut olmayacağımın işaretiydi.

XX

ORTASINDA BÜYÜK BİR havuz olan bu bölümün tavanını, başlık süslemelerinden yine Bizans'a ait olduğu belli olan dört sütun taşıyordu. Diğer mimari detayları boğazımı yakan sıcak buhar yüzünden izleyemiyordum.

Aşçıbaşının önünde fıkırdayan bir makarna tenceresine benzeyen havuzun yüzeyinden sıcak buharlar yükseliyordu. Mermer zemin ateş gibiydi. Bir kenarda her zamanki kaba tembellikleri içinde, sıcaktan neredeyse morarmış iki Türk oturuyordu. Yoğun buharın içinde titreşen şekiller, yavaş yavaş hayaletler gibi kımıldanıp kayboluyordu. Sıcaktan gözlerim netliğini kaybetmişti.

Yeryüzünde, Dante'nin Cehennemi'ndeki kaynar kazanlara en yakın yer Türk hamamlarıydı herhalde. Sybaris'in zevk düşkünü insanları gibi, mistik bir tembellik içindeki bu insanlar da günahlarının fantastik cezasını çeker gibiydiler. Keseler, lifler birer işkence aleti gibiydi, masörlerse sanki cehennem zebanileri... Bunların yanında Foscari tiyatrosu bir hiç sayılırdı.

Yoğun buharın içinde nefes almaya çalışarak Hüseyin'e yalvardım. "Beni buradan çıkar."

Hüseyin'in kafasındaki Venedikçe de buharlaşıp uçmuştu galiba. Sözlerim mırıltılı konuşmalar ve bastırılmış kahkahalar arasında, herkesin kendini sonsuz bir lanetin nesneleri gibi hissettiği bu korkutucu havanın içinde kaybolup gitti.

Hiç şansım yoktu, evsahibimi izleyerek, boğazıma kadar yükselen buğulu havuza girdim.Kırmızı beyaz peştemallarımız, suya girince belimize kadar yükselip bir süre suyun üstünde yüzdü, sonra iyice ıslanıp tekrar aşağı indi.

Bu kaynar suda yumurta bile pişerdi ama dişimi sıkıp ses çıkarmadım. Zaten ses tellerim titreşemiyordu. Sıcaklık tüm eklemlerimi hissizleştirmişti, mermer zeminin üzerinde adeta fokurdayan suyun içinde yayılıp kalmıştım.

Birden, bu sonsuz işkencehanede, hayatımdaki ilk Türk kadınını görerek şok geçirdim. İki oda arasındaki en kestirme yoldan havuzun kenarına gelmişti. İki eliyle yüzünü kapatmış, parmaklarının daracık aralığından etrafa bakıyordu. Herhalde bizim yanımızda havuza girmeyecekti. Eğer vücudumdaki kanın tümü çekilmiş olmasa utançtan kıpkırmızı olabilirdim.

Birkaç adam kadının hareketlerini ilgiyle izliyordu. Hüseyin bana bir şeyler açıklamak zorunda hissetmişti kendini, demek ki Venedikçesini tümden unutmamıştı. "Zinayla suçlanıyor," dedi. "Bunu suçsuzluğunu kanıtlayabilmek için yapıyor. O adamlar kocası ve erkek kardeşleri. Ayağında şalvarı yok ve eğer masum değilse etekleri başına doğru havalanır."

"O zaman?" diye mırıltıyla sordum. Sıcaktan bayılacak gibiydim, değil kadın için kendim için bile ses çıkaramayacak haldeydim. "Eğer öyle olursa, kocası onu öldürebilir, tıpkı Venedikli aldatılmış bir koca gibi. Bu eski bir âdettir, şu gördüğün mermer sütunların sahibi Romalılar kadar."

"O masum," dedim. Koca ve kardeşler de buna ikna olmuşlardı zaten.

"Tabii ki," dedi Hüseyin, başını ilgisizce başka bir yöne çevirmişti.

"Neden tabii ki diyorsun?"

"Çünkü eğer bunu yapabilecek cesareti varsa, bu, onun kafasındaki tek bir saç telinin bile kirli olmadığının kanıtıdır. Yalnızca kocasına bundan böyle farklı bir açıdan bakacaktır. Onun Allah'ın yarattığı tek varlık olmadığını anlayacak ve hatta daha mükemmellerinin olduğunu düşünecektir. Karısını böyle bir şey yapmaya zorlayan bu adamın bir ahmak olduğundan eminim."

Bu sözlerden sonra Hüseyin yeniden kendini suya bıraktı. Ben de itiraf etmeliyim ki, kendi rahatsızlığım bir başkasınınkiyle ilgilenmeme izin veremeyecek ölçüdeydi.

Yanı başımdaki çıplak, haşlanmış erkek vücutlarının farkındaydım ama bunu düşünecek halde değildim. Birden Hüseyin sudan çıktı, sanki derisi tütüyordu ve yüksek sesle konuşmaya başladı. Türkçemin her söyleneni anlayacak düzeye henüz gelmediğini unutarak bana bir şeyler söylediğini sandım önce.

"Dininden başlarım senin!" diye bağırıyordu. "Kıçını şeytan parmaklaya," "Seni pezevengin evladı, seni orospu çocuğu," diye sürdürdü naralarını.

Doğrusu bu dili iyi konuşuyordu. Bir gezginin ilk öğrenmesi gerekenin küfürler olduğunu bir kez daha anlamıştım. Neden öfkelendiğini bilmiyordum ama en azından kelimeleri bir parça anlayabiliyordum.

Sonra sıcaktan karışan kafam toparlandı. O bana bağırmıyordu. Bunların muhatabı beni yandan sıkıştıran yaratıktı.

Hüseyin onun üzerine atlamadan önce, buharın içinde sıvışmıştı çoktan. Adımları demin zinayla suçlanan kadınınkinden bile daha dişiydi. Ne Hüseyin ne de ben birbirimizin dilinde duygularımızı anlatacak haldeydik. Omuzlarıma inen saçlarım, sakalsız sayılabilecek yüzüm ve buraya ait olmadığımı belli eden havamla bir sapığın isteklerini kamçılamıştım.

Teşekkür etmek için Hüseyin'in gözlerine bile bakamayacak kadar utanmıştım. Saldırgana gününü gösterecek gücüm yoktu. Masumiyetimi nasıl ispatlayabilirdim?

Hüseyin'in bir bakışıyla havuzdan çıktım ve girişe döndük. Kıyafetlerimiz odacıklarda bizi bekliyordu, temiz ve serin havayla ciğerlerim bayram etmişti.

Ama henüz elbiselerimin bana sağladığı güvenliğe kavuşamamıştım. Uzun Afrikalı ıslak peştemalımın yerine kurusunu verdi. Bir ikincisini omuzlarıma, üçüncüsünü de başıma koydu. Ona teşekkürle gülmeye çalışırken ağzının kenarındaki alaycı sırıtışı yine gördüm.

O sırada Hüseyin benimle tanıştırmak üzere bir başka Türk'ü almış geliyordu. O da herkes gibi peştemalına sarınmıştı. Bu adamı niye benim yanıma getirdiği hakkında hiçbir fikrim yoktu. Hakkında tek bildiğim elli yaşlarında bir adam gibi göründüğüydü.

Önce Hüseyin'in beni doğru dürüst bir adamla tanıştırarak utancımı unutturmaya çalıştığını sandım. Tanışma gayet kısa sürdü. Adam hiç Venedikçe bilmiyordu ve midemdeki ağrı bana muhabbet için Afrikalı'nın bile daha iyi olduğunu düşündürüyordu.

Hüseyin ise ısrarla tanıştırma işini uzatmaya çalışıyordu. Şu anda hatırlayamadığım bir isim söyledi. Adamın İznik'te atölyesi varmış, çinileri çok ünlüymüş, onun kobalt mavisi sırının sırrını kimseler bilmiyormuş falan filan..

"Sana aradığımız adamı bulup getirdim." diye sözlerini bağladı Hüseyin.

Hiçbir hareket yapmadığımı gören adam, daha çok gençlerin yaşlıca birine tanıştırıldıklarında yapması gerekeni kendi yaptı, önümde saygıyla eğildi. Onu taklit etmeye çalıştım ama pek başarılı olduğum söylenemezdi. Aptalca, hiçbir şey söylemeden bir süre karşılıklı bakıştık, sonra odacıklarımıza doğru yürüdük. Ben kendiminkine girdim, Hüseyin de adamla beraber yandakine.

Afrikalı, gizli ritminin bir kısmını benimle paylaşır gibi dolaşıyordu etrafımda. Benim odada kilim ve yastıkların üzerinde oturduğumu görmüştü. Yukardan aşağı, aşağıdan yukarı bir küçük çocuğa yapıldığı gibi, getirdiği ılık havlulara beni sarıp, ince, pembe uçlu siyah parmaklarıyla ovalaya ovalaya vücudumu kurulamaya başladı.

Doğrusu hoş bir durumdu, ama hiçbir erkeğin, kim olursa olsun, bana bu kadar yakın temasta olmasını kabul edemezdim. Ona bunu istemediğimi ifade ettim, nargile ve masaj tekliflerini de reddettim, ama kahveye hayır demedim.

İçleri koyu ve sert kahveyle dolu iki fincan da yan odaya götürüldü. Sonra ağır bir garip duman odayı sarıverdi. Amerika'da bulunup sonradan Karadeniz kıyılarında da yetiştirilmeye başlanan bu garip şeyi galiba çinici adam tüttürüyordu. Bu, tütün dumanını içime ilk çektiğim andı. Konstantinopolis'te son moda bir alışkanlıktı tütün içmek. Aynı odada bulunanların bile bu dumandan etkilendiklerini biliyordum.

Sıcak hava ve su, kahvenin hoş tadıyla birleşince, gün boyu yaşadığım duygusal fırtınaların yorgunluğuna daha fazla katlanamaz bir hale gelmiştim.

Tuhaf bir uyuşukluk tüm bedenimi, beynimi kaplamıştı. Yan odadaki konuşmalar giderek uzaklaşır gibiydi, oracıkta içim geçiverdi, uyuyakalmışım...

Beni uyandıran ses yeniden tekrarlanıyordu yanda. Saman dolu kutu açılmaya çalışılıyordu. Aslında beni tam ayıltan bazı kelimeler olmuştu. İnsan kendi dilinin dışında konuşmaya başlayınca sanki kelimeler akıcılığını yitirip sertleşiyorlardı. Hüseyin'in böyle bir tonla Filippo ve Bernardo Serena dediğini duydum.

İki Venedikli... Tabii ki sıradan Venedikliler değildi bu iki kardeş. İkisi de ölmüştü ve oğulları onların namını yürütüyordu. Bu adamlar, opak camdan kristal berraklığında, genellikle beyaz ama arada sırada da harikulade bir beceriyle mavi işler çıkarmayı başarmışlardı. Serenalar tüm dünyaya şaşırtıcı mükemmellikte kadehler, vazolar, tabaklar sunmuşlardı ve bu devam ediyordu. Kısa bir zaman sonra Murano camcıları da aynı yöntemle bu sihirli formülü kullanmaya başlamışlardı. Venedik'in sayılı atölyesine karşılık kente refah getiren bir çalışmaydı bu.

Hüseyin'in elindeki malların bir kısmı bu çalışmalardan olabilirdi. Türkler'in inanılmaz lüks talebi düşünüldüğünde bu normaldi. Bu düşüncelerimi kanıtlayan, samanların arasından çıkan parçayı anlatırken Hüseyin'in söylediği sözler oldu, "vetro a filigrana."

Demek ki Hüseyin bir müşteri bulmuştu. Bu iyiydi, yeniden arkama yaslanıp, kayıtsızlığın kollarına kendimi bırakmak üzereydim. Tam bu sırada, bu sınırda, birden gerçeği algıladım.

Bu herhangi bir zengin müşteri değildi. Belli bir ustalığı, belli bir mesleği olan biriydi bu adam. Ufacık bir bilgiyi hayata geçirip geliştirebilecek biriydi o. Onun derdi bir vazo almak değildi, bir vazo için çok daha fazlasını ödemeye hazır biriydi o. Bir büyük gizemli üretimi satın almak üzere biriydi o.

Her nasılsa ve her neredeyse Hüseyin, Venedikli bir tacir olarak "vetro a filigrana"nın sırrını öğrenmiş olmalıydı ve bunu satmak üzereydi. Venedik mahvolacaktı.

Beni salaklaştıran minderin üzerinde zıplayarak ayağa kalktım, tabanlarımın altındaki mermer zeminin soğukluğunu kemiklerimin dibine kadar hissediyordum. Gömleğimi giymeye çalışırken beni saran havlular yerlere savruldu. Cildim ketenden daha güzeldi ve elbiseme sinmiş kokum bana daha önce asla bu kadar iğrenç gelmemişti. Gömlek, ter ve tuzdan taşlaşmıştı. Dişlerimi sıkarak bu kokuyu duymazdan gelmeye çalıştım. Aslında bu gömlekle birlikte benden alınan yaşama hakkını yeniden geri ister gibiydim.

Pantolonumu toparlamaya çalışırken yan odacığa daldım.

Hüseyin'in bana şaşkınlıkla bakışından, öngörülerimde yanılmadığımı anlamıştım. Cam üfleyicilerin hareketini tarif ederken donup kalmıştı, opaklığın nasıl şeffaflığa dönüştüğünü anlatmak üzereydi. Bunu anlayabilmek için Türkçe'ye ihtiyacım yoktu. Çinici de farklı bir durumda değildi, o da donup kalmıştı.

Adam öğrendiklerinin heyecanıyla havlularından sıyrılmıştı. Ellerinde gelecek servetinin bir ön modelini tutuyordu. İnanılmaz bir kâseydi bu. Bir parmak inceliğinde bir ayak üzerinde şekerimsi, incecik yapraklarla bezenmiş bir kâse.

Bir şeyler söyledim. Sanırım aklıma gelebilecek en kötü küfürdü bu. Ama öfkem kelimelerin bir dile ait olmasına bile izin vermiyordu, belki de kükredim. Bir saniye içinde sırtımdaki yeleği çiniciye doğru savurtmuştum bile. Cam, milyonlarca parçaya bölünerek mermer zemine saçılmıştı.

Ve bu camla birlikte sanki bütün dünya da paralanmıştı.

Türkler'i bir kenara iterek, Beyazıd Meydanı'nın karmaşık dünyasından ve tatminsiz kumrularından hızla uzaklaşıp gittim.

XXI

ÖĞLEDEN SONRAKİ yoğun insan kalabalığının beni içine saklamasını umarak, Hüseyin'le tırmandığım yokuşa tekrar vurmuştum kendimi.

Arkamdan geleceğinden emindim. Ayasofya'yı altın rengine boyayan ışığın altında, bir saat sonra da bundan emindim, korkak bir tavşan gibi arkama baka baka kaçıyordum. Kentin bu en kutsal meydanında bir ara onun sarığını görür gibi oldum. Hüseyin herhalde bir başka Tanrısal yakarışın içindeydi.

Gerçek ya da hayal, bu kuşku beni caminin ters tarafına yöneltti. Orada, karanlık bir aralık buldum, bana yeteri kadar güvenli görünüyordu. Yürüdüm...

Çalışan işçiler tarafından bırakılmış, sönmek üzere olan bir meşale aşağıya doğru giden otuz kadar aşınmış taş basamağı aydınlatıyordu. Onları izledim. Dünya üstüme kapanmıştı. Hiç tanımadığım, tehdit edici bir kentin yalnızlığı içindeydim, ben bir yabancıydım.

Aşağı indikçe suyu duyuyordum, bir yığın su... Aşağılarda bir yerde ağır ağır damlıyordu. Acıklı bir sazın nağmeleri gibiydi bu ses. Zengin bahçelerini, mayıstan ekime kadar yeşil tutacak bollukta bir suydu bu. Sönmekte olan meşalelerin titrek ışıklarıyla yıldızlanan bu suyla, bu kent kıtlıkları aşabilirdi. Ne suyun, ne de bu sarnıcı ayakta tutan sütunların sonunu görebiliyordum. İçim acıyarak bu devasa sütunların da Bizans'tan kalma olduğunu gördüm.

Eğilip bir avuç suyla bu buluşumu taçlandırdım. İnsana kasvet veren su kesinlikle lezzetliydi. Çabuk çabuk hamamın benden çaldığını geri aldım.

Yenilenmiştim. Bu yeraltı sarnıcındaki suyla hayat bulmuştum ve güvenlikteydim.

Güneş batmış olmalıydı, meşaleler de son ışıklarını veriyorlardı artık. Yaşam bir alacakaranlıktaydı, kafamda yeni bir plan oluştu.

Yapılacak iş köle pazarını bulmaktı. Köle pazarını ve Sofia Baffo'yu...

Güneş batmıştı, Konstantinopolis'in sokakları sessiz bir mezar soğukluğundaydı. Gördüğüm erkekler gündüz dünyasının kötü bir kopyasıydı. Gerçek olan haremlerdi ve bu geceye yol gösteriyordu.

Çiçekler gibi tüm dükkânlar kepenklerini indirmişlerdi. Ama her yerde taçyaprakları dökülmüş bitkinin ortasındaki taze filizleri görebiliyordum. Başlangıçta sokaklardaki yalnız adımlarımın dikkati çekebileceğini düşündüm. Ama artık peçelerin ya da kapalı tahtırevanların gölgesindeki gizli gidip gelmeler yalnızca kadınlara aitti. Göze görünmeseler bile bu dedikodu, yemek ve rahatlık tarifiyle yapışmış ilişki yumağının gizemli varlığını hissedebiliyordunuz.

Kendimi böyle bir taze filize yapışmış hissediyordum. Bu duygu beni köle pazarının tahta kapısına kadar götürdü, ama tabii ki kapı kilitliydi. Öğle saatlerinde kapatılmış olmalıydı. Ortalığı ısıtan mart güneşi de olsa, değerli bir müşteri için bu kadar sıcaklık bile caydırıcıydı herhalde.

Binanın arka tarafını bulmak çok kolay değildi. Adımlarımı bir çeşit karışık geometrik hesapla ayarlamam gerekti. En sonunda bir asmayla çarpışınca doğru yolda olduğumu anladım. Bir duvara tırmandım, eski bir çatıyı aştım ve bir avluya düştüm. Burası sabah Sofia'nın pencerelerinden duyulan seslerin geldiği yerdi.

Pencereler yukardaydı ama bunlardan sürünerek girmek zor görünmüyordu. Tek sorun kepenklerdi. Yaz akşamlarında serin havanın içeri girebilmesi için bunlara ince teller geriliyordu. Ama şimdi kışa göre ayarlıydılar ve bu bir hırsızın içeri girmesini zorlaştırıyordu. Tabii benim de... Deneyimsizlik söz konusu olunca kararlılık önem kazanıyordu.

Başlangıçta güvenli bir biçimde planlanan köle dükkânı ve avlusunun sahipleri, belli ki olaysız geçen uzun yıllar sonucunda bu konuyu ihmal etmişlerdi. Vaktiyle dikilmiş olan asma, ağaçlaşıp duvar boyunca yükselmişti. Elimde bir duvar dibinde bulduğum keserle, hızla tırmanıverdim üstüne. Pencereye uzanan dal beň üzerinde ilerledikçe aşağıya doğru eğiliyordu. Bütün aceleciliğime karşın sessiz ve çok dikkatli davranmalıydım, bu da çok zordu. Yine de ani ataklar, duraksamalarla işime devam ettim.

Menteşeler yerinden kurtulmaya başlamıştı.

Bir din uzmanı değilim ama, Tanrı'nın gençleri özellikle koruduğuna inanırım. Daha yaşlı birinin, yapmaya kalkışsa, kesinlikle cezalandırılacağı bazı işleri gençlik söz konusu olunca görmezden geliyor olmalıydı. Şu ana kadar, hayali gelebilir ama, onun onayını almış olduğumu düşünüyordum, ya da en azından yaptıklarıma şiddetle karşı çıkmıyor gibi geliyordu bana.

Belki de bu Tanrı'nın işi değil de bir sihirdi. Beni koruyan belki de, çok kısa zamanda ölüp beni koruyuculuğundan yoksun bırakacağını bilen annemin çocuk alnıma kondurduğu tılsımlı bir öpücüktü. Böyle bir öpücüğü anımsamıyordum, ama beni gözeten gizli bir gücü hissediyordum. Hemen caysam güven içinde Hüseyin'in konuk odasına dönebileceğimden emindim.

Aslında dokunulmazlığımın sınırları bundan daha ileri noktalara kadar uzanabilirdi. O malum geceden beri en kusursuz ve en uzaklara ulaşabilecek kadar "büyük" adımı atabilmek için olayları kafamın içinde binlerce kez prova etmiştim. Çok "kesin" bir anda, inanıyorum ki, büyük arzumun peşinde kendi özgürlüğümden vazgeçmiştim. Belki de daha farklı ve daha mutlu bir yaşamdan da... Büyük arzumun beni alaşağı ettiği, kaderimin durdurulamayan bir heyelan altında kalmışçasına savrulup gittiği o "kesin" an ne zamandı? Bu soruyu tatminkâr bir biçimde cevaplandıramıyordum. Hüseyin bunun, onun korumasından kendimi yoksun bıraktığım an olduğunu düşünüyor olmalıydı. Ama ben hiçbir kalıcı zarara uğramadan kepengi yerinden sökmekten de daha ilerilere gidebileceğimi biliyordum.

Madonna Baffo, o gece tabii ki, büyük odada tek başına yatıyordu. Benim kuru asma dallarına tırmandığımı duymuştu ve uyanıktı. Ayışığı odaya açık pencerelerden dökülmeden önce bile bu seslerin sahibinin ben olduğumu biliyordu. Beni ele verebilecek bir çığlık atmadı. Ayakta bekliyordu. Dumanımsı ışığın içinde, tütsüler arasında değerli bir ikona gibiydi. Pencereden aşağı doğru kendimi sarkıttığımda bana elini uzattı, mutlu bir şekilde gülümsedi ve fısıltıyla konuştu.

"Sinyor Veniero, sizi görmek ne kadar güzel."

Bana Giorgio dememesinin üzerinde durmadım. Ondan daha büyük şeyler bekliyordum. "Seni kurtarmaya geldim," dedim.

Arkasını döndü, birkaç adım attı, benimle oyun oynuyor gibiydi, şaşırmıştım.

"Ama... bu olanaksız," dedi.

"Değil. Saklanabileceğimiz mükemmel bir yer buldum. Buraya çok yakın, bir süre için sığınabileceğimiz bir sarnıç..."

"Bir sarnıçta nem ve soğuk içinde beklemek için hiçbir arzum yok."

"Sadece kısa bir süre için, ben Pera'ya gidip, kendi vatandaşlarımızdan bir tekne sağlayana kadar."

"Ama Sinyor Veniero, yapamam. Sizin gibi, bir sinek gibi duvarlara tırmanamam. Sizinle tanıştığım ilk günden bu yana yaptığınız gibi yani..."

Yaptığım fedakârlıklar karşılığında bir sineğe benzetilmekten hoşlanmamıştım ama yine de aldırmadım.

"Yapabilirsin," diye ısrar ettim. İlk karşılaşmamızda, her şeye karşın bende en gıpta ettiği şeyi ona sunuyordum. "Yardım edeceğim. Yapabilirsin. Yapmalısın."

"Bilmiyorum," dedi. Korktuğundan ya da bana güvenmediğinden değildi bu, gerçekten de sadece bilmiyordu.

Ben biliyordum. Onu yakaladım ve kuvvetlice belini kavradım. Ah o bel, Tanrım bu dokunuş kollarımda küçük kasılmalar yaratmıştı. Onu pencereye doğru taşıdım.

Sofia minicik bir çığlık attı. Bu zevkten miydi, korkudan mıydı, yoksa itirazdan mıydı? Benimle itişmeye başlamıştı, birilerinin bizi duyabileceğini düşünerek onu yere bıraktım.

"Sinyor Veniero," dedi. Aniden karar vermiş gibiydi. "Önce şuraya oturun, bir şey söylemek istiyorum. Bugün başıma gelenleri anlatmak istiyorum."

"Daha sonra," dedim. Ona emretmiyor, yalvarıyordum. "Güvende olduğunda anlatırsın, bol bol vaktimiz olacak."

"Oh, hayır, lütfen." Kararlılığı artmıştı, bense giderek daha zayıflaşıyordum. "Anlatmalıyım. Bütün gün bunu anlatacak kimsem olmadığı için sıkıntıdan patladım. Maria'ya anlatmak istedim, ama sanıyorum onu sattılar."

"Maria satıldı mı?" diye sordum. Kuşkulu ve pişmanlık dolu düşünceler geçiverdi birden aklımdan. *O kadını, Maria'yı şansın varken satın almalıydın. Böyle bir şans bir daha asla olmayacaktır.* Belki de bu yaklaşan bir sonun son uyarısıydı, ama bunu anlamayı reddediyordum. "Onu nereye sattılar?"

"Oh, bilmiyorum," dedi Sofia. "Mutfak işi için yaşlı bir adam aldı galiba. Bilmiyorum. Söylediklerinin tek kelimesini anlamıyorum bu insanların. Beni bugünlerde bir yardımcıdan yoksun bırakmalarını çok düşüncesizce bulduğumu söylemek isterim. Ah neler neler gördüm bugün. Lütfen otur da dinle, yoksa çatlayacağım."

İşte kaderimin çizildiği an buydu ve galiba bunu hissetmiştim bile. Baffo'nun kızı bu son isteğini söylediğinde, onun güzelliği ve varlığı bende ne var ne yoksa silip götürmüştü. Bütün gecedir beni sarmış olan enerjinin de gittiğini biliyordum, kuvvetimi yitirmiş, aptallaşıp beceriksizleşmiştim. Tanrı'nın koruyuculuğu da, bir annenin tılsımlı öpücüğü de yoktu artık. Dizlerimin bağı çözülür gibi oldu ve oturdum. Onun sesi ve bu sesle anlattığı harikalar beni iyiden iyiye şapşallaştırmıştı.

"Bu sabah, sizin hemen arkanızdan, beni kapalı bir arabaya koydular ve bilmediğim bir yere taşıdılar. Tek söyleyebileceğim yeryüzünde böyle bir yer daha olmadığıdır. Sanki dünyada değildim ve beni taşıyan köleler de meleklerdi ve birkaç saatliğine cennete götürülmüştüm.

Önce dışardaki kalabalığı hissettim, seslerini duydum, ama satıcının hoşuna gitmeyeceğini düşünerek kafamı çıkarıp bakmadım. Biraz da korkmuştum, kalabalık kaba saba ve çok gürültücüydü. Giderek azaldılar ve duyduğum sesler daha saygılı, kibar bir hal aldı. Sanki büyük bir tapınağa yaklaşıyor gibiydik. İşte o zaman örtüyü biraz aralayıp dışarıya bakma cesaretini bulabildim.

Kocaman ve harika bir bahçeden geçiyorduk. Sayısız nefis patikanın kenarında düzgün sıralar halinde yüksek selviler uzayıp gidiyordu. Ağaçların diplerindeki çiçek tarhlarında kendileri de oraya dikilmiş gibi görünen kırmızı başlıklı bahçıvanlar vardı.

Ah, Tanrım ne müthiş çiçeklerdi onlar. Tıpkı bir halı gibi... Parlak pembeler, kırmızı ve beyaz tomurcuklar. Çiçekler Türk ordusunu sembolize ediyordu. Şaşkınlıkla karışık bir hayranlık içindeydim, kafaları sarıklı askerler gibi duruyordu hepsi de. Hayatımda hiç böylesini görmedim inan."

Bu çiçekler "tülbend" dedikleri çiçekler olmalı, diye düşündüm. Biz, Avrupalılar bunlara "tulip" diyorduk. Çiçeğin adını yanlış da söyleseler bahçelerini onlarla doldurmaktan geri durmamışlardı. Türkler'in bu çiçeğin nasıl üretilip büyütüldüğünü saklamalarına karşın Hollandalılar'ın bu sırrı çözdüklerini ve kendi ülkelerinde değişik çeşitlerini üretmeye başladıkları duymuştum.

Yine de onları kısa zamanda Venedik'te görmeyi umut etmiyordum. Hele de Sofia'nın anlattığı müthiş dekor içinde... Konstantinopolis'te gezdiğim bahçe ve parkların hiçbirinde bu kadarını ben de görmemiştim. Herhalde abartıyordu, çünkü yalnızca Sultan bu kadarını yapabilirdi.

Sultan... diye kendi kendime tekrarladım. Madonna Baffo, Büyük Saray'a götürülmüş olabilir miydi? Tanrı korusun... Dinlemeye devam ettim.

"Sonunda büyük bir kapıya geldik. Orada benim arabayı taşıyanlar durdular, satıcı bile daha öteye gidemiyordu. Beni arabadan indirip çarşaflara sardılar ve dükkândan bu yana bizimle gelen iriyarı, beyaz adama verdiler. Adamın, kenarı tavşan kürküyle süslü koyu yeşil uzun bir elbisesi vardı ve şeker külahına benzeyen upuzun sivri bir şapka takmıştı başına."

Önceki gün Hüseyin'in bana gösterdiği adamı hatırlayıverdim. "Saraydan..." demişti arkadaşım. Demek ki doğruydu bu. Ve bu saray, önünde adalet arayan dilencilerin dolaştığı Babıâli'den farklı bir saray olmalıydı. Gittiği yer haremdi, yüreğin de yüreği olan harem. Sultan'dan başka hiçbir erkeğin ayağının içeri adım atamadığı harem. Dinlemeyi sürdürdüm.

"Adam, beni kapıdan geçirdi. Ve sonra... Sana nasıl anlatabilirim? Sanki büyük bir canavar tarafından yutulmuş gibi hissettim kendimi. İçi gri soğuk mermerlerle kaplı bir canavar. Evet, bana öyle bakma Veniero. Öyle bir korkuydu ki bu, taa belkemiğimin dibine kadar titredim. Ne müthiş bir canavar... diye düşündüm. Ne büyük, ne güçlü, ne harikulâde bir canavar... O döndüğünde dünya sarsılıyor, gözlerini açıp kapadığında dünya ya ışığa boğuluyor, ya karanlığa gömülüyor. Oh, ben bu canavarın parçası olabilirim, diye düşündüm, bir daha gün ışığını göremesem bile buna razı olacağımı biliyordum.

Canavarın içindeki uzun mermer koridorlar boyunca yürüdük. Benim rehberiminkine benzeyen kürklü elbiseler giymiş sarıklı bazı zenci erkekler dolaşıyordu ortalarda. Kapılarda nöbet tutanlar vardı. Daha içerilere, içerilere doğru ilerledik. Sonra, bir kapı açıldı ve kendimi müthiş bir ışık ve ses cümbüşünün içinde buluverdim.

Sayısız ayna, yaldız, mücevher, saten ve cilalı fayanstan yansıyan bir ışık seliydi bu. Fayanslara işlenmiş rengârenk şekiller burayı bir bahçeye döndürmüştü. Bu yüzeylerde ses de daha farklı yankılanıyordu. Odadaki kafeslerde bin bir çeşit kuş şakıyordu ve kadın müzisyenler ellerinde sazlar oynak şarkılar çalıyordu. Ama sesin asıl kaynağı, kadın kahkahaları ve konuşmalarıydı. En azından yirmi kadın vardı odada, hayatımda gördüğüm en güzel yirmi kadın.

Hepsi de birbirinden farklıydı; siyah, beyaz, kumral, sarışın... Mavi gözlüler de vardı, zifir gibi kara gözlüler de. Kızıl saçlılar, kahverengi saçlılar, kuzgun gibi kara saçlılar... Anlatılamaz bir zerafet içinde giyinmişlerdi, üzerleri mücevherlerle donatılmıştı, kumaşlar altın işli ve kadifeydi. Onlarla nasıl yürüyebildiklerine şaştım. Konuşma biçimleri hareketliydi ve yastıkların halıların arasında gülsuyu içip, çeşit çeşit tatlı yerken çok mutlu görünüyorlardı.

Yanımdaki adam bana eğilmemi söyledi ve buna uydum. Bir tırtıl gibi yere doğru kapaklandım. O çarşaflara sarınmışken bunu yapabilmek inan az buz iş değildi. İşin aslı, bana söylenmese bile eğilebilirdim. Canavarın nabzının attığı yerde gördüklerimden öylesine etkilenmiştim ki, buna karşı koyamazdım.

Bir de baktım, burnumun ucunda dana derisinden küçük sarı bir terlik. Bir kadın beni yerden kaldırmaya çalışıyordu. Sonra beni çarşaflarımdan kurtardılar. İçeri girişimle birlikte hepsi susmuş olan bir oda dolusu kadın yutkundu ve birden yine gürültüyle konuşmaya başladılar. Yüzlerine vuran kırmızılıktan anlamıştım, bazıları beni kıskanmıştı. Şunu söyleyebilirim, bu gerçekten de insana kendini iyi hissettiren bir şey.

Özellikle bir kadın benden hoşlanmış gibi duruyordu. Bende de ondan etkilenmiştim. Diğerlerininkinden çok daha gösterişli olan elbise ve süsleri değildi bunun nedeni. Tabii onlar da etkileyiciydi ama, beni etkileyen şeyin yanında bu hiç kalır. Oradaki kadınların en güzeli değildi, biraz yaşı geçmişti. Bir zamanlar harikulade olduğu belliydi, ama şimdi kırkında vardı ve rahatlıkla benim annem olabilecek bir yaştaydı. Cildi hâlâ mükemmeldi, fildişi gibi pürüzsüz, beyaz ve soğuk. Beyazlarını kapamak için saçlarına sihirli bir karışım sürüyordu sanırım, bu yüzden doğal bir pırıltı dolaşıyordu başında. Geniş alnını, nefis elmacık kemiklerini belirginleştirecek bir şekilde onları arkaya doğru taramıştı.

Ama en çarpıcı yanı gözleriydi. Kaşları incecik yay biçimindeydi ve onların altında, kirpiklerine Türkler'de moda olduğu gibi bol bol rastık sürmüştü. Benim satıcı da çıkmadan önce bana sürmüştü zaten. O siyah gözler kömürden daha karanlıktı ve insanın yüreğine işliyordu. Rastık belki de onları bir parça örtüyordu, aksi halde o gözler insanın ciğerine sokulmuş bir kamaya benzerdi. İnsana itaati ve uğruna ölümü emreden o bakışlar...

Ve hemen ona itaat ettiler. Hepsi birden... Beni soyan kız şimdi beni döndürüyor, yürütüyordu, bu emredici kadına doğru ilerletti beni. Kız, sahibesine karşı, Maria'nın bana yaptığı gibi bir naz ya da bıkkınlık içinde değildi. Benim Venedikli hizmetçilere istediklerimi yaptırabilmek için ya isteğimi tekrarlamam, ya sesimi yükseltmem, ya da hatta ayağımın ucuyla dürtüklemem gerektiği çok olurdu. Ama bu kadın bütün emirleri bakışlar ya da ufacık fısıltılarla veriyordu.

Hatta o beyaz şapkalı koca adama bile... Adam kadının boynunu iki eliyle koparabilirdi ama, onun önünde eli yerlere değecek kadar eğiliyordu ve eğer bir kuyruğu olsa kadın ona iltifat ettiğinde mutlaka zevkle sallayacaktı. Eğer böyle dağ gibi bir adamı yönetebiliyorsa, onun dünyanın sahibesi olduğunu öğrenmek benim için hiç de şaşırtıcı olmazdı."

Baffo'nun kızına, hadımların hem beyaz hem de zenci olabileceklerini ve yine yanlış erkeğe saygı gösterdiğini söylemeyi gözüm almadı. Böyle bir şaşırtmayı hak etmeyecek kadar büyük bir zevkle gösterisini yapıyordu.

"Sonunda kadın, kollarındaki bilezikleri sallayarak, beni kend' minderinin yanına çağırdı. Kollarıma bacaklarıma dokundu, dişlerime baktı, kulaklarıma, boynuma. Ve ceketimle bluzumu çıkartmamı işaret etti, böylelikle benimle ilgili tüm öğrenmek istediklerini... Doğrusu Sinyor Veniero, onun karşısında hiçbir utanma duymadım, o kocaman adamın varlığına karşın hem de, ama şimdi sizin önünüzde... Daha ileri aşamaları hayal etmelisiniz, anlatamayacağım... Yalnız şundan emin olabilirsiniz ki, hiçbir at satın alınmadan önce benim kadar ince bir kontrolden geçmemiştir. Yani insan, kadının beni kendisi için almak istediğini bile rahatlıkla düşünebilir."

Madonna Baffo'ya, Sultan'ın haremiyle ilgili duyduklarımı anlatmadım, eğer anlatsaydım bunun pek de olasılık dışı olmadığını anlayabilirdi. Suratım asık, sessiz bir biçimde karşısında oturuyordum. Bunu fark etti ve bağırdı.

"Hayır, Sinyor Veniero. Şunu söylemeliyim, şımartıldım. Öyle bir kadın tarafından farkına varılmak... Ne beni hiçe saydı, ne de elinin bir hareketiyle başından def etti..."

Ve sonunda yemin ederken sesi zevkle titriyordu. "Aziz Marko ve Tanrı adına yemin ederim ki, şu hayatta o kadına ait olmaktan başka hiçbir arzum yok. O ne başkalık... Hiçbir kadında böyle bir güç görmedim. Hatta bir erkekte de. Onun elbiselerini tamir edip, çamaşırlarını yıkamaktan mutlu olurum, yeter ki yanı başında olabileyim, belki o güçten bir parça bana da geçebilir...

Bundan söz ederek şansımın kaybolacağına inanmıyorum, o kadının beni satın alabileceğini düşünüyorum. Ben ayrılmadan önce ellerimi avuçlarına aldı, okşadı, gülümsedi ve bir şeyler söyledi. Venedikçe olsaydı herhalde şöyle derdi. *'Biz büyük dostlar olacağız sevgilim, sen ve ben.'*

XXII

MADONNA BAFFO'nun sesinden başka bir ses, onun süslü püslü son sözlerinin arasında kulağıma çalınır gibi olmuştu ama ben aldırmamıştım. Şimdi tekrar duymuştum, daha yüksek ve netti ve asla ihmal edilmeyecek bir durumdu bu. Oturduğumuz odaya doğru birileri geliyordu ve şimdi tam kapının önündeydiler.

"Tanrım..." diye bağırdı Baffo'nun kızı. "Ya seni burada bulurlarsa..."

Kendi karmaşasında, bir fısıltının bile adamların kuşkularını doğrulayacağını düşünmemişti. Ben de kendi karmaşamda onu korumayı düşünmüyordum, hatta kendimi bile koruyabilecek durumda değildim artık. Sıçrayıp pencerenin kenarını tuttum, ama bacaklarımdan biri hâlâ odada sallanıyordu ve biri bileğime yapışmıştı, yere doğru savruldum. Kısa bir süre hiçbir şey hissetmedim, gözlerimi tekrar açtığımda sırtüstü yatıyordum. Üstümdeki ağırlığın sahibi genç köle satıcısıydı ve elindeki kocaman, pırıl pırıl bir kamayı kalbime doğru yöneltmişti.

"İsa, İsa, bekle!" İhtiyar olanı bağırıyordu. "Bu, sabah gelen Hıristiyan genç."

"Onun önce kalbini çıkaracağım, sonra da sünnet edeceğim." Bir şekilde ne dediklerini anlayabiliyordum. Daha önce söylediğim gibi küfür ve hakaret daha çabuk öğreniliyordu.

"Ama bekle. Önemli dostları olabilir. Bilmiyoruz. Ellerimize onun kanının bulaşması bize zarar verebilir. Kıza bir şey olmamış ve en önemlisi de bu. Eğer kan dökersek, ya da yasaya göre, öç istersek, konu Babıâli'ye kadar gidebilir. Ticaretin bozulacağından korkup, satışı iptal edebilirler."

Genç adam, babasına öfkeyle baktı. Elindeki kamayı hırsla duvara doğru fırlattı.

Derhal odadan çıkarıldım. Baffo'nun kızıyla ilgili olarak gördüğüm en son şey onun divanda oturup, hiçbir şey olmamış gibi bluzunun yakasını düzeltmesiydi. Gecenin kalan saatlerini satıcının boş depolarından birine kilitlenmiş olarak, korku içinde geçirdim.

Sabahleyin, beni esir alan adamların şahsi nefretlerinin bir parça azalmış olduğunu hissettim. Çarşıdaki diğer dükkânlardan birinin sahibinin gözetimine bıraktılar beni.

Selahaddin, üzerindeki ağır giysilere karşın gördüğüm en zayıf adamlardan biriydi. Aynı zamanda oldukça uzundu da, bu karışım ona çok tuhaf bir hava veriyordu. Ellerini sürekli olarak önünde tutuyordu, ince uzun kemikli parmaklarıyla narsist bir şekilde oynuyordu ve aynı tavır içinde siyah, gür bıyıklarını okşayıp duruyordu. Belli oluyordu ki bu iki hareketi yapmak ona gurur veriyordu. Pintiliğinden ötürü yemeğe harcanan paranın ziyan edilmiş olduğunu düşünüyor olmalıydı, herhalde ona göre bu paranın yeni bir yatırımda değerlendirilmesi çok daha akılcıydı. İçimde garip bir his vardı, kendi icadı olan iki durumun - bıyığı ve zayıflığı- nedeni çevresindekilerden farklı olduğunu göstermekti. Çünkü hiçbir esir tüccarı yoktu ki sakallı ve şişman olmasın.

"Bana Francesko de." Elini uzatan Selahaddin bunları İtalyanca söylemişti.

Şaşkınlıkla öğrendim ki bu adam doğma büyüme bir Cenovalı'ydı. Hıristiyanlık'tan vazgeçmesi ona burada bir köle tüccarı olarak kârlı bir işin kapılarını açmıştı. Kendine niçin Hıristiyanları yenen, Haçlı Seferleri'nin kırbacı birinin adını aldığı konusuna şaşmamıştım.

"Ah, İtalya'yı hâlâ çok özlüyorum," dedi Selahaddin. "Kendi ülkemden biriyle konuşmaktan daima çok hoşlanmışımdır."

Onun bu yakınlığına ben de kendi köklerimden bahsederek karşılık verdim. Öksüzlüğümü ve amcamın ölümünü anlattım.

"Aziz Lorenzo adına bu büyük bir acı," dedi. Sesindeki acıma bir parça kabaydı ve sanki yürekten değildi.

"Büyük bir acı," diye tekrarladı. "Sana kahvaltı ikram etmeme izin ver."

Sessiz bir köle, Selahaddin'in dükkânının arka odasına kahvaltıyı getirdi. Yoğurt, zeytin, kurutulmuş erik ve pide.

Başımdan gelip geçenlere rağmen ve belki de tam tersine bu yüzden, her şeyi büyük bir iştahla yedim. Selahaddin bana katılmadı ama, bir mücevhercinin çalışmasını izleyen müşterinin hayranlığıyla beni izledi. Bende, kendini kontrol altında tutmaya çalıştığı izlenimi uyanıyordu. Çünkü kendini, beni köle olarak gören hayvani duyguların üzerinde hissediyordu.

Yemeğin ortalarında Selahaddin'in bir meslektaşı geldi ve onu bir konuda danışmak üzere kapıya çağırdı. Türkçe konuşuyorlardı, pek çok şeyi anlayamıyordum ama tartıştıklarının bir kölenin bedeniyle ilgili olduğunu kavramıştım.

"Çok yaşlı," dedi adam.

"Ama sakalı henüz çıkmamış..."

"On iki on üçten sonra başarı şansı pek yoktur. Ölebilir."

"Ama böyle bir cilt, böyle bir vücut ve böyle saçlar..." diye karşı çıktı Selahaddin, "bunları nasıl görmezden gelebiliriz?"

Kahvaltım bitmişti, ayrılmak üzere ayağa kalktım. İtalyanca, "Arkadaşım Hüseyin'in evine geri dönmem gerekiyor," dedim. "Bana ve Venedik'e ihanet etti ve ben şikâyet ettikçe bana oh olsun diyebilirsin. Ama bu kentte ondan başka tek bir dostum yok. Ve sanıyorum başıma bir şey geldiğini düşünüp endişeleniyordur."

Engellenmem benim için çok şaşırtıcı olmuştu. Az da olsa Türkçe anlayabildiğimden haberleri yoktu, bunu bilselerdi zaten konuşmalarını odanın dışında yaparlardı. Anlamıştım, sözü edilen köle bedeni benimkiydi. İtirazlarım ve mücadelem hiçbir işe yaramadı. Hatta Selahaddin'in bu konudaki kararlılığını daha da hızlandırdı.

Öğle olmadan, tekneyle Haliç'in öbür yakasına taşınmış ve Pera'nın duvarlarının ötesinde küçük bir kır evine götürülmüştüm. Orada yapılanlar gerçekte İslam'ın yasalarına aykırıydı. Onun için de bu işin kent sınırlarının dışında ve Müslümanlıkları göstermelik olanlar tarafından yapılması gerekiyordu.

Benim Pera'nın ötesine gittiğim gün Ebu İsa, korsan gemisinden çıkan sarışın köle kızın karşılığında düşünü bile kuramayacağı dört yüz kuruşunu aldı. Akşama doğru, kapalı tahtırevan dükkândan saraya doğru tekrar yola koyuldu.

Ama bu kez geri döndüğünde içi boştu.

Bölüm II

Safiye

XXIII

SOFIA, MERMER CANAVARIN karnına girdiğinde kendini, insanın yüreğine işleyen kopkoyu bakışlı kadının şaşaalı huzurunda bulmadı. Bunun yerine hadım onu iki kat yukarı çıkartıp; karanlık, rutubetli bir koridorun en sonundaki dar bir yatağa götürdü. Yatağın yaylarının üzerine ince bir yatak serilmişti. Defalarca kullanılmaktan eskimiş yatak, üzerine oturduğunda onu zorlukla taşıdı.

Umutsuz, zavallı görünüşlü dokuz kız, sert minderlerinden ona doğru baktı ve kırık dökük birkaç karşılama cümlesi, tek kelimesini bile anlayamadığı, cevaplayamayacağı değişik dillerden garip bir ses yumağına dönüşüverdi.

Gerçek anlamda konuşabilen yalnızca hadımdı. Dışarı çıkmak üzereyken durdu ve nedeni anlaşılmaz bir şekilde kızlardan birini sertçe azarladı. Ufak tefek kız cevap vermedi. Zaten verecek bir cevabı olsa da bunu yapamazdı. Hadım, onun incecik kolunu koca eliyle sıktı. Kızın bir an soluğu kesildi ve sonra bir çığlık attı. Adam onu kapıya doğru savurup dışarı çıkarırken, acı ve şiddet birbirine karışmıştı. Sofia, kızın orada duraksayıp, ahşap pervaza alelacele bir şey kazıyıverdiğini gördü.

Daha sonra gecenin karanlığı indi ve kızların iniltileri bu soğuk mermer canavarın içinde tıpkı ülserli bir midede eriyiveren bir sap maydonoz gibi eridi gitti. Sofia yerinden kalktı, kapıya doğru ilerledi. Yatağında haşere olup olmadığını kontrol etmek için, odayı cılız ışığıyla aydınlatan yağ kandilini almaya gidiyor gibiydi.

Ama oraya vardığında, pervaza bakmayı ihmal etmedi. Tahtada belli belirsiz de olsa taze bir iz vardı. Kızın bu kadar sert bir ahşaba böyle bir izi elini kanatmadan ya da tırnağını kırmadan bırakabilmesi olanaksızdı. Sofia'nın tek görebildiği bir haç işareti oldu. Sanki bu haç, ümitsiz ve sessiz bir imza gibiydi. "Ben buradaydım. Dünya benim kısa ve zavallı yaşantımdan habersiz, ama Tanrı şahidimdir ki, ben buradaydım," diyen bir imza...

Sofia odadakilere bunu söylemek için geri döndü. Oysa onlara ne söyleyebilirdi? Hepsi de uyur gibi gözlerini kapatmış yatıyorlardı. Böyle bir unutuluşun içinde kelimelere yer yoktu.

Işık sönüp de kızlar gözyaşlarına boğulduğunda, Sofia da onlara birkaç kez katılma arzusu duydu. Gözyaşları, en azından ortak bir iletişim yoluydu. Ama kendini toparladı ve içinden hep şunları tekrarladı. "Güçlü ol, sabırlı ol. Sabaha her şey daha iyi olacak. O güçlü kadına layık olduğunu kanıtla." Bir şekilde, o Tanrısal kadının insanın yüreğine işleyen bakışlarının karanlıkta bile ona ulaşabileceğini düşünüyordu. Bu düşüncelerle oyalanıp sonunda uyuyakaldı.

Sabah olup da uyandığında kendini bir kan gölünün içinde buldu.

"Allah kahretsin!" dedi yüksek sesle. "Yoksa, yoksa aybaşı mı?"

Sesi yeni uyanmakta olan diğerlerinin ilgisini çekmişti, oysa şu anda en istemediği şeydi bu. Sofia kafasını yorganın altına soktu, görünmez olmak istiyordu.

"Bu neden benim başıma geldi?" diye mırıldanıyordu. "Güçlü ol. Sabırlı ol." Bu sözler, böylesi bir zavallılık içinde saçma sapan geliyordu ona. Umutları kırılmıştı. Dün ona hayran kalan kadın, bugün onu bu pisliğin içinde görse herhalde bir daha suratına bakmazdı. Kesinlikle o kadın kendini böylesi bir güçsüzlüğe teslim etmezdi. Asla. O çok kontrollüydü, çok güzeldi ve hoştu, çok güçlüydü, bu özellikleriyle "erkek" gibiydi.

İkimizin de bildiği benim de salak bir dişi olamadığım, diye düşündü Sofia. Ama bacaklarının arasındaki sıcaklık devam ediyordu ve bu, ona tüm kontrolün elinden çıktığını gösteriyordu.

Sofia, Aziz Marko'nun, kutsal günlerde halasının onu dua etmeye ve öpmeye götürdüğü altın yaldızlı sandukada, hiç bozulmadan, hâlâ yattığına tam olarak hiçbir zaman inanmamıştı. Tembel ve dinsiz İskenderiyeli ler'den tuzlanmış domuz varilinde saklanarak çalınan bir cesedin, şapelin iki yanındaki pırıltılı freskler arasında, kutsanmış bir şekilde saklanmasının ne anlamı olduğunu da bir türlü kavrayamamıştı.

Sofia, Piazza meydanında dilencilerin sergilediği ölülerin ne kadar çabuk kokuştuğunu gördükçe bu konudaki kuşkuları artmıştı. Eğer altınlarla süslenmiş ahşap yığın, gerçekten de Havari'nin o kutsal bedenini saklıyorsa, sadece tuzlamanın yeterli olması düşünülemezdi. Birinin arsenik ve balmumuyla bu kutsal korunma konusunda gökler katına yardımcı olduğu muhakkaktı. Tanrı'nın burada bir koruma mucizesi yaptığına inanamıyordu. Zaten eğer böyle ulvi bir büyü varsa da, bunun başka birine hiç mi hiç yararı dokunmuyordu. Hele de sandukayı dudaklarıyla kirleten körler, topallar ve felçlilerden oluşmuş zavallı kalabalığa... Ve tabii ki Tanrı'nın ona kendisinin yapabileceğinden daha iyi bir şey yapamayacağını düşünen Sofia Baffo'ya da...

Şimdi de tüm verilere karşın Vali Baffo'nun kızı âdet görmüş olmasını kabullenemiyordu. Eğer yanlışlıkla diğer rahibelerin başına sıklıkla geldiği gibi, fazla sıcak ya da soğuk nedeniyle hastalansa bunun tekrarlamaması için elinden geleni yapardı. Bu ikinci bir kez daha olursa üçüncüsüne asla ve asla izin vermezdi. Ama bu farklıydı işte...

İlkinin üzerinden ne kadar zaman geçmişti? Bu, aslında kafasını meşgul etmek istemediği bir konuydu. Bunu yalnızca onu rahatsız eden tekrarlarda düşünürdü. Ve işte yine o çaresiz durumlardan birinin içindeydi. Bir yıl önce miydi? Kabaca tahmin ettiğine göre galiba daha fazla zaman geçmişti aradan. Her ay, tıpkı dolunay gibi muntazam, düzenli. Nefret ettiği, her Cuma balık yenmesi âdetine benzer bir saçmalık.

Bazen, bunun da diğer can sıkıcı saçmalıklar gibi manastıra özgü bir şey olduğunu düşünürdü. Halasının kontrolünden bir kurtulabilseydi... Babasının her yere yetişen katı kurallarından da... Ama şimdi kesin olan, onun kendisini Hıristiyan dünyasının dışında bile bulmuş olmasıydı. O, onunla kalacaktı, durum ne kadar değişse de, katlanmak zorunda olduğu aptallar bile kalmasa çevresinde, bu onun varlığının bir parçası olarak kalacaktı. Bu gerçekten de bir belaydı.

Hoş olmayan durumunu kabullenmekte zorlanmasının bir nedeni de, daha önce kanaması olduğunda halasının onunla ilgilenmesiydi. İlk kez olduğunda bir gece yarısıydı ve kendi vücudunun ona yapmış olduğu bu korkunç, beklenmedik şey onu iki gün boyunca çılgına çevirmişti. İyileşmemesi üzerine, iki gün sabah ayinini kaçırmayı üçüncü dereceden bir engizisyon için yeterli neden sayan buruşuk suratlı halasına durumu anlatmıştı.

Sofia, cennete girmesini engelleyecek duvarları aşabilmek için bu korkunç durumu anlatan kelimeleri söylerken en pişmankâr ses tonunu kullanmıştı.

Ve halası suratının tam ortasına tokadı patlatmıştı. Çok normaldi bu, "kan" ve "o malum yer" ile ilgili bir itirafın karşılığında zaten daha başka ne bekleyebilirdi? Onu şaşırtan ardından gelen vaaz olmuştu.

"Senin aklın nerelerde günahkâr kız, yaradılışı okumadın mı sen? Havva'nın günahkârlığını hiç mi duymadın? Aybaşı kızım... Anamızın günahı yüzünden, Havva'nın tüm kızlarının başına musallat olan bu büyük bela, aybaşı... Her ay bize bu aşağılık durum hatırlatılır ve bizler de oturup bundan bizi Tanrı'nın bir an önce kurtarması için dua ederiz."

Sofia'nın tek duyduğuysa "acı içinde tahammül edeceksiniz" ve "senin kocana yönelmiş arzun" sözcükleriydi. Her ikisinden de Havva'nın en azından Tanrı'ya başkaldırdığını anlamıştı. Ama buna neden olan "olayı" bilmiyordu. Aslında cennete olan inancı, Aziz Marko'ya olan inancından daha kuvvetli değildi. Bunlar ihtiyacı olanlar içindi, Sofia için değil...

Böylece her ay tokadı yiyip, ardından da vaazı dinler olmuştu. Gerçekte Venedik'le Korfu arasındaki evlenmeyle ilgili yazışmaları başlatan da bu kanamalar olmuştu. Ve Sofia, her ay kendisiyle ilgili bu durumun tüm sorumluluğunu halasına yüklemişti. Hala, temiz keten bezler hazırlıyor, kirlilerini alıp kaldırıyordu. Böylece Sofia onları görmekten kurtulmuş oluyordu. Galiba rahibe kendini günahkâr hissetmekten zevk alıyordu. Sofia da onun bu duyguyla dolup taşmasına yardımcı oluyordu.

Sofia, uzun inkârının onu halanın yokluğunda tamamen hazırlıksız bıraktığını fark ediyordu. Aybaşının ona yaptığından çok daha beter bir çaresizlik içindeydi ve bu garip yatakta yatıp kanamaktan başka bir şey yapamıyordu.

Paslı, bakır bir çaydanlıktan yayılan garip kokulu bir buhar ruhunun her zerresine saldırarak tüm vücudunu rutubetli bir terle genzine kadar sarar gibiydi. Kasıklarında, karnında ağrılar dolaşıyordu. Korsanlarla, Türkler'le, kölecilerle ve hadımlarla karşılaşmıştı, ama bundan önce hiçbir şey ona kendisini bir kurban gibi, bu denli kirli, utanç içinde, açığa çıkmış, değersiz, kudretsiz, tecavüze uğramış ve yalnız hissettirmemişti.

Sofia, kendisini içinde çok erkeksi hissettiği için bayıldığı ipek şalvarını mahvederek kontrol dışı bir şekilde akan her damla kanda daha da beter duygulara kapılıyordu. Şimdi kadınların neden bacaklarının arasında hiçbir şey olmadan eteklikler giydiğini anlıyordu. Şalvarın kırmızı olması onu bir parça rahatlatsa da bu ona yetmiyordu.

Türk kadınlarının Havva yüzünden Tanrı'nın lanetine uğratılmadıklarına karar verdi. Bu şekilde giyinebiliyorlarsa demek ki, böyle bir sorunları da yoktu. Eğer böyleyse onlara gıpta etmekten başka bir şey yapamazdı ve bu durumda asla onlar gibi güçlü olamayacaktı.

Ağlamaya başladı. Sofia bu noktada kendisinden geriye çok çok az bir şey hissedebiliyordu artık. Kişiliği de yavaş yavaş, ama kanayarak akıp gidiyor gibiydi. Bu akışa sıcak, sessiz ama sarsıcı gözyaşları eşlik ediyordu şimdi.

Odadakiler ayağa kalkıp giyindikleri ve namaza durdukları halde Baffo'nun kızı yatmaya devam etti. Saray uyandı, yükseldi, titredi ve dünyaya hükmetmeye devam etti. O ise, yapayalnız, ölmeyi umarak kımıldamadan yatıyordu.

XXIV

BİRDEN ODAYA BİRİ GİRDİ. Sofia yalnız kalmak istiyordu, bu en azından ölüme daha yakın bir duruştu. Ama onlara engel olamıyordu. Evet "onlar", en azından iki kişiydiler. Kadınlar... Hızlı hızlı, hep bir ağızdan şakalaşarak konuştuklarını duyuyordu. Ve tek bir kelimeyi bile anlayamıyordu.

Seslerden biri durup seslendi. Sofia bu çağrının kendisine yapıldığını biliyordu ama cevap veremiyordu. Hıçkırıklarını kontrol altına almaya gayret ederek, bir ölü gibi uzanırsa onu fark etmezler ve ölüm gelip onun utancını yok edene kadar tek başına kalabileceğini umuyordu.

Tahta tabanlı terlikler çıplak ahşap zeminde hızlı tıkırtılar çıkarıyordu. Bir el ona dokundu. Tekrar dokundu ve onu sarstı. Sesler onunla dalga geçen bir tona bürünmüştü. Daha sıkı bir sarsma. Ve yorgan ellerinden, yüzünden çekildi.

Odayı baştan başa donatan sabah güneşinin altında Sofia, toparlanıp oturdu. Ona doğru eğilmiş iki yüzden biri tanıdık görünüyordu, öndeki. Bu neyse ki, görmeyi umduğu ya da görmekten şiddetle korktuğu, insanın yüreğine işleyen bakışları olan kadın değildi.

Bu kadın, ilk geldiği gün kendisini ayağa kaldırıp yürüten, bir anlamda muayenesine yardımcı olan kadındı. Bir kalfa olmalı, diye düşündü Sofia.

Ayaklarını yataktan aşağı sarkıtınca durumu hemen aklına geldi. Aslında bu unutulacak bir şey değildi. Hareket kanamayı artırmıştı, ıslak bir bezin sıkılışı gibi

"İşte yaptın yapacağını," dedi kendi kendine ve sonra ümitle şöyle düşündü, "Dikkatli ol, kımıldama, asla göremezler. Ayağa kalkma, seni kaldıramazlar, iki orta yaşlı kadın... Böylece anlayamazlar."

Kalfa, ters bir bakış ve ekşi bir gülüşle onu selamladı. Sofia başıyla karşılık verdi ve kadının elini göğsüne vurarak söylediği iki heceyi becerebildiğince tekrarladı. Bu, adı olmalı, diye düşündü Baffo'nun kızı. Gerçekte lakabıydı. Ayva... Evet kadının lakabı bir meyve adıydı. Bir saray dolusu kadının sağlığının, fiziksel durumunun ve özelllikle de en mahrem bölgelerinin iyi halinin sorumluluğunu taşıyan bu düğümlü parmakların sahibi kalfa kadını, diğerlerinden işte bu lakap ayırıyordu.

Ayva... Ekşi meyve... En kalpsiz annelerin bile bir kız çocuğu için düşünemeyecekleri bu ad, ne kadar da uyuyordu kadına. Doğrusu onda Sofia'nın yaşlı halasına benzeyen bir şeyler vardı. Hala, bir yaban elması gibiydi, bu daha yeşildi ama hiç de daha tatlı değildi. Fakat halanın gerçek doğası dini baskılar altında öylesine ezilmişti ki, kendi başına kalmış olsaydı nasıl biri olacağını kestirebilmek olanaksızlaşıyordu. Ayva ile ilgili olarak hiçbir kuşku yoktu ortada. O, Tanrı'nın yarattığı gibiydi ve gerektiğinde ona bile karşı çıkmış olabilirdi.

Kafasına rasgele, yan bağladığı ipek eşarbın altından görünen saçlarında pek az beyaz vardı. Eşarbı zeytin yeşiliydi. Bunun kenarındaki bir sıra küçük altın, onun kendi teninin yeşilimsiliğini gölgeleyemiyor, tam tersine vurguluyordu.

Ama yine de Ayva'nın saçlarının siyahı, gözlerindeki yok edici bakışa ihanet edecek bir şekilde, tahmin edilenden daha genç olduğunun belirtisiydi. Hiçbir hoşluk, yaşamsal tat bu gözlerin acılı bakışını yumuşatamazdı.

Böylesi bir keskinliğin yüzdeki ölümcül ifadeden geldiğini fark etti Sofia. Ölüm ve aynı zamanda yaşam, bunların hangisinin bir kadını daha önce doğru yola götüreceğini kim söyleyebilirdi ki?

Kadın tıpkı adı gibi kokuyordu. Lavanta, karanfil, kurutulmuş meyve ve ağaç kabuklarının arasında kış boyunca saklanmış ketenler. Siyah saçları ince tüyler halinde yüzüne doğru iniyordu. Ayva tüyleri... Bunlar yalnızca üst dudağı ve çenesine değil, yanaklarına da yayılmıştı.

Haremde lakapların yaygın olmasının pek çok nedeni vardı. Yüzlerce kadının harmanlandığı bir yerde bu neden olmasındı ki? Ama Sofia henüz bunu kavrayabilecek durumda değildi ve onlarla arasındaki dil duvarı buna şimdilik olanak vermiyordu.

Bu duvarda bir delik açabilmek için Ayva yanındaki ikinci kadını itekledi. Böyle yapmasa, açıktı, kadın kendiliğinden asla ortaya çıkamazdı. Bunun nedeni ilk bakışta görünüyordu. Yaşamının herhangi bir yerinde bu kadın çiçek hastalığıyla tanışmıştı. Hastalıktan kurtulabilmişti, şanslıydı ama, yüzündeki ağır izler bunun bir şans olup olmadığı konusunda insanı düşündürüyordu. İltihaplı akıntılar yanaklarında derin çukurlar açmıştı, yüzünün bir tarafı şişmiş gibiydi, burnunun yarısı yok olmuştu ve kirpikleri de...

Ellerindeki izler vücudunun kalan kısımlarının da eşit bir şekilde bunlarla donatıldığının kanıtıydı. Bu izlerdeki kabalık, sıcak sodalı sularla ne kadar haşır neşir olduğunu da ortaya koyuyordu. Kimse bu zavallı yüzü göremiyordu, çünkü o daima silip, ovaladığı yerlere bakıyordu. Zaten kadının karnında ve dizlerindeki ıslaklık beklenmedik bir biçimde, ani bir görev için işinden çağrıldığının belirtisiydi.

Kadının içinde bulunduğu sıkıntılı durum yüzünü daha da çirkinleştiriyordu. Çok güzel birinin karşısında çok çirkin birinin duyacağı cinsten bir duygu karmaşasıydı bu.

Sofia, tüm yaşamı boyunca bu zıtlığı yaşamaktan hoşnut olmuştu. Normalde böyle bir surata ikinci kez bakmazdı bile. Çirkinliğe tahammülü yoktu, üstelik üstünlüğünü bildiği halde sabrı da. Bir de bu hastalığın bulaşıcı olduğunu biliyordu. Aslında çiçeğin ona Ayva'dan geçmesi olasılığı daha fazlaydı. Yerleri silip duran kadın hastalığın izleriyle doluydu, oysa diğerinde hastalıkla karşılaşmış olduğunun hiçbir belirtisi yoktu. Her ne kadar bunun estetikle bir ilgisi olmasa da, hastalıktan kurtulmuş olanın bir bağışıklık kazandığını biliyordu.

Sofia, tam bu zavallı yüze başını çevirmek üzereydi ki, hiç beklemediği yumuşak, utangaç fısıltıyı duydu: "Buon Giorno Madonna." Ve anladı ki bu kadın, hayatının bir noktasında yalnızca çiçek hastalığıyla değil İtalyanca'yla da tanışmıştı.

Haremde pek çok dile gereksinim vardı, öylesine büyük bir kadın yelpazesiydi saraydaki ve bu, genelinde pek büyük bir sorun olmadan halledilebiliyordu. İtalyanca'ya gelince, İtalya çok da zengin bir kaynak değildi bu anlamda. Bu duygu Sofia'ya kendi ülkesinin gücüne benzer bir özgüven verdi. Majesteleri, ordular, savunma harcamaları... Tüm bunlardan kibir duyuyordu.

Durumu anlamıştı. Bu zavallı kadının dizlerinin üzerinde çalışırken çağrılma sebebi ortadaydı. Garip bir İtalyanca'ydı bu, güneyden, Napoli'den, Sicilya'dan? Ve üstüne ağır bir Türk aksanı oturmuştu. Ama İtalyanca'ydı işte... Kelimeler vardı ortada, bir ses karmaşası değildi bu.

Sofia öne doğru eğildi, daha fazla işitmek istiyordu,

genç Veniero'dan bu yana tek bir anlaşılır söz duymamıştı. Yeterince hoş bir delikanlıydı ama, artık bunun hiçbir önemi kalmamıştı.

Ayva da sabırsızca ikinci bir İtalyanca cümle bekliyordu. Bunun gelmediğini görünce, kadını dirseğiyle dürterek çevirilmesini istediği şeyleri tekrarladı.

Derin bir nefesten sonra kadının dudakları kımıldadı ve tekrar konuştu. Sofia gerildi ve aynı şeylerin yavaşça hece hece Türkçe olarak tekrarlandığını duydu.

Ayva buna çok kesin bir cevap verdi. "Salak." Dünyadaki herkes onun bu öfkeli kelimesinin ne demek olduğunu anlayabilirdi. "Sen Türkçe konuşuyorsun. Benim söylediklerimin aynını Türkçe olarak tekrarlıyorsun. Konuşmayı yeni öğrenen bir bebek gibi. Kendine gel kadın. İtalyanca... Sen bir İtalyansın. İtalya'yı hatırlasana."

Uzun bir aradan sonra, azarlanmaktan utanmış kadın bir şeyler daha söyledi. Sofia her harfi dikkatle dinliyordu.

"İyi günler. Benim adım..." Kadın kendi adını hatırlayamamaktan alllak bullak olmuştu. Bir Hıristiyan adı... Bunu bilemediği için duyduğu acı yüzündeki acıyı katmerlendirmişti. Ama hiçbir umut yoktu. O isim artık çok uzaklardaydı.

"Ben Feride'yim," dedi sonunda. "Bu da Ayva. O bizim kadınımız, bebekler için." Kelimeyi tam olarak bulmak için uğraşıyordu. Ama Sofia bunun ebe olduğunu anlamıştı.

"Memnun oldum. Ben de Sofia," dedi.

Sofia ilk adımı bu denli acılı olan iletişimi daha fazla ertelemek istemiyordu. Belki bir temasın işleri daha hızlandıracağını umarak ayağa kalktı ve altındaki mavi beyaz çizgili yatağın üzerindeki geniş kırmızı lekenin üstü açılıverdi.

XXV

KÜÇÜK DÜŞME, gözyaşları ve özürler... Bunların ardından Ayva, işi hemen ele alıverdi. Temizlikçi kadının güçlü kolları ona yardım ediyordu. Ve Sofia'nın kanlı elbiseleriyle, yatak çarşafları ortadan kaldırılana kadar buna tahammül etmesi gerekiyordu.

Bu şekilde, haremin en yeni kızı iki düzine kadının buhar ve ter içinde çalıştığı çamaşırhaneyle tanıştı. Yatak odalarının kenarlarındaki temiz çamaşır dolaplarından ihtiyacını karşılamayı öğrendi. Bunlar keten, pamuklu ya da yünlü kumaşlardı; brokar ya da altın yaldızlılardan daha sıradandılar, ama yine de onlar kadar temiz ve düzenliydiler.

"Kendi kıyafetlerin olana kadar," diye açıkladı Ayva.

Ayva ona tuvaletleri gösterdi, burası beş küçük odası ve temizlenmek için de ayrıca bir bölümü olan bir salondu. Dağdan denize akan sular gibi bir temizlenme suyu, sürekli olarak karanlık çukurlara doğru fışkırıyordu.

Bir başka bölümde sekiz on kız, beş yüzden fazla kadın için gerekli olan emici bezleri yıkayıp duruyorlardı. İnsanın kendi bedenine ait kokuları burada gizleyebilmesi olanaksız görünüyordu. Sofia, bu ortamda bir kadının hamile olduğunun kendisinden bile önce fark edileceğini düşündü. Daha sonra bu düşüncesini daha da ilerilere götürdü, belki de kadınlardaki gizlenmenin gerçek nedeni onların dünyasının erkeklerin adımlarıyla değişmesindendi.

"Sakın tamamını o bezle temizleyip tuvaletin deliğinden atma," dedi Ayva, ona üzerinde kaba bir mantar olan bir tas uzatıyordu.

Sofia'nın ebenin bu tasla yapmasını istediği şeyi anlaması biraz zaman aldı, çünkü temizlikçi kadının yaptığı çeviriye inanamamıştı. Ama sonunda sorarak ve işaretlerle bundan emin oldu.

"Bakire kaldığın sürece, bu akıntının saklayabileceğin kadarını sakla. Onun için iyi para alırım. Neden, bilmiyor musun? Bir bakirenin aylık kanaması ağızdan alındığında ya da merhem olarak kullanıldığında cüzzam belasının en iyi ilacıdır."

Sofia beklenmedik bir şekilde kendisinin çok aşağılayıcı bulduğu bir durumun, kadın tarafından tam tersine yüceltildiğini görmekten öylesine şaşırmıştı ki, bundan kendisinin ne çıkarı olabileceğini sormayı unutmuştu. Küçük kavanozu bir sonraki seferde kullanılmak üzere tuvaletteki rafa bırakıp çıktılar.

Bundan sonra Ayva, ona mutfakları gösterdi. Sanki tüm yapılar Sofia'nın gereksinimlerine göre planlanmış gibiydi. Durumu buradaki yaşamın anahtarıydı sanki. Erkeklerin egemen olduğu dunyaya hiç mi hiç benzemiyordu. Haremde her şey kadınlar için şekillendirilmişti.

Üç kadın avlunun oldukça uzak bir kenarından, tümü alevlerle yanan bir yığın ocağı seyrediyordu şimdi. Aşçıların, ağır odun küfelerini ve su kazanlarını taşıyanların tümü de erkekti.

"Yemek buraya her gün baltacı dediğimiz adamlar tarafından getirilir," diye açıklama yaptı Ayva. "İşte şu avlunun öte yanında gördüğün gibi. Hareme geldiğinde kanatlı şapkasının iki yanını aşağı indirir, böylece sağına soluna bakamaz, bizleri gözetleyemez. Gerekli odunu da bu adamlar getirir.

Yemek zamanı geldiğinde bir zil çalar, baltacılar tepsileri yere bırakıp gidene kadar kendini sakınmam gerekir. Sonra hadım zili ikinci defa çalar, bu avlunun artık serbest olduğu anlamına gelir. Tepsileri alıp içeri taşımak sizlerin işidir. Tezgâhlar öyle yapılmıştır ki, soğuk yemekler soğuk, sıcak yemekler sıcak kalır. Buradaki usulde yemekler birbirine karıştırılmaz, her seferinde bir çeşit yenir. Diğer kızlarla birlikte yiyeceksin yemeğini. Sana yardımcı olmaları için içlerinden bir ikisini tanıştıracağım, o zaman daha rahat öğrenirsin her şeyi.

Kahvaltıyı kaçırmış bulunuyorsun, hadımlardan birine söylerim sana bir şeyler getirir. Senin ay haline uygun bir şeyler... Evet her zaman özel isteklerde bulunabilirsin. Tuzlu yiyecekler, turşu iyi değildir. Kanamalar sırasında et yemek de doğru değildir. Bol bol çay iç. Benim sana bu durumdaki önerim şu: Bir tutam sarısakızla tatlandırılmış bol kaymaklı ve ballı melekotu. Yoğurt harikadır. Maydanoz, leblebi ve eğer hâlâ kaldıysa nar. Bir de salatalık, ama galiba o da bitmiştir. Biraz taze ekmek ve..."

"Lokma?" diye sordu Sofia.

Ayva gülümsedi. "Evet," dedi. "Bir iki tanesi dokunmaz. Büyük Şehzadenin mutfağındaki ahçı nefis hamur işleri yapar. Oradan getirtiriz."

Sıcak çay ve güzel yiyecekler düşüncesi Sofia'yı oyalamış ve sanki ağrılarına bir parça iyi gelmişti. Ebeye teşekkür etmeye çalıştı.

Ayva buna bir homurtuyla cevap verip, başını öte yana çevirdi. Sofia bu homurtunun ne anlama geldiğini bilememişti. "Her aptalın kendisi için bilmesi gerekenleri yapıyorum ben" mi demek istiyordu, yoksa "Önemi yok, bu benim işim" mi?...

Feride bunun çevirisini yapmamıştı. Ayva, bu teşekkürü daha fazla konuşması için yapılmış bir davet olarak almıştı. Temizlikçi kadın sözleri iyi çeviremese de o devam ediyordu. Zaten bunun pek de büyük bir önemi yoktu. Uzun yıllar boyunca Sofia, Ayva'nın bu söylevlerini ezberleyecekti. Haremde sağlık konusu çok önemliydi ve kimse bu konudaki çalışmalardan yorulmuyordu, bıkmıyordu. Ayva da... Hatta yerli yersiz karışıp duruyordu insanlara.

"Taze kan her zaman iyidir," diye başladı Ayva. "Daima bunu ararız. Efendilerimizin yataklarına yeni eşler bulmak zaman zaman çok zor olur, bunu bilemezsin. Aslında buraya geldiğinde aybaşı düzeni ne olursa olsun, kısa zamanda bu Valide Sultan'ınkine uyar ama..."

Valide Sultan?" Sofia kendince bunu tekrarladı ve bu iki kelimeyi çok sevdi. "Kimdir o?"

"Kimdir o?... İmparatorluğun en güçlü kadınıdır. Dünyanın en güçlü kadınıdır. Sultan'ın annesidir."

"Yani kimdir o?"

"Şu anda bir Valide Sultanımız yok. Efendimiz Kanuni Sultan Süleyman, Allah uzun ömürler versin, annesini çok zaman önce yitirdi. Sevgili karısı ve şehzadenin annesi Hürrem Sultan da rahmetlik olduktan sonra haremin idaresi bölündü. Allah'ın gölgesinin kızı Mihrimah Sultan, efendimizin acil ihtiyaçlarına bakar. Geri kalanı ise veliaht şehzadenin oğlunun karısı idare eder. Yani bizim başımız odur."

"Ya o kimdir?"

"Dört yüz kuruşa seni satın alan kadındır. Nur Banu Kadın."

Sofia ona söylenmese de, harika kadının adının bu olduğunu anlamıştı. Baffo'nun kızı, hizmetçi kadın konuşmayı çevirirken ebe kadının yüzüne dikkatle baktı. Anlamıştı, Ayva, harika kadını sevmiyordu. Haremin en yeni kölesi bundan ötürü şaşkındı. O kadar müthiş gözleri olan bir kadından etkilenmemiş olmayı anlayamıyordu. Daha sonra kadının "Hürrem Sultan" sözlerini nasıl vurgulayarak söylediğini hatırladı ve belki de bunun ölmüş bir kadına duyulan özlemden ve bir yenisini kabullenmekteki duygusal zorluktan kaynaklandığını düşündü. Bu arada temizlikçi kadın önüne bakarak dikkatle çevirisini sürdürüyordu.

Bütün bunlar çok ilginç, diye düşündü Sofia, aynı zamanda her şeyin başından başlamak çok da yararlıydı. Bir şey daha vardı, tam olarak kelimelendiremediği bir şey. Bu Ayva'yla ilgiliydi. Ebenin, kadınlardan ve onların bedenlerinden kendinden geçecek kadar hoşlandığını anlamak için onu uzun uzun dinlemesi gerekmiyordu. Ona göre, kadınlar kutsaldılar ve hatta yaratılışın en gerçek kutsallığına sahiptiler. Ta ilk baştan, yani Nur Banu'nun onu muayene ettiği ilk günden bu yana, Ayva'nın Sofia'ya olan tavrında özel bir şeyler vardı. İncelik, saygı bunlardan bazılarıydı. Sofia böyle duyguları erkeklerle ilgili olarak da duymuştu, yalnızca gözlerle ifade edilse bile aynı şeylerdi bunlar. Bu güçlü ve kendine hâkim kadını idare etme düşüncesi her ne kadar saçma görünse de, benzediği erkekler cinslerinin en iyileriydiler ve en kolay idareye gelenler de onlardı.

Her ne olursa olsun, Sofia burayla ilgili ipuçlarını öğrenebilmek uğruna, kadın sağlığı konusundaki söylevleri gün boyunca zevkle dinlemeye hazırdı.

"Bazen kızları başka saraylara yollamak zorunda kalırız," diye devam etti Ayva. "Kent surlarının dışındaki yeni saraya, hatta daha uzaklara, Edirne'deki yazlık saraya... Onlara daha farklı bir düzen kurabilmek içindir bu, böylelikle başkalarının veremediği hizmeti efendilerimize verebilirler. Bir bebek sahibi olmak insana bir süre için düzen ve güç verir. Yaşamda değişiklik, yeni başlangıçlar, bunlar da tuhaflıklar, değişiklikler yaratabilir tabii. Prenses İsmihan Sultan'ı normal bir düzene sokmakta bayağı zorlanmıştık. Dolunay yardım etti ve şimdi annesiyle birlikte aynı günde âdet görüyor."

"Doğurganlık dönemindeki bir kadın, gücünün en tepesindedir," derken Ayva biraz kızarır gibi oldu ve arkasını döndü, bunun nedeni belki de temizlikçi kadının çevirisinin doğruluğundan duyduğu kaygıdandı, kim bilir? "Bu konuda henüz tasalanmamalısın ama, işte bu nedenle kadın yıkanıp, kendisini ve ruhunu temizlemeden bir erkeğe yaklaşmamalıdır."

Bu noktada iki kadın arasında anlaşılmaz bir tartışma çıktı. Temizlikçi kadın "büyük kirlilik" ve "Havva Ana'nın günahı" gibi bir şeyler söyledi. Bunlardan Sofia, Şark'ta herkesin ebenin söylediği gibi yapmayabileceğini anladı. Belki bir kısmı öyleydi ama böyle olmasa bu utangaç temizlikçi kadın, Ayva'ya karşı çıkmaya asla cesaret edemezdi. Açıkcası, eğer onun kendini günahkâr hissedebileceği bir kafası varsa, Sofia da Türkler'in ülkesinde kendini evinde gibi rahat hissedebilirdi. Aslında Ayva'nın yaptığı gibi arabulucuyu ikna konusunda ısrarcı olup olmayacağından da emin değildi.

"Bu senin tatil günün. Erkekler bize haftada bir gün tatil verirler. İslam'da Cuma, Yahudiler'de Cumartesi, senin geldiğin yerde de Pazar... Bu günü her günkü işlerinle ziyan etmemelisin ve dikkatinin erkek meseleleriyle dağılmasına izin vermemelisin. Bütün varlığını hissetmeli ve bunun üzerine yoğunlaşmalısın. Bu ruh ve beden sağlığına kavuşmanın en önemli yoludur."

Ayva'nın yardımlarının onun fiziksel varlığında bir değişiklik yapamayacağını bilse de Sofia, en azından bundan böyle âdet zamanlarında kendini çok gergin hissetmeyeceğinden artık emindi. Bundan böyle bedeninin baştan çıktığı dönemlerde onu nasıl yola getireceğinin bilincinde olacaktı. Hiçbir suçluluk hissi, rahatsızlık onun emellerini bozmamalıydı. Ve kendi aylık düzeninin hiç kimsenin, hatta Nur Banu Kadın'ın aylık düzenine bile uydurulmasına izin vermeye niyeti yoktu.

"Haydi bakalım, öğle ezanı yakında başlar, acele etmeliyiz ve Nur Banu Kadın'ın beni senin yanına yollayarak yapmamı istediği görevi yerine getirmeliyiz," dedi Ayva. "Bir aşı yapacağız çocuğum."

Temizlikçi kadının bunu İtalyanca'ya nasıl çevireceği konusunda hiçbir fikri yoktu. Uzun, detaylı cümlelerle, hareketlerle anlatmaya çalışıyordu. Hatta Sofia'yı alıp ikinci kata çıkardı, oradaki demir parmaklı bir pencereden bahçeyi gösterdi. Kırmızı yuvarlak ve uzun şapkalarıyla çalışan bahçıvanları işaret ediyordu. Gübre yığınları ve fideler arasında ellerinde küçük eğri bıçaklar ve iplerle dolanıp duruyordu adamlar. Sofia'nın tek anladığı bahçıvanların, genç fidanların gövdelerine bir takım taze sürgünleri yerleştirmeye çalıştıkları oldu.

"İşte bu," dedi kadın.

"Herhalde bana yeni bir kol takmaya çalışmayacaksınız, öyle değil mi?" diye bağırdı Sofia.

Buna hep birlikte güldüler. Sofia bu konuda diğerleri kadar neşeli değildi. Bu Türkler'in kafasından neler geçtiğini kim bilebilirdi? Eninde sonunda barbardılar. Onların elindeydi, güç araya araya işte buraya kadar gelmişti ve güç, çekici olduğu kadar tehlikeliydi de.

Ayva'ya şöyle bir bakan kadın, "Bari başka bir yol deneyeyim," dedi. Sofia'ya dönüp kafasından geçtiği gibi konuyu anlatmaya koyuldu. Kadın gün boyunca ilk kez kendi düşüncelerini özgürce söylüyordu ve Sofia bunu yabana atamazdı.

XXVI

"BEN KÜÇÜK BİR ÇOCUKKEN", diye başladı temizlikçi, "Çok, çok zaman önce, tıpkı senin de yaşadığın gibi, cahil insanların arasında yaşıyordum."

Sofia, Majestelerinin Cumhuriyeti'nin bir cehalet ülkesi olduğu düşüncesine katılamazdı ve bu itirazı yüzünden okunuyor olmalıydı. Feride'nin samimi anlatımı bunun üzerine daha da bir coştu, öyle ki gözlerinden yaşlar gelmeye başladı.

"Hayır, hayır. Cahildiler. Allah'ın kullarına armağan ettiği sağlığın ne anlama geldiğini bilemeyecek kadar cahildiler. Eğer bu doğru olmasaydı benim yüzümde bu izler olabilir miydi?"

"Çiçek?"

"Evet. Çok küçük bir çocukken oldu. Ailemin çoğu bu nedenle öldü, ben de böyle harap olmuş bir şekilde kaldım.

"Çok üzgünüm." Sofia böyle bir durumda daha başka ne söyleyebileceğini bilmiyordu.

"Sen asla çiçek olmadın."

"Aziz Rocco'ya şükürler olsun ki hayır."

"Bir azize değil, Allah'a şükret. Yüzünden hastalanmadığın belli oluyor."

"Şanslıydım."

"Seni Allah korumuş. Ayva ile tanışana kadar... Ayva, bilgisinin ve aklının yardımıyla sana ufacık bir çiçek hastalığı bulaştıracak."

"Ne? Bu da ne demek, beni çiçek mi yapacak?"

"Evet."

"Beni hasta mı edecek?"

"Evet, birazcık."

"Hayır."

Sofia yeşilimsi ve tüylü surata dehşetle baktı. Şansının ve güzelliğinin nasıl geri dönülmez bir biçimde onu terk ettiğini görür gibiydi. Zavallı bir güçsüz mü olacaktı en sonunda?

"Öyle bir belaya yanaşmaya hiç niyetim yok," diye tekrarlayıp duruyordu.

Bu insanlar kıskançlık krizine mi tutulmuşlardı acaba? Böyle vahşice tedavi mi olurdu? Dünyayı böyle mi yönetiyorlardı?

"Şu ana kadar çiçeğe yakalanmadığıma göre yeterince şanslıyım," derken Sofia geriye doğru birkaç adım attı. "Gelecekte de bunun olmaması için elimden gelen her şeyi yapacağım."

"Ayva seni hasta edecek ama, azıcık. Ondan sonra da bağışıklık kazanacaksın. Benim gibi."

"Ama yüzüm..."

"Evet yüzünde bazı sivilceler çıkabilir, sonra üzerleri kuruyup, dökülecekler. Ayva senin sağlığını ve güzelliğini korumak için yapacak bunu Madonna. Ona güven. Benim başıma gelenlerle karşılaşmak istemezsin, öyle değil mi? Allah'ın hediyesi olan böyle bir güzellik, onun korumasından yoksun bırakılmamalı. Bize dünyanın dört bir yanından kızlar gelir. Gelirken hangi hastalıkları getirdiklerini kim bilebilir? İlk geldiklerinde hepsine bu yapılır, Sultan için getirilmiş olanlar bile aşılanır. Dünyanın en güzel kadınlarının bir arada olduğu haremin, bir felaket sarayına dönüşmesini engellemek için yapılıyor bu, inan."

Sofia dönüp ebeye baktı. Ayva, hizmetçinin anlayamadığı bu uzun tiradını hoşnut bir yüzle, elleri kuşağının önünde çaprazlanmış olarak dinliyordu.

"O, bunu yapabilir mi?" diye kuşkuyla sordu Sofia.

"Yapabilir," dedi Feride.

Ayva, kadının arkasında kendinden emin başını salladı.

"Nur Banu Kadın benim bunu yapmamı mı istiyor?"

"Evet, lütfen, buna izin ver."

"Sanıyorum, itiraz edersem, zorla yapacaksınız."

"Evet, ama öyle olmamalı. Lütfen. Korkma. Bu senin güzelliğin için."

"Pekâlâ. Oldu, aşılanacağım."

"Maşallah... Bu çok iyi Safiye."

Hizmetçi kadın kendini tutamadı ve Sofia'nın kolunu okşadı.

"Sofia," dedi Baffo'nun kızı. "Benim adım Sofia. 'O' harfiyle söyleyeceksin."

"Hayır, Safiye," diye ısrar etti kadın. Yüzünde onu ikna edebilmek için olağanüstü bir ifade vardı. "Safiye. Bu, arı, duru ve güzel olan anlamına gelir. Hep böyle kalacaksın, adın gibi. Sana söz veriyorum, Allah seni koruyacaktır."

"Haydi gel, şifahaneye gidelim", dedi ebe.

Aşağı inip, bir düzine kapıyı aça aça ilerlediler. Ve sonunda, ilkbaharın taze yeşilliğine bürünmüş ağaçların kuşattığı bir avluya ulaştılar. Buradan sağa döndüklerinde Sofia bir kenarda çok özenle bakılan bir şifalı otlar bahçesi gördü.

Küçük şifahanenin duvarlarındaki raflar Çin, Japon ve İran porseleninden kavanozlarla doluydu. Yine küçük bir masanın üzerinde kitaplar, boy boy havanlar, ölçü kapları, maşalar duruyordu.

Sofia, Türkler'in şifalı otlara ve bunlardan yapılan ilaçlara verdikleri isimleri bilmiyordu ama burnuna gelen kokular ona pek de yabancı değildi. Tatlı karanfil ve kimyon, keskin sarımsak ve acı yılan otu... Yosun, kil ve ona kendisini rahminin içindeymiş hissini veren bakire kanı gibi daha keskin kokular da vardı. Bir de tuzlu ya da alkollü sularda saklanmış hayvan organları. Bundan böyle keskin ve temiz alkol kokusu Sofia'ya daima bu manzarayı ve gücü hatırlatacaktı.

Daha önce de buna benzer yerler görmüştü tabii ki. Hatta manastırdaki rahibelerden birinin de böyle bir yeri vardı. Ayva'nınki iki yönden farklılık gösteriyordu. Bunların ilki, kara büyüde dahi kullanılacak olsa Venedikli şifacılar iyi ve güçlü bir ilaç ürettiklerinde, bunların adlarının yanına hemen sıfatlar eklerlerdi: "Doğu'nun esrarı", "Müslüman ilacı", "İbni Sina'nın olgun aklı" gibi. Türkler, İbni Sina'dan bu yana dünyanın en hünerli doktorları olarak biliniyordu. En zengin Batılı tüccarlar bile eğer yapabilirlerse onları çağırır ve büyük paralar öderlerdi. Ve işte şimdi, Sofia Baffo Doğu'nun soylularını tedavi edene kendini teslim ediyordu. Ayva'nın bu konudaki otoritesi tartışılmazdı.

İkinci önemli değişiklikse, bu işi yapanın bir kadın olmasıydı. Venedik'teki ünlü hekimlerin hepsi de erkekti. Kadınların tıbbi eğitim görmelerine asla izin verilmezdi, Padua'da da Seville'de de... Dini otoriterlerin de belirttiği gibi manastırdaki rahibe bile sadece kadınların günlük ufak tefek sıkıntılarına çare arayabilirdi. Ciddi hastalıklarda mutlaka erkek bilgisine ihtiyaç vardı ve böyle bir durumda ona başvurulmalıydı.

Ayva'nın asla böyle bir havası yoktu. En iyi olduğunu biliyordu. Bu özgüvenin büyük bir bölümü, çelişkili bir biçimde harem duvarlarından ve onun yarattığı kapalı dünyadan geliyordu. Buraya hiçbir erkeğin hiçbir gerekçeyle girmesine olanak yoktu. Ve şimdi bu kadın, bir mucize yaratarak Sofia'yı çiçek hastalığına karşı aşılayacaktı.

Evet, Sofia bundan böyle alkol kokusu duyduğunda bu odadaki gücü anımsayacaktı. Bu soğuk odada çırılçıplak nasıl yattığını düşünüp, kuyruk sokumuna kadar ürperecekti. Ayva'nın titiz muayenesini hatırlayacaktı. Ve gücün onun korunmasız bedeninde yoğunlaştığını da... Bu, onun yaşamında ilk kez özenmediği gıpta etmediği bir güçtü. Yaşatma ve öldürme gücü, nerdeyse Tanrı'nın her şeye kadir gücüne meydan okuyan bir güç... Tekrar titredi ama bunun nedeni soğuk ya da çıplaklık değildi.

Ama, böyle bir gücü kendine hizmet ettirmeye özenebilirdi.

"Aşıla beni," diye emretti.

Hazırlıklarını yapan Ayva, "Bunu genellikle sonbaharda yaparız," dedi.

Sofia omuzunda bir battaniye, küçük bir yatakta oturuyordu, Feride ise yanı başında çeviri yapmaya çalışıyordu.

"Aşırı sıcaklar geçtikten sonraki zaman en uygunudur, ama Nur Banu Kadın, mevsim başında olduğumuz için bir terslik olmayacağı konusunda benimle aynı fikirde olduğunu söyleyince, şimdi yapmaya karar verdik."

"İnşallah," diye ekledi Feride.

"Ve senin güzelliğin yazın koruyuculuğuna emanet edilemeyecek kadar değerli bir şey."

Ayva devam etti, "Esas aşılama yedi sekiz yaşlarında yapılır ama, yeni kızlara da yapıyoruz tabii ki. Aşıya gitmek burada gezmeye gitmek gibi bir şeydir. Kadınlar birbirlerine 'Haydi gel şerbet içelim' der gibi, 'Çocukları haftaya çiçeğe götürecek miyiz?' diye sorarlar."

Kendini daha güvencede hissetmek isteyen Sofia, "Bunlara inanamıyorum," diyordu.

"İnan, inan. Erkekler bu sırrı bilmezler. Hiçbir erkek hekim bunu yapamaz. Bu sır kadınlar arasında tutulur ve anneler oğulları her şeyi hatırlayacak yaşa gelmeden ve haremi terk etmeden önce onları aşılatırlar."

Ayva, sol elinde ocakta ısıttığı büyük sivri bir iğne tutuyordu, sağ elindeki ceviz kabuğunun içindeyse sarı, iltihaba benzeyen bir sıvı vardı.

"En iyi çiçek," dedi ebe. "Bazen bunu uzaklara yollamamız da gerekiyor. Gerçi İstanbul'daki yabancılar rahatlıkla bulabiliyorlar ama... Böyle küçük kaplarda korunduğunda kurumuyor. Bu, ineklerden alınmış bir çiçek. Bana aşılamayı öğreten hocalarım, inek sağan kadınların hastalığa yakalanmadığını görünce bu yöntemi bulduklarını anlatırlardı.

Rumlar aşıyı yaparken haçı sembolize edecek bir şekilde iki kola, göğse ve alna dokundururlar iğneyi. Ama bununla dokunduğum her yerde bir iz kalacağı için ben alnına aşı yapmayacağım. Göğüs ise bir âşığın başını dinlendireceği yerdir, oraya da olmaz. Varsın Hıristiyanlar kendi bildikleri gibi yapsınlar. Ben kalçalarına ve kollarına koyacağım işaretleri. Bana inan, eğer bir gün efendimizin iltifatı şahanesine mazhar olursan, bunların her birini birer gamze güzelliğinde görecektir."

Ayva, battaniyeyi indirdi ve Sofia'nın sağ koluna hızlıca soktu iğneyi. Yeni köle irkildi, neyse ki bu basit bir çizikten daha fazla acı verici değildi. Daha sonra kadın iğnenin ucuna alabildiğince iltihap aldı ve bunu kanayan yaranın üzerine koydu. Bir parça soğukluk hissetti Sofia, ama canı yanmıyordu. Feride elinde yarım ceviz kabukları ve temiz sargı bezleriyle ebe kadına yardım ediyordu. Yaranın üzerine bunlardan birini yerleştirip sıkıca sardılar. Bu işlem, diğer kol ve kalçalar için tekrarlandı ve sonra Sofia'yı giydirdiler.

"Hepsi bu..."

"Hepsi bu mu?"

Ayva başını salladı. "Çocuklara bunu yapınca onları gezmeye götürürüz, şekerler alırız, hediyeler veririz. Senin için kusura bakma bunları yapamayacağım. Ne de olsa sekiz yaşında bir çocuk değilsin. Ama yine de git... Sahiben seni dini eğitim için çağırana kadar istediğin gibi dolaş."

XXVII

"DİNİ EĞİTİM", manastırdakinden çok farklı değildi. Daha genizden olmasına karşın Arapça olarak ezberlenmiş dualar, Latince dualara oldukça benziyordu. Duruşlar ve secdeye kapanışlarda da paralellikler vardı. Sofia, bunların anlamıyla her iki konumunda da zaten pek ilgili değildi.

Haremde karşılaştığı İslam dünyasının en önemli farkı ve yararı, teorik olarak bir kadın dünyası olmasına karşın manastıra gelip onu sorguya çeken rahiplerin olmamasıydı. Dini eğitimi veren hafız kadın en az rahibe Seraphina kadar ciddiydi, ama ondan daha hoşnut görünüyordu. Rum ve Ermeni kızlar, Allah'ın birliği ve Muhammed'in onun peygamberi olduğunu söylememekte ısrar ediyorlardı. Gözyaşları içinde kendi inançlarına sarılmış; kutsal üçlemeye, kutsal şaraba ve ekmeğe yürekten bağlı bu kızlar, hafız kadını, dilini tutmayı bilen Sofia'dan daha çok ilgilendiriyordu. Koca bir manastırdaki tek inatçı kızı baskıyla yola getirmek tabii ki her hafta değişik ülke ve inançlardan gelen bir düzine kızla uğraşmanın yanında pek zevkli değildi.

Ertelemenin nedeni, âdet görmesiydi. Bu yüzden geldiğinin ilk haftası haremdeki camiye sokulmamıştı. Sofia'dan kendi başına dua etmesi istenmişti. O ise, birileri onu seyretmedikçe bunu hayatı boyunca yapmadı.

Diğer kızlar arasında yerini alana kadar geçen zamanda kanaması olsun ya da olmasın kişiliğini herkes kabul etmişti. Ne kadar başlarda olduğu unutulmuş ve tüm gözler onun her hareketini saygıyla izler olmuştu. Dua ve ezberler daima gruplar halinde yapılıyordu. Sofia, manastırda keşfettiği yöntemleri burada geliştirdi. Hocanın arkasına geçip onun hareketlerini taklit ediyor ve son heceleri de uzata uzata söylüyordu. Böylelikle onun aykırılığı, ilgisizliği fark edilmiyordu.

Âdeti sona erince ve ceviz kabukları da kendiliğinden düşünce Sofia yeni mekânının sınırlarını hissetmeye başladı. Aynı odayı paylaştığı korkak kızlardan temizlikçi kadına kadar herkesi etkilemişti. Dil engeline rağmen daha şimdiden kuşkusuz onların lideriydi. Dini eğitim kısa zamanda okuma yazma faslına dönüşmüştü, bu konuda da gereğinden fazla zekâ göstermiyordu. Burada da kendini ne ruhen, ne de bedenen yoruyordu. Ama hâlâ Nur Banu Kadın'ı tekrar görememişti. Aslında hizmetçi ya da dini görevlilerden başkasını görmüyordu zaten.

Sofia rahatsız oluyordu.

İtalyanca da harem anlamına gelen "seraglio" kelimesinin bir diğer anlamı da vahşi hayvan kafesiydi. Sofia, kendisini kuşatan demir parmaklıkları hissetmeye başlamıştı. Bir nöbetçi hadımdan diğerine yürüyüp duruyordu, neredeyse adımlarıyla ortalığı ezberlemişti ve sıkıntıdan kükremek üzereydi. Ve bunların hepsi yalnızca bir haftada olmuştu.

Bir gece yine böyle sıkıntı içindeyken, kendini ilk ziyaretinden bildiği koridorun başında buldu, gözetleyordu. Müthiş gözlü kadının olduğu odaya açılan kapı buradaydı. Birkaç dakika, önünde uzanan karanlık koridora baktı. Hiç kimseler gelmiyordu. Kapı kapalıydı. Sofia'nın kendine hâkim olacak hali kalmamıştı. Bir an önce o odaya girmek istiyordu.

Karanlık ve terk edilmiş görüntüsüyle oda onu hayal kırıklığına uğrattı. Geçen gün burada gördükleri herhalde bir hayal olmalıydı, yoksa hiçbir iz bırakmadan her şey bu kadar çabuk silinip gitmiş olamazdı. Oda yalnızca insansız değildi, onu cazip ve güzel yapan mobilyalar da ortada yoktu. Halılar ve kilimler rulo halinde duvarlara dayalı duruyorlardı. İnce şekerlikler ve bakır işleri ambalajlanmıştı. Çin ve Şam ipeğinden işlemeli örtüler bir kenara yığılmıştı. Onları canlandıran insanlar olmayınca hepsi de süprüntü gibi duruyordu.

Nur Banu kesinlikle burayı terk ediyor olmalıydı. Harem duvarları öyle güçlü bir kadını durduramazdı. Nur Banu ve onun tüm ışıltısı yoktu artık...

Ve Sofia Baffò bu hapishanede yapayalnız kalmıştı. Bu düşünce onu pençesine aldı, her tarafını bir korku ve ateş kapladı. Diz kapakları büküldü, başı yanıyordu, gürültüyle yere yıkıldı.

Daha sonra büyük beyaz hadımın gelip sessizce onu yerden kaldırdığını hayal meyal fark etti. Yürüyemiyordu, adam onu bir çocuk gibi kollarına alıp üçüncü kattaki karyolasına taşımıştı. Bir ara onun yüzü tanıdık bir yüzle değişivermişti. Evet, bu manastır bahçesindeki, gemideki genç Veniero'ydu.

Onu hatırlayınca anlatılmaz bir suçluluk tüm ruhunu dalga dalga sarmıştı. Veniero... Giorgiò onu bir kez daha kurtarmaya gelmişti galiba. Ama bu kez onun sözünü dinleyecekti.

Hayır. Bu hadımdı. Titreyen mum ışığı altında, gemi

kamarasındaki kâğıdı hatırladı. "Hiç çocuğu olmaz..." Bakir genç Venedikli denizci, hayır...

Bütün bunlar bir çıldırma mıydı?

"Çiçek."

Bu kelime ateşler içindeki beyninde yankılandı. Yüzündeki sivilceler her şeyi anlatıyordu. Suratı o temizlikçi kadınınkine benziyordu. Yüzü, yaşamı, hepsi sona ermişti, değersizdi.

"Hayır, hayır" dediğini duydu Ayva'nın sakin sesinin. "Benim aşıladığım yerlerdeki yaraların hepsi de açık ve iltihap akıyor, görmüyor musun? Onları temiz tutmak gerek, ancak bu şekilde zehir vücudu terk eder ve asla da alevlenmez. Ben bugüne kadar tek bir hasta bile kaybetmedim. İnan bana."

"İnşallah," dedi Feride.

Sofia iki gün sonra kendine geldi, Ayva'nın gücüne tam olarak inanıyordu. Gerçek çiçek hastaları yaşasalar bile ateşleri bir haftadan önce düşmezdi. Ama yine de kendini harap olmuş bir gemi enkazı gibi hissediyordu. Halıları toplanmış mermer bir salon gibiydi ve aynalar yalnızca boşluğu, yorgunluğu, neşesizliği yansıtıyordu.

"Onun derdi başka," dedi Ayva kesin bir tavırla. "Görüyor musun, tüm yaralar iyileşti, yalnızca ana çizikler açık, onlar da toparlanacak. Erişkin olduğu için izler küçük bir çocuğunkiler gibi büyümeyecek, öylece kalacaklar, bir tırnaktan daha büyük olmayacaklar. Hayır, hayır, bu başka bir şey."

Sofia'nın haremdeki ikinci haftasından sonra, onun gezdirilmesi gerektiğini söyledi ve bir daha onu görmeye gelmeyeceğine yemin etti.

Feride'ye şöyle diyordu: "Bu büyü müyü değil, bunalım. Burada çokça olan bir şey. Onunki gibi hafif bir durum için ilaçlar yapacak değilim. Yolculuk en iyi tedavidir. Kızın gezmesi gerek ve ona bunu yapmasını emredeceğim."

Feride dünyadaki en iyi arkadaşını kaybedeceği için içini çekti.

Seyahat etmesi gerekir demek, seyahat etmeyi istiyor demek değildi. Sofia'nın kayıtsızlığı ertesi sabah iletişim kuramadığı ve kurmayı da beklemediği hadım gelip onu tekrar kucağına aldığında da devam ediyordu. Bahçelerden geçirildi ve bilmediği bir yerden deniz kenarına ulaştılar. Bir taş bebek gibi hareketsizdi, bir tekneye konuldu, Boğaz'ın öbür yakasındaki Üsküdar limanına getirildi.

Tekrar kapalı bir arabaya bindirildi ama bu kez gezi günbatımında bitmemişti. Ertesi sabah yola devam ettiler. Daha ertesi, daha ertesi günlerde de... Sofia haremden de Konstantinopolis'den de uzaklarda olduğunu anlamıştı. Orası onun evi değildi artık...

Bazen araba öğleden sonra bir gölgede bir iki saat duruyordu. Sofia çamurlu tarlalarda çalışan köylüleri görüyordu. İçini bir üzüntü kaplıyordu. O Korfulu adamla da evlenmiş olabilirdi. En azından güç oyununun ne olduğunu anlamıştı. Şimdi ona nereye gittiğini ve niye gittiğini söyleyecek hiç kimse yoktu. Arabayı taşıyan köleler sorularını anlasalar bile, büyük beyaz hadımın katı bakışları altında cevap vermeye cesaret edemiyorlardı.

Yolculuk tam bir hafta sürdü.

Üçüncü gün Sofia'nın arabası kalabalık bir kafileye rastladı ve onlara katıldı. Arabanın perdelerini can sıkıcı kırları görmemek için çekmişti ve kafilenin sesini duyduğunda da bunun yanlarından geçen köylü kalabalığı olduğunu düşünüp aldırmamıştı. Karıları, çocukları, tavukları, lahanaları ve eşekleriyle köylüler... Perdelerini daha da bir sıkı kapatmıştı.

Hatta öğle olup da mola verdiklerinde seslerin devam ettiğini duyunca, kendine gelip bir iki adım atmaya çok ihtiyacı olduğu halde dışarı bile çıkmamıştı.

Birden arabanın perdeleri dışardan açıldı ve peçeli bir yüz ona doğru eğilip baktı. Sofia şaşkınlıkla eline ağzına götürdü, kadın peçesinin kenarını bir parça açtı.

Bu gözleri tanımıştı, bir sevinç çığlığı attı. Bütün kederi sanki uçup gitmişti. O ve harika kadın demek birlikte yolculuk ediyorlardı.

"Biz yolda durup arkadaşlarımızı ziyaret ettik. İyileşebilmen için biraz zaman tanıdık sana."

Onun dediklerinin tamamını anlamıyordu ama önemli değildi. Sofia'nın nereye götürüldüğü de artık önemli değildi, dünyanın sonu bile olsa fark etmezdi, yeter ki yanında o kadın olsundu. Kadının arabasında bir kişilik daha yer vardı ve iki haftanın sonunda Sofia'nın Türkçesi çok ilerlemişti.

Son duraklarının adı Kütahya'ydı. Bu da Sofia'nın umurunda değildi. Burası, Nur Banu'nun gelmek istediği yerdi ve yeterliydi.

Küçük bir yerleşimdi Kütahya, öyle ki eğer buradaki herkes yarım kuruş vergi verse, bir tek Sofia Baffo satın alamazlardı. Bir tepenin üzerinde, kiremit kaplı köy evlerinin neredeyse tümünden daha büyük bir bina vardı. Bu, çok eski bir İslam yapısıydı. Yakınlarda bir iki tamir gördüğü belliydi. Buraların hâkimi, ailesiyle birlikte işte bu büyük konakta yaşıyordu.

Sofia da bu konağın haremine katılmak üzere gelmişti...

XXVIII

"KÜTAHYA, İNSANIN günlerini geçirmek için gelebileceği en sıkıcı yerdir," dedi Nur Banu Kadın.

Sofia, sahibesinin adının "parlak, görkemli" anlamına geldiğini öğrenmişti ve hiçbir kadının böylesine kendine uygun bir şekilde çağrılamayacağını düşünüyordu.

"Kışlar, tartışılmaz bir şekilde yağışlı, soğuk, yani tek kelimeyle berbattır burada. Zamanımı Büyük Saray'da geçirebilmek için her fırsatı kullanmaya çalışmamdan ötürü beni kınayabilir misin? Ama öte yandan İstanbul'da yaz çok daha rutubetli ve sıcak oluyor, Kütahya dağlık olduğu için daha serin."

Kadının ona güvenip açılması Sofia'nın hoşuna gitmişti. Bu küçük yerde yaşamak konusunda gösterdiği sabırlı tavra kendini ortak hissediyordu .

"Yapmamız gereken, durumdan şikâyet etmeden sıramızı beklemek. Allah korusun ama, nasıl olsa ihtiyar sonsuza dek yaşayacak değil."

Sofia, ihtiyarın kim olduğunu tam olarak henüz bilmemesine karşın, Nur Banu'nun sözlerindeki umuda coşkuyla katılmıştı.

"Söylediğim her şeyi tam olarak anlayamıyorsun ama, sana şunu söyleyeyim yaban çiçeğim, göreceksin buraya gelmemiz senin için iyi olacak. Kim olduğumuzu, nasıl yaşadığımızı ve yeni efendini daha kolay öğreneceksin."

Sofia kadının anlatacaklarını dinlemeye hevesli olduğunu belirten bir şekilde kafasını salladı. Bu ilgi onun gururunu okşuyordu. Yeni efendi lafı bile onu çok rahatsız etmemişti. Geldiğinden bu yana gemidekileri bir yana bırakırsa, hadımlar dışında hiç erkek görmemişti. Onların hapishane bekçisi değil, kızları gözetmekle görevli olduklarını yeni yeni anlıyordu. Bir gereksinim olduğunda hadımlar dış dünyayla harem arasındaki ilişkileri sağlayan adamlardı. Onların sürekli bakışlarına güvenmesi gerekiyordu. Hadımların hepsi aynı sosyal derecede değildi, bazılarına yalnızca hadım ya da uşak deniliyordu, daha yüksek konumlardakilere ise üstat ya da hoca.

Nur Banu'nun da aynı efendinin kölesi olduğunu öğrenince Sofia yeni efendisi hakkında kafa yormaktan vazgeçmişti.

"Yoksul ailemden küçük yaşta alındım. Büyük bir adama hizmet etmekten başka türlü bir yaşam bilmiyorum. Beni o adamın büyük oğlunun anası yapan şey tabii ki kaderdir."

"Yani Sultan'ın veliahtı ile mi evlisiniz?" diye sordu Sofia.

Nur Banu kafasını salladı. "Hayır, bu konuda ısrardan vazgeçtim. Babası, gözdesi Hürrem'le evlenmişti ama, Selim'in benimle evlenmesini Allah istemiyor herhalde."

"O halde benim gibi bir kölesiniz siz de..."

"Evet. Durumu böyle tarif edebilirsin ama çok şanslı bir durum daha var. Eğer Allah izin verir ve yeterince yaşarsam Valide Sultan olacağım ileride."

"Sultanın annesi," diye kelimelerin tadını çıkararak tekrarladı Sofia. "Çok az erkek böylesi büyük bir tutkuya sahip olabilir."

Her şeyi çok çabuk öğreniyor. Sofia, Nur Banu'nun gözlerinde bunu okudu ve kendisiyle gurur duydu.

Konuşmaya devam eden kadının sesinde kendisiyle övünen bir ton vardı. "Efendim Selim, tüm Müslümanlar'ın başı olan –Allah uzun ömürler versin– Süleyman'ın ve onun resmi karısı –Allah rahmet eylesin– Hürrem Sultan'ın dört çocuğunun en büyüğüdür. Üçüncü oğul Cihangir –Allah herkesi böyle bir durumdan korusun– çok zayıf ve hasta bir çocuktu, uzun yıllar önce öldü. Tek kızları Mihrimah'ı, Süleyman veziri Rüstem Paşa'yla evlendirdiler. Rüstem Paşa da geçen yıl öldü. Mihrimah Sultan onun yokluğuyla çok acı çekti, ama adam ona çok büyük bir servet bıraktı. İstanbul'a geri gittiğimizde inşallah iyi olur da seni onunla tanıştırırım."

"Mihrimah babasının her işine koşturuyor, değil mi?"

"Evet, öyle."

"Bu da sizin gücünüzü tehdit eden bir unsur."

"Bunu sana kim söyledi?"

"Ayva."

"Ayva ha?"

"Onunla tanıştığım ilk gün söyledi bunu."

Belki de Türkçe'nin yetersizliği bu konuşmaya çok keskin bir anlam kattı, diye düşündü Sofia. Kadının yüzüne dikkatle baktı. Ve bundan böyle bazı bilgileri yalnızca kendisine saklaması gerektiğine karar verdi.

Nur Banu'nun konuyu değiştirip, kendini toparlaması biraz zaman aldı. "Efendim Selim ile küçük kardeşi Beyazıd arasında daima bir çekişme olmuştur. Benimki daha büyük ama, Beyazıd annesinin en gözde oğluydu. Hatta herkes onun, Beyazıd için Mustafa'yı öldürttüğünü ama bunu Selim için asla yapmayacağını söyler durur."

"Öldürtmek mi? Zavallı Mustafa da kim?"

"Mustafa, Süleyman'ın bir odalıktan doğan ilk çocuğu. Hürrem, Süleyman'ı etkileyip kadını ortadan kaldırttı ama, Mustafa daha güçlü çıktı. Hürrem de sonunda onu boğdurtmak zorunda kaldı."

"Boğdurmak ..." diye tekrarladı Sofia, bu kelime ona çok yabancı gelmişti. Konuşmada bilmediği pek çok kelime geçiyordu ama bunu öğrenmek istiyordu. Boğdurmak...

"Boğduruldu," dedi, Nur Banu Kadın. "Yağlı bir ipek urganla boğazı sıkıldı. İpek urgan yalnızca hanedandan olanlar için kullanılır. Boğazı sıkılmasının nedenine gelince, asil kanın dökülmesi günahtır da ondan. Bu her zaman böyle yapılır."

"Her zaman mı yapılır?"

"Evet, boğdurulur, hepsi bu." Ve bunu söyleyen Nur Banu birden sustu ve gözleri parıldayarak elleriyle vahşice tarif etti boğdurulmayı.

"Büyük Hürrem Sultan bunu mu yaptı?"

"Oh, hayır", dedi Nur Banu. "Bu kadınlara göre bir iş değildir, yani şunu söylemeliyim ki, o çok müthiş bir kadındı. Süleyman'ın hakkından öylesine gelirdi ki... Adam, onun ellerinde hamur olur çıkardı."

"Sultan kendi öz oğlunu mu öldürdü?"

"Kendi elleriyle değil tabii ki. Bu emri kimseye söyleyemesinler diye kulakları sağır edilip, dilleri kesilmiş üç adamına yaptırttı bunu. Her şey Sultan'ın kendi otağında oldu. Mustafa'yı beraber yemek yemeye davet eden Süleyman, sonra çadırın arkasındaki özel bölmeye geçti ve bir perdenin arkasından seyretti oğlunun boğulmasını. Sonra da hiçbir şeyden haberi yokmuş gibi İstanbul'a geri geldi. Âdet olduğu üzere siyah kâğıt üzerine beyaz mürekkeple yazılmış kara haberi orada aldı ve herkesle birlikte yasa girdi. Hürrem gerçekten de müthişti." Sofia başını salladı. Dünyanın en büyük imparatoruna bir oğul doğurmuş o zavallı odalığı düşünüyordu.

"İki oğlu kalınca", diye devam etti Nur Banu, "efendim ve kardeşi- Sultan başlarına benzer durumların gelmemesi için en doğru olanın onları İstanbul dışına yollamak olacağına karar verdi. Her birine birer sancak verdi. Selim'e Manisa'yı, Beyazıd'a da Konya'yı."

"Sancak nedir?" diye sordu Sofia.

"Bir çeşit beylik. Yönetip, vergi topladıkları bir yer. Kendilerine yetecek kadarını ayırıp kazançların kalanını toparlayıp İstanbul'a yollarlar. Manisa, bilmelisin ki tahta en yakın varisin görevlendirildiği yerdi. Hürrem çok uğraştı ama benim efendim Selim'i oradan aldıramadı. Manisa'yı ne kadar çok severdim... Belki de oğlumu orada doğurduğum ve haremde onunla oynayıp mutlu olduğum için orayı bu kadar çok seviyordum. Manisa'dan sık sık deniz kenarına geziler yapardık, ne güzeldi o günler. Ama şikâyet etmemeliyim, bir şeyin sona ermesine karar veren Allah'tır.

Dört yıl önce Hürrem çok ciddi bir biçimde hastalandı. Süleyman derin kederler içindeydi ve onun son arzusunu yerine getirmeye karar verdi. Ondan Beyazıd'ın Manisa'ya gönderilmesini istememişti kadın. Yalnızca Selim'in oradan alınmasının yeterli olacağını biliyordu. Gerisi nasıl olsa gelirdi onun hesabına göre.

Fakat bu büyük keder bile Süleyman'ın memalikinin çıkarlarını gözetmesine engel olamadı. Veziri azam Rüstem Paşa ile birlikte efendimi Kütahya'ya göndermeye karar verdiler. Burası İstanbul'a daha yakındı ve herhangi bir ters durumda Babıâli'ye en geç beş gün içinde ulaşabilirdi. Öte yandan, Hürrem'in istediği gibi Beyazıd Manisa'ya gönderilmedi, onun yerine Amasya sancağı verildi kendisine. Oradan İstanbul'a ulaşması en azından iki hafta alırdı. Allah korusun, Sultan'a bir şey olursa, Selim ondan çok daha avantajlı bir durumdaydı. Ama bu Beyazıd meselesinin tamamen ortadan kalktığı anlamına gelmiyordu tabii ki.

Kütahya çok sevinerek geldiğimiz bir yer değildi. Pek sevdiğimiz Manisa'ya benzemiyordu. İklim çok sertti. Ama her zaman yaptığımız gibi Sultan'ın emirlerine uymuştuk. Beyazıd ise buna uymadı. Amasya'ya gitmeyi reddetti. Sana söylemiş miydim? Sanmıyorum, Amasya aslında Mustafa'nın sancağıydı.

'Ben oraya gitmeyeceğim,' dedi Beyazıd. 'Bu bana ölmüş kardeşimi hatırlatıyor, ben yüreğimde böyle bir acıyı taşırken nasıl yönetebilirim orayı?'

Aslında şöyle düşünüyordu, eğer Manisa veliahtların Sultan olmak için gittikleri bir yerse, Amasya da ölmek için gittikleri bir yer olmalı.

Ama sonunda başını eğmek zorunda kaldı ve Amasya'ya gitti. Orada dağ köylüleri yaşıyordu ve yalnızca 'Mustafa' adını anmak bile bir ordu toplamak için yeterliydi. Süleyman'ın büyük oğlu öylesine seviliyordu. Zamanla Beyazıd'ın Mustafa'nın devamı olduğuna inanmaya başladılar.

Ve Beyazıd kısa zamanda silah ve adam toplayarak kendi ordusunu kurdu, ardından da babasına karşı ısyan bayrağını açtı. Belki de onu bu konuda cesaretlendiren ölüm döşeğindeki annesi olmuştur, kim bilir? Babasının yaşlandığını ve gücünü kaybettiğini düşünen Beyazıd onu kolaylıkla devirebileceğini sanıyordu. Ama Allah her zaman iyiden yanadır, onun yardımıyla cezasını buldu. Efendim Selim kendi ordusuyla babasınınkine katıldı ve kardeşi Beyazıd'ı yenip ta Konya Ovası'nın ortalarına kadar sürdü.

Beyazıd oradan İran'a kaçtı. Hâlâ da orada. Selim de bu yüzden İran sınırında şu anda. Şah'a Süleyman'ın isteklerini iletebilmek için aylardır karların eriyip, baharın gelmesini bekledi. Sonunda duyduk ki, Şah, Beyazıd'ın ve dört küçük oğlunun bir daha buraya gönderilmeyeceğine yarım ağız yemin etmiş.

İşte son durum böyle. Neler olacağını yalnızca Allah bilebilir, ama ben daima efendimiz için en iyisinin olmasına dua ediyorum. Allah onu korusun ve bizi bu belalardan hayırlısıyla çıkarsın."

Sofia, "âmin" diyerek kadının duasına katıldı, bu güven onu gerçekten mutlu etmişti. Daha sonraki günlerde de hep bunları düşündü. Ama onu en fazla etkileyen sakin, ağırbaşlı Nur Banu'nun ayağa kalkıp, bilezikli beyaz kollarıyla havayı boğazlayıp, boyalı parmaklarıyla düğümü atması olmuştu. Bütün diğer acemi ve beceriksiz şehzadelerde ve ordularında olmayan güç işte buydu.

XXIX

ESKİ FRİG TOPRAKLARININ sınırındaki bu topraklarda ilkbahar yaza dönüyordu. Devedikeni kaplı araziler beyazlaşmıştı. Rüzgârlar toz bulutlarını her öğleden sonra oradan oraya savurup duruyordu.

Sofia Türkçe'yi öğrenmişti, haremin usullerini de. Hizmetçi kölelerin yardımıyla kendine bakmayı, Türk zevkine uygun giyinmeyi ve hatta dans etmeyi de... Bir halka halinde birbirinin beline sarılmış kadınların küçük adımlarla oynadıkları yerel oyunları bile beceriyordu artık. Bir çift tahta kaşığın ritminde tüm vücudu titreterek yapılan daha zor bir dansta ise Sofia mükemmeldi.

Bazı Venedik şarkılarını Türkçe'ye uydurarak söylemesine, Nur Banu bayılıyordu. Biraz ut çalmaya bile başlamıştı, ama bu konuda henüz çok iyi sayılmazdı. Herkesin ilgi merkezinde olmaya bayılıyordu.

En iyi olduğu konu insanlarla iletişimdi. Herkes onunla arkadaş olmanın peşindeydi. Temizlikçi kadının ona taktığı kendisine çok uyan Safiye adını hem kendisi hem de çevredekiler öylesine benimsemişti ki, bir zamanlar başka bir adı olduğunu unutmuştu sanki.

Yaz ortasına doğru, Selim başarıyla geri döndü. Şah'ın verdiği tavizler ve Beyazıd'ın öldürülmesi hakkındaki hikâyelerle çalkalanıyordu harem.

Sofia ya da Safiye veya her ikisi, bu haberlerden olması gerektiği kadar bir memnuniyet payı çıkaramıyordu kendine. Şimdi bir savaş kahramanı olan efendisini hiç görmemiş olmasına karşın, onunla ilgili bir konuda kesin bir yargısı vardı, adam şehvetli biriydi... Oğlanlarla birlikte olduğu söylentileri kulaktan kulağa dolaşıyordu ama yine de her gece büyük beyaz hadımla hareme haber yollayıp duruyordu. Nur Banu bu durumda en güzellerinden üç ya da dört kız seçip ona yolluyordu. İçlerinden biri geceyi Selim'le geçiriyordu, bazen bir gözdenin tekrar çağrıldığı da oluyordu.

Safiye bunları çok yakından izliyor ve Nur Banu'nun gücünü kullanma biçimine hayranlığı giderek artıyordu. Kadınlara yiyeceklerden daha düşkün olan Selim'in haremde olan bitenden hiç haberi yoktu. Kaç kölesi olduğunu bile belki tam olarak bilmiyordu. Eğer biri saçmalayıp soracak olsa, "yirmi, otuz tane" der geçerdi.

Sayılar ne kadar değişirse değişsin, Nur Banu bunu tam olarak bilirdi, bu sayı elliydi. Her şeye hâkim olan ve Selim'e iletilmesi gereken konuları seçen oydu. Artık birlikte yatmamalarına karşın, efendisinin yatağına kimin gideceğinin kararını da o veriyordu. Selim tamamen onun kontrolündeydi.

Bir kız Nur Banu'nun gözünden düştüğünde, "Efendimiz, sevinin o artık bir bebek taşıyor," diyerek kızı ortalıktan uzaklaştırıyordu. Tekrar gözüne girdiğinde ise, "Efendimiz, maalesef bebek düşmüş ve kız sizi tekrar mutlu edebilmek için çok arzulu," diyerek işleri dilediği gibi yönlendiriyordu.

Bebeklerin kimlerden olduğunu bile umursamayan Selim ise onun her dediğine inanmak zorundaydı. Tutkularını gerçekleştirmek için yanıp tutuşan Safiye'nin gerekli yöntemleri öğrenmesi çok zaman almadı. Haremin sevgilisi olabilirdi, ama erkek dünyasıyla bağları olmazsa bunun bir anlamı yoktu. Nur Banu olmadan dışarıyla irtibat kurabilmenin tek yolu hadımlardan birinin gözüne girmekti ama bunun fazlasıyla bilincinde olan kadın, haremindeki tüm hadımlarla çok yakın ilişkiler içindeydi.

Safiye, ertesi sabah efendiyi memnun edip, onun verdiği ufak tefek armağanlarla hareme dönen kızların övünmelerini ve gösteriş yapmalarını seyrediyordu. Çok ender ama çok daha önemli olan, bir kızın hamile kalmasıydı. Allah ister de bu bir oğlan olursa o zaman iş çok değişiyordu. Dış dünyadaki güç en iyi biçimde, tahta varis olacak bir oğlan çocukla kurulabiliyordu. Selim'in tükenmek bilmeyen şehvetine karşın, oğlu Murad'ın taht yarışında yalnızca dört rakibi olması Nur Banu için büyük bir şanstı.

Safiye, önemsiz kıskançlıklar ve küçük başarılarla dolu bu düzenin çabuk ve iyi bir öğrencisi olmuştu. Her gece hadım gelip de, Nur Banu'ya alçak bir ses tonuyla Selim'in isteklerini ilettiğinde derhal alarma geçiyordu. Nur Banu dönüp kızları gözden geçirmeye başladığında, kendini tüm günlük düşüncelerinden sıyırıp toparlanıyor, sırtını dikleştirip, ellerini dizlerinde kavuşturarak, gözlerini süze süze bekliyordu.

Ama aylar boyunca bir kez bile sahibesi, karar verdiğinde onun adını söylememişti. Efendilerini memnun edebilmek için derhal ayağa fırlayıp büyük umutlarla hamama koşan kızlardan biri olamamıştı henüz.

Safiye önceleri bunun, yeni olmasından, Türkçe'yi ve Türk usullerini yeterince bilmemesinden kaynaklandığını düşünmüştü. O da daha çok bilenmiş ve daha çok çalışmıştı. Ama bir süre sonra, nedenin bunların hiçbiri olmadığına karar verdi. Zaman zaman, diğer kızlarla gülüp eğlenirken Nur Banu'nun onu izlediğini fark ediyordu.

"Babamın ilkbaharda kırlarda koşturan kıpır kıpır taylarını seyrettiği gibi bir şey bu," diye düşündü Safiye. "Tatmin olmuş ve gurur içinde. Sanki beni o yaratmış gibi. Hiçbir hayal kırıklığının izi yok gözlerinde. Kesinlikle ben onun en gözde kızıyım. Diğerleriyle yemek istemediği zamanlarda bile beni yanına çağırıyor, benimle özel konuşmalar yapıyor ve her söylediğime kahkahalarla gülüp eğleniyor. Geçen hafta kumaş almaya gittiğimizde önceliği bana verdi. Kendisinden bile önce, benim alışveriş etmemi istedi. Ve hâlâ beni seçmiyor. Neden, neden?"

Bu düşünceler günden güne Safiye'yi daha çok tasalandırmaya başlamıştı. Haremin dedikodularını artık kanıksamıştı ve ona aktarılan büyük sırların bile ne olabileceğini söylenmeden tahmin edebiliyordu. Buralara geldiğinden beri ilk kez kendini bir mahpus, bir köle olarak hissediyordu. Aslında bir parça sıla özlemi bile çekiyordu. Ama tüm bunları saklamayı hâlâ becerebiliyordu.

Kendini tuzağa düşmüş gibi hissettiğini saklayabilmek çok da kolay değildi. Bu duygusal açmazdan ötürü bir türlü kafasını toplayamıyor, sorulan sorulara ya aptalca cevaplar veriyor ya da bunları duymuyordu bile. Sonunda karışıklık, beyninden vücuduna yayıldı ve haremde kafese kapatılmış bir aslan misali bir sağa sola yürümeye başladı. Bir kontrol abidesine benzeyen Nur Banu'nun görmesini istediği bir görüntü değildi bu, ama bazı günler kendine hâkim olamıyordu.

Yaz sonunda sıcak bir günde de işte böyle bir durumdaydı. Kadınlar mermer avluda yelpazelenip soğuk şerbetler içerek serinlemeye çalışıyorlardı. Safiye ise hüzün verici budanmamış güller, solmuş zambak tomurcuklarının arasından geçerek bahçenin en ücra köşesine gitmişti. Surlardaki demir parmaklı dar pencereden gözünün görebildigi en uzak yerlere bakmaya çalışıyordu. Rüzgârın kımıldattığı göz alabildiğine uzanan sarı buğday tarlaları ve kurumuş otlarla kaplı yamaçlar onunla dalga geçer gibiydi.

Onu en çarpıcı biçimde üzüntüye boğan ise bir atmaca oldu.

"Ah keşke atmaca olsaydım," diye mırıldandı Safiye. "Onların sınırları yok gökyüzünde, buradan Venedik'e gidebilirler, San Marko Meydanı'na bile..."

"Seni burada bulacağımı biliyordum." Bir ses onu hayallerinden kopardı.

"Hanımım," diyerek döndü Safiye. Nur Banu, yanında şemsiye taşıyan küçük, zenci bir köleyle tam arkasında duruyordu.

Safiye, Nur Banu'nun yalnız başına kalmaktan hoşlanan kızlara güvenmediğini biliyordu. O, hiçbir boşluktan hoşlanmıyordu, oturduğu mekânlarda bile bu böyleydi, güven duygusu yaratabilecek şekilde eşyalarla doluydu her yer. Safiye, küçük bir çocuk gibi, gizlice çaldığı pastayı saklamaya çalışırcasına arkasını dönüp pencereyi gövdesiyle kapattı, Nur Banu'nun onu yakalamasını istemiyordu.

Ama bir pencere pasta gibi saklanamıyordu.

"Dışarda seni bu kadar etkileyen ne var?" diye sordu kadın. Onu yumuşak bir şekilde kenara itti. "Benim gördüğüm yalnızca gökyüzü ve tarlalar, dününden farksız bir manzara..."

"Haklısınız hanımım," dedi kız. "Dışarıda görmeye değer hiçbir şey yok. Bunu öğrendim ve asla buradan tekrar bakmayacağım."

"Ama dün de buradaydın, ondan önceki gün de. Mutlak bir şeyler olmalı."

Safiye başını önüne eğidi.

"Bak o güzelim tenin bozulacak," dedi Nur Banu, "Güneşte çok kalmak iyi değildir."

Kendine hâkim olamayan Safiye'nin ağzından, "Hiçbir işe yaramadıktan sonra tenim..." sözleri dökülüverdi.

Nur Banu gülümsedi ve başını salladı, cümlenin sonu söylenmese de ne anlama geldiğini anlamış, ama bunu hoş görmüştü. "Gel Safiye, şemsiyemin altına gir, gel de konuşalım."

Safiye söylenilenleri yaptı, donuktu ve savunma duyguları içindeydi. Kadın sevgiyle kolunu onun omzuna attı. Birkaç dakika konuşmadan yürüdüler. Safiye az sonra özür dilemek zorunda bırakılıp, diğer kızlarla birlikte hamama yollanacağını düşünüyordu. Bu sessizliğe, onu bile yeğlerdi.

Sonunda, "Safiye," diye başladı Nur Banu. "Burada mutlu değil misin?"

"Mutluyum, tabii ki mutluyum" diye gereğinden fazla bir çabayla cevap verdi Safiye.

"Evet mutlusun," diye tekrarladı Nur Banu. "Ama kafan bir parça karışık. Biliyorum. Bunu görebiliyorum."

"Afedersiniz hanımım." Safiye'nin tek söyleyebildiği buydu.

Bir süre daha sessiz kaldılar, sonra kadın tekrar konuşmaya başladı, "Sana oğlumdan söz etmiş miydim?"

"Eğer ettiyseniz bile bu benim sizi tam olarak anlayamadığım dönemde olmuştur. Bir oğlunuz olduğunu tabii ki biliyorum. Siz efendimizin karısı ve haremin de başısınız. Ama daha fazla bir şey bilmiyorum. Eğer sizin gibiyse, mutlak çok parlak bir küçük çocuk olmalı, Allah onu korusun."

"Küçük çocuk," diye kahkahayla tekrarladı Nur Banu. "Evet bir zamanlar öyleydi, hem de çok güzel günlerdi onlar. Hayır, o artık küçük bir çocuk değil, kocaman bir adam. Allah ona uzun ömürler versin, tam on sekiz yaşında."

"On sekiz!" diye şaşkınlıkla bağırdı Safiye. "Hanımım, emin olun bunu asla tahmin edemezdim."

"Evet, Murad bana o acıları tam on sekiz yıl önce verdi. Ama buna değerdi. Sana şunu söyleyeyim hayatım, hiç kimse zamanın bu hızlı akışı karşısında benim gibi şaşıramaz."

"Hanımım, Allah sizi korusun ama, bu kadar büyük bir çocuğunuz olduğunu bilemezdim. Siz hâlâ çok gençsiniz, kem gözler sizden uzak olsun, Allah'ın izniyle."

Nur Banu bu iltifat ve dualardan hoşnut gülümsedi. Belki de kendi dinini bırakıp İslam'ın gereklerine uymaya çalıştığı dönemleri hatırlamıştı.

Sonra tekrar konuşmaya başladı. "Murad'ım her annenin isteyebileceği gibi iyi bir oğul. Ama yine de onunla ilgili endişelerim var ve bunlar çok ciddi. Aşağı yukarı Kütahya'ya geldiğimizden bu yana, yani yaklaşık iki yıldır nargileye çok düştü.

Afyon, aslında o kadar kötü bir şey değildir. Ben bile zaman zaman nargileme bir parça koyarım. Ama o çok genç ve aşırı gidiyor. Başka hiçbir şeyden zevk almadığı söyleniyor. Efendimizle İran sınırına gitmedi ve onun yerini devşirme bir yeniçeri aldı.

Ne ava çıkıyor, ne babasının işleriyle ilgileniyor, ne

silahlara düşkün, ne de ulemayla bir araya gelip bilgisini artırma peşinde. Şiir ve müziği bile kendini kaybettiği anlarda dinliyor. Eğer müzik çok canlı olursa, ya da şiir düşündürücüyse ondan da vazgeçiyor, düşleriyle yapayalnız kalmak istiyor... Arkadaşlarına gelince, onunla bu kötü alışkanlığını paylaşan birkaç soluk benizli, sıska genç. O kadar...

Belki de bu kadar endişe etmemeliyim. Hâlâ genç. Ama ben bir anneyim. Allah korusun ama, büyükbabasının ve babasının ölümünden sonra nasıl tahta geçip sultan olacak bu durumda? Elinde kılıç ordulara hükmetmesi gereken biri esrar çubuğuyla ne yapabilir? Üstelik bu tutkusu yüzünden insanlar onu etkileyip yönetmeye çalışabilirler. Sersemin biri ona daha iyi afyon getirme vaadinde bulununca tutup keselerle para veriyor. Eğer şimdiden böyle olursa –yirmi bile değil henüz– Allah bana yardım etsin, kırk yaşında ne olacak?"

Nur Banu sustu ve başını kaygıyla salladı. Sonra devam etti. "Allah tanığımdır, bir anne olarak onu vazgeçirmek için elimden geleni yaptım. Yalvardım, yüzüne gülüp kandırmaya çalıştım, hatta çok daha fazlasını... Ama biliyor musun, bayramlarda bile beni görmeye gelmiyor. Ona güzel giysiler alıyorum, ellerimle sevdiği yemekleri yapıyorum, ne fayda? Benim ulaşamayacağım bir dünyaya kaçıyor. Önceleri çok genç olduğunu ve bu küçük yerde sıkıldığını düşündüm. Selim, kızlara düşkün olduğu halde akıl edip ona bir tane almadı, ben aldım. Azize'yi biliyor musun?"

"Evet", diye cevap verdi Safiye, kızı biliyordu.

"Bir haftadan daha az sürdü. Sonra ona Belkıs'ı buldum. Onu da biliyorsun değil mi?"

Safiye tekrar, "Evet" dedi.

"Belkıs'tan sonra bana ne dedi biliyor musun? 'Anne,' dedi, 'artık daha fazla salak kız istemiyorum. Canımı sıkıyorlar, vaktimi ziyan ediyorlar.' Benim öz be öz oğlum... Çocuk sahibi bile olmayı umursamayan bir adam, ne çeşit bir adam bu? Sultan olamayacak biliyorum, ona kim saygı duyar ki... Hiç olmazsa halkına doğru dürüst bir vâris verebilmeli. Hayır, Sultan olamayacak. O bir hadım bile olamaz. Hayır, tatlım, bu koşullarda, hayır..."

Nur Banu aniden Safiye'ye döndü ve "Şimdi seni niye satın aldığımı ve buraya getirdiğimi anlıyor musun?" diye sordu.

"Aslında hayır hanımım", diye itiraf etti Safiye. Sonra da bu sorunun kafasını çok karıştırdığını söyledi.

"Seni satın aldım çünkü..." dedi Nur Banu, "çünkü, sen, oğlumu bu pislikten kurtarabilecek birisin."

XXX

SAFİYE ŞAŞKINLIKLA DURUNCA, arkada şemsiyeyi taşıyan ve konuşmanın tek bir kelimesini kaçırmamanın telaşı içinde olan küçük zenci kızla çarpıştı. Özürler sona erince Nur Banu tekrar konuşmaya başladı.

"Murad'ımın çaresi belki de bir kız olabilir, diye düşündüm kendi kendime. Ama, Murad sıradan bir genç adam değildi, o halde kız da sıradan olmamalıydı."

"Belkıs da, Azize de çok güzel kızlar..." diye itiraz etti Safiye.

"Evet, öyle. Ama o çeşit kızlardan köle pazarında bol bol var. Senin için ödediğim parayla rahatlıkla iki, hatta sıkı pazarlık etsem üç tane öylesini alabilirdim. Hayır, hayır, dedim kendime. Oğlumun gerçekten de olağanüstü bir kıza ihtiyacı var.

Sabırlı davranıp beklemekle de hata etmedim. Onun uyarısına uydum. 'Daha fazla sersem kız istemiyorum...' Ama bu arada hadımım kızlar ağası boş durmuyordu, sık sık gidip köle pazarını inceden inceye kontrol ediyordu. Bana pek çok kız getirdi. Ama hiçbiri benim istediğim gibi değildi. Sonra geçen ilkbahar başında, tam tekrar İstanbul'dan Kütahya'ya gitmemizin arifesinde bana seni getirdi.

İşte, dedim, işte oğluma göre bir kız."

Nur Banu'nun eli Safiye'nin bileğini tutkuyla sıkıyordu. Safiye kendisinin bu kadar övgüye layık olmadığı gibi bir şeyler geveledi.

"Ama olur mu hayatım, sen buna değersin. Hiç aynaya bakmıyor musun? Saçların... Harikulade güzel saçların var. Bu saçlar, yalnızca onlar, onu fethetmen için yeter. Ya yüzün? Ama sende bunlardan başka bir şey daha var. Seni görür görmez bunu anladım. Böyle bir kız, dedim, asla ve asla Süleyman'ın olmamalı. Şundan emin olmalısın, eğer ben senin peşine düşmeseydim, kesinlikle İstanbul'da Süleyman'ın hareminde olacaktın. Ve sen benim için, onun için ifade edeceğinden çok daha değerlisin.

Bundan hoşlanacağını hiç düşünme. Yani onun hareminde olmaktan... Düşün bir kere su perisi, o ihtiyar bir adam ve artık çocuk sahibi olamaz. Eğer ortalarda kızlar varsa bu yalnızca onun yatağını ısıtmak içindir. Haydi diyelim onunla yatma şansını buldun, ki bu yüzlerce kızın arasında pek de olası değildir, neyse diyelim ki yattın, sonuçta asla bir çocuğun olmayacaktı. Ve iki üç yıl sonra da... Tabii zamanını Allah bilir ama, Süleyman ölünce, sonunda bu olacaktı, bir zamanlar ona ait olduğun için, sana bakmış olması bile yeterlidir, soluğu Edirne'nin soğuk ve karanlık hareminde alacaktın. Allah sana acıyıp da canını alana kadar da orada acı çekecektin. Çoluk yok, çocuk yok, güzel giysiler yok, mücevher yok, hiçbir şey yani... Bu sana göre bir hayat değil. Seni görür görmez bunu anladım. Ve kendime, eğer biri oğlumu Sultan yapacaksa işte bu odur, dedim...

Şimdi, hayatım, anladın mı? Üç gün sonra kurban bayramı geliyor. Oğlum benimle birlikte kurban kestirecek, onun için sıradan bir iş. Bense ona bu kutsal günde seni vereceğim. Söyle bana, ne düşünüyorsun? Bu işi yapabilecek misin?"

"Evet," diye cevap verdi Safiye. Öylesine bir özgüvenle bunu söyledi ki, âdet olduğu üzere, eğer Allah izin verirse, demeyi bile unuttu. Bunları söylerken ağzı kararlı bir şekilde çizgileşmişti. Tehlikeli bir emri alan askerler gibiydi. Eğer başarırsa bunun ne kadar önemli olduğunu biliyordu. Ama eğer başaramazsa onu ancak ölüm paklardı. Azize ve Belkıs'ı düşündü, tekrar çağrılmayan ve güzelliklerine rağmen Selim'in davetini de bekleyemeyen kızları... Bir kez Murad tarafından reddedildikleri için geleceğe ait hiçbir parlak umutları kalmamıştı artık.

İki kadın, gölgeler uzayıp ortalık kararana kadar kolkola bahçelerde konuşa konuşa yürüdüler, planlar yaptılar.

Haremin diğer yaşayanlarına katılmadan önce kapı önünde Safiye, kadına döndü ve şöyle dedi. "Hanımım, oğlunuza gitmeden önce sizden öğrenmem gereken bir şey var."

"Evet hayatım, söyle, nedir? Biliyorsun sana ne istersen verebilirim, elbiseler, mücevherler..."

"İnsanı hamile kalmaktan koruyan yöntemleri bilmek istiyorum ."

"Evet, evet, biliyorum ama..."

"Lütfen, lütfen bana bunları öğretin."

"Sen ne diyorsun?" diye bağırdı Nur Banu. Safiye'nin kolunu öfkeyle bırakmıştı. " Sen de oğlum gibi bir ucube misin ki çocuklara aldırmıyorsun? Ne çeşit bir kadınsın sen, kendi geleceğini garantileyecek bir oğlan çocuğa sahip olma şansını eliyle itiveren bir deli misin sen?"

"Hanımım, beni affedin," dedi Safiye. "Bir oğlan çocuğa sahip olmayı ve size bir torun vermeyi yürekten isterim. Eğer Allah izin verirse bunu yapacağım da ama, ilk yapılması gereken Murad'ın o çubuktan uzak tutulması değil mi? Bunun ne kadar süreceğini kim bilebilir? Ya bu arada hamile kalırsam? Hasta, şişman bir kadın ne yapabilir, oğlunuza ulaşma şansım yok olup gider ve onu kaybedebiliriz.. Lütfen hanımım bana bu çareleri öğretin, zaferimizi kazanana kadar onları kullanayım."

Nur Banu yavaşça başını salladı, kendinden daha iyi düşünenlerden pek hoşlanmayan bir kadındı, ama çaresiz, plandaki zekâyı fark etmişti. Safiye amacına ulaştığını hissetti.

Hareme girdiklerinde kadın geride kalıp onun içeri girişini seyretti, kız kımıldandığında dans eder gibiydi.

Evet, diye kendini kutladı. Doğru bir seçim yapmışım.

Ama içinden gelen bir başka ses de ona şöyle diyordu, evet doğru bir seçim, hatta belki de gereğinden fazla...

XXXI

SAFİYE, GÖZLERİNİ açtığında öğle olmak üzereydi.Harem, neredeyse dün gece hiç uyumamıştı ve o da bu sayede uzun uzun uyuma fırsatı bulmuştu. Birden günün önemini hatırladı. İşte, bayram gelmişti.

"Bu benim için bir yeniden doğuş olacak," diye mırıldandı.

Yatakta döndü ve kendini gül yaprakları içinde buldu. Çıplak bedenine ilk dokunduklarında ne kadar da serinletici olduklarını hatırladı. Şimdi uykunun sıcaklığıyla ezilmişlerdi ve o her kımıldadıkça baygın kokuları teninin gözeneklerine sızıyordu.

Gözlerini ovuşturmak için ellerini kaldırdı ve kollarının dirseklerine kadar beyaz, yeşil ipeklerle sarılı olduğunu gördü. Ellerini kullanmaması gerektiğini de hatırladı.

Bir önceki gece en canlı detaylarıyla gözlerinin önündeydi. Pirinç lambaların yıldızımsı boşluklarından sızan ışıkların aydınlattığı harem, divanlarda ve halılarda diz dize oturmuş kadınlar ve o gizemli ışıkların altında kadınların yuvarlak hatlı vücutlarında şıkırdayan ter damlaları...

Gecenin ortasına doğru Nur Banu kına denilen karışımla doldurulmuş bir ipek bohça getirmişti. Safiye bunu Venedik'te de duymuştu, saçlarına ak düşmüş kadınların kullandığı bir bitkisel karışımdı bu. Burada, Türkler arasında, kadınlar bununla ellerini ve ayaklarını da süslüyorlardı.

Nur Banu kınayı gül suyuyla karıştırmıştı ve bunu yaptığında koyu yeşile dönüşen macun pis pis kokmaya başlamıştı. Hiç hoşuna gitmese de bu kap dizlerinin üzerine yerleştirilmiş ve sonra da söylenildiği gibi sağ elini İsmihan Sultan'a uzatmıştı. Bu kez incecik çubukları bu macuna batırarak genç kız, Safiye'nin eline incecik desenler çizmeye koyulmuştu. Heyecanlı dedikodular ve tartışmalar arasında elin süslenmesi bir saatten fazla sürmüştü.

Bittiğinde Nur Banu bu eli kömür közlerinin üzerine tutmuş, sonra avucunun içine bir altın koyarak önce keten, ardından da ipek bezlere sarmıştı. Bunlar tamamlanınca öbür ele de aynı işlemler yapılmaya başlanmıştı.

Safiye, tabii ki ilginin merkezi olmaktan hoşnuttu, ama hiç kımıldamamaktan da sıkılmıştı. Susuzluktan boğazı kurumuş, açlıktan midesi kazınmıştı, üstelik tuvalete de gitmesi gerekiyordu. Sıkıntıdan başı bile ağrımaktaydı.

Daha yaşlıca kadınlar, kendi aralarında erkeklerin ısrarlı egemenlik arzuları ve kadınların bunlarla başa çıkışı konusunda amiyane şakalar yapıyorlardı. Bunlar bana pasif olmam gerektiği konusunda aktif zorlama mı yapıyorlar acaba, diye merak etmişti Safiye. Hayır, ne kadar çekici olursa olsun, bu kadınların onu kendi duygularına araç yapmalarına izin vermeyecekti. "Pasifliği de kullanarak güce erişebilirim ben."

"Bu konuda hanımımız Nur Banu Sultan kadar yetenekli değilim", diye özür dilemişti İsmihan Sultan. Safiye'nin elini yoğunlaşmanın verdiği güçle sıkan eli, sıcak, beyaz ve tombuldu.

Nur Banu Sultan, "saçma" derken, sözlerinin aksine büyük bir dikkatle kızın yaptığı işi incelemişti. "Ayrıca, Allah'ın izniyle, bekâretini kaybedecek bir kız, onunla ilgilenenlerin de bakire olmasını bir uğur saymalıdır."

İsmihan ve küçük kardeşi Fatma Sultan üvey annelerinin bu sözleri üzerine kıpkırmızı olmuşlardı. İkisi de Safiye'nin yaşına yakındılar ve Selim'in kızlarıydılar, yani Osmanlı prensesleriydiler. Büyük olanının adına bu yüzden "han" eki konuluyordu. Safiye her ikisini de dikkatle incelemişti. Sarı ışığın altında gülümseyen kırmızı dolgun dudaklar ve mutlu tombul yüzler... Onlar Murad'ın yarım kan kardeşleri olduklarına göre belki de bir benzerlik yakalayabilirdi.

İsmihan desenlediği elin üzerine eğilip sanki Safiye'nin düşüncelerini okumuş ve onu uyarırmışçasına bir fısıltıyla, "Ben ağabeyime hiç benzemem," demişti.

Yaşlı kadınlardan biri erkeklerle ilgili yeni bir şaka yapıyordu. Safiye'yi bunlar ilgilendirmiyordu.

İki eli ve ayak bilekleri de sarılıp sarmalandıktan sonra tuvalete gitmesine izin verildiyse de bunu tek başına yapması olanaksızdı. Yardımla gidip geldikten sonra yemeğini yemişti. Bu arada kadınlardan isteyenler, kınanın kalanıyla kendilerini süslüyordu.

Sonunda kısılan ışıkların altında oynamaya başlamışlardı. Safiye kendini zor tutmuştu. Dümbelekler ve zillerin ritmi içini kıpır kıpır yapıyordu ama kımıldanması bile yasaktı. Yapacak bir şey yoktu, dans etmeyi bir gecelik başkalarına bırakması gerekiyordu.

Harem manastıra hiç mi hiç benzemiyordu. Halasının böyle bir durumda neler söyleyeceğini merak etmişti.

Dans etmeyi öğrenirken ona söylenen şey ritmi içinde hissetmek ve vücudunu ona uygun olarak oynatmaktı. İsmihan'ın çalışmasını seyretmek de buna benzer bir şeydi, giderek artan bir zarafet ve alkışlamak için ellerini bile oynatamamak...

Kına gecesi bu muydu? Safiye omuzlarının ve kollarının baskısını kasıklarına kadar hissetmişti.

İsmihan ve Fatma karşılıklı ağabeyleriyle dalga geçen bir oyunu oynamaya başlamışlardı. *Çok da saygılı değiller,* diye düşünmüştü Safiye. *Rahibeler başrahiple böyle dalga geçebilirler mi?* Gerçi başrahip, bu danstaki gibi kafa çeken, öfkeli ve kabadayı genç bir adam değildi, ama ondaki benzer zaaflarla böyle eğlenebilmek düşüncesi yine de çok hoşuna gitmişti.

Bunlar benim düşüncelerimi Murad'dan uzaklaştırmak mı istiyorlar? Eğer bu adamı seveceksem, onu sahip olarak kabul edeceksem, bana neden onu böyle gösteriyorlar? Yoksa hissettiğim açlığın cevabı olarak bu kız kardeşler benimle dalga mı geçiyorlar?

Ama daha sonra Safiye onların amacının bu olmadığını anlamıştı. Onlar, ona tarafsızlığın gücünü ve erkek dünyasını çok ciddiye almamak gerektiğini göstermeye çalışıyorlardı. Murad'la yapacağı dansın sonucu ne olursa olsun- belki aşkı yetersiz kalacaktı, belki hiçbir arzuyu yeterince doyuramayacaktı- bunu en iyi anlayacak olan yine de diğer kadınların sevgi ve şefkatidir, gibilerden bir mesaj vardı bu ikilinin dansında.

Işıklar daha da kısılmış, müzik yükselmiş ve diğerleri de oynamak üzere ayağa kalkmışlardı. Bilezikli kollar başka başka fanteziler yaratıyordu. Manastırda yetişmiş hiçbir kız, Safiye'nin o gece bu danslarda gördüğünü göremez, öğrendiğini öğrenemezdi. Ama tabii ki bir manastır kızının evlilik gecesiyle, bir odalığın Sultanın veliahtının koynuna gitmesi arasında dağlar kadar fark vardı.

Son olarak Azize ve Belkıs oynamaya kalkmışlardı. Safiye bu dansta da Murad'ı görebilmeyi ummuştu. Onların çizdiği portre ise bambaşkaydı. İki genç köle önce salınarak dönüp eğilmiş, sonra tahta kaşıkların ritmi giderek hızlanmıştı. Bir aşağı inen, bir yukarı çıkan kuşak uçları... Ve nabız gibi sesler çıkararak titreşen zincirler...

Safiye'nin boğazı kurumuştu ve İsmihan'ın ünlü nar şerbeti bile buna çare değildi. Artık doruk noktasına ulaşılmıştı. Kıvrana büküle, yaklaşıp uzaklaşan iki odalık, sonunda inleyerek, birbirlerinin kollarında yere yıkılmıştı.

Bu inlemeleri kendi içinde hisseden Safiye'nin gözleri sıkıca kapalıydı. Ve sonunda müzik yavaşlarken ertesi günkü bayramı sağlıkla karşılayabilmek için uyumak istediğini söyleyerek yatağa girmişti.

XXXII

SAFİYE, BAYRAM SABAHI gözlerini bu duygularla açtı. Soğuyan kına, gül yapraklarının tersine bedeninin ısısını alamıyordu. Uykuyla uyanıklık arasındaki o yarı hülyalı anlarda bile el ve ayaklarındaki bağları kurşun gibi hissedip durmuştu ve şimdi onların altından çıkacak gizemli şekilleri görmek için can atıyordu, ama bunu yapmaması gerektiğini biliyordu, o zaman sihir kaybolabilirdi.

Başka şeyler de istiyordu. Her şeyi istiyordu. Hatta arzuyu ... Ama şimdi olmazdı. Ah, akşam bir gelseydi...

Safiye uyurken bile ellerini hareket ettirmemişti, bu yüzden her tarafı uyuşuktu. Âdetler gereği geceyi odasında değil, haremin büyük salonunda herkesle birlikte geçirmişti. Kocaman minderlerin arasından çaresizce etrafına baktı. Böyle hiç kımıldamadan yatmaktan bıkmıştı artık.

Tam aklından bunlar geçerken onun uyandığını gören İsmihan ve Fatma Sultan ellerinde bir sepet dolusu gül yaprağıyla, kıkırdayarak yanına geldiler. İpek bezlere sarılmış elleriyle onları kovalaması olanaksızdı. Yeni bir koku banyosunun ardından kızlar ona sarılıp öpücüklere boğdular. O sırada, Safiye'nin en sevdiği yiyeceklerle dolu bir kahvaltı tepsisi de bir başka kadın tarafından getirilmişti. Tepside "lokma" da eksik değildi.

"Hayır, hayır, ellerini kullanmamalısın!" diye bağırdı İsmihan.

Ve Safiye, "Yeter artık patlayacağım", diyene kadar, iki kardeş, onu yudum yudum beslediler.

Nur Banu, "Haydi çabuk olun, bugün yapılacak yığınla iş var," diyerek onları uyardı. Hiçbir şey yememesi heyecanını ortaya koyuyordu. Safiye'ye, "Aman sakın soğan, pırasa ve ağır baharatlı şeyler yeme," dedi. "Bir kadının tüm çekiciliğini yok eder bunlar..."

Gün boyunca meyveler ve tatlılarla dolu tepsi Safiye'nin başucundan ayrılmadı ve ne zaman o tarafa doğru küçük de olsa bir bakış atsa hemen biri koşarak gelip onu besledi. Sonunda kadınlar, onu yataktan kaldırıp, ellerindeki gül yapraklarını kafasından boca ederek, ortalığı çınlatan kahkaha ve şarkılar eşliğinde konağın hamamına götürdüler. Safiye buhar ve sıcak suya alışmıştı. Hatta bunu seviyordu. Diğer bütün Müslüman kadınlar gibi normalde haftada en az iki kez, sıcak günlerde daha sık ve her âdet kanamasından sonra mutlaka yıkanıyordu.

Nur Banu Kadın, Safiye'den çok sonra, resmi nikâhlarla evlenecek olan İsmihan ve Fatma'yı bilgilendirmek için "Kına ertesi, gerdeğe girmeden önce bir gelin mutlaka yıkanır," dedi. "Evliliğin herkesin gözünde saygın olabilmesi ve yasal olarak kabul edilebilmesi için bütün bu âdetlerin yerine getirilmesi şarttır. Bir köleye gelince... Onun satın alınmış olması zaten yeterince yasallık verir bu işe. Haydi gelin, erkekler dışarıda dua ederken biz de yıkanıp paklanalım."

Kadının, "Önce şu ellere baksak iyi olacak, eğer kına uzun süre kalırsa kararır ve bu da pek uğurlu sayılmaz," diye eklemesinin üzerine, hamam sefasının normal gidişine uymayan bir şekilde aceleyle soyunup hemen ikinci odaya geçtiler.

İsmihan, titiz bir dikkatle bezleri çözünce avuç içlerine bağlanmış altınlar yere düştü.

"Sakla onları" dedi Nur Banu, "senin onlar."

Hayatımda ilk kez bir şey gerçekten benim oldu. Safiye onları el ve ayaklarıyla yanına çekti. *Çok daha fazlası olacak, bunlar ilk. Eğer kölelik böyle bir şeyse...*

Tepesinden boşaltılan kaynar su onu bu hoş duygulardan koparıverdi. Kurumuş kına vücudundan aşağı eriyerek inip, ayaklarının dibindeki kanallara doğru akıyordu. Elleri ihtiyar kadınlarınki gibi buruş buruş olmuştu. Dikkatle bakınca şekillerin renginin parlak, sıcak bir turuncu olduğunu gördü. Son derece zarif laleler ve noktalarla bezenmiş avuçları, tırnakları herkesin hayranlığını uyandırmıştı. Elleri kımıldadığında kelebek kanadına benziyordu. Aslında onlar Safiye'nin vücudunun bir pazarda sergilenecek kadar güzel ve kusursuz parçalarıydılar zaten, ama şimdi bir dantelin arkasındaki belli belirsiz şekillere benzeyen bu süslemelerle daha bir cazip ve gizemli olmuşlardı.

Bu kelebekler çırpınarak nerelere dokunacaktı? Bir akşam olsaydı...

El ve ayaklarını yıkanırken korumaya çalışıyordu, oysa endişe etmesine gerek yoktu, kına en az bir hafta böyle canlı kalacaktı. Onu öylesine ovalıyorlardı ki, derisi yüzülüyor gibiydi. Ama sonunda bir bebek cildi gibi olmuştu bütün bedeni, pembe ve yumuşak...

Sonra tek tek bütün kılları temizlendi. İşinin ustası iki kadın özel gelin formülü hazırlamıştı. İki ölçü şeker, bir ölçü limonu ateşte çevire çevire yapmışlardı bunu.

Bu tatlı macunun adı ağdaydı. Kadınlar ağdayla Safiye'nin koltuk altlarını, bacaklarını ve en mahrem yerlerindeki tüyleri bile temizlediler. Şimdi beş yaşındaki bir çocuğunkinden bile daha pürüzsüzdü teni.

Ardından bu işlemler sırasında bir parça incinmiş bedenine birtakım kremler sürmeye başladılar. Yağ, un, bal ve çeşit çeşit kokulu baharattan hazırlamışlardı bu karışımı da. Buharların arasında Safiye kendini bayram için pişirilen bir canlı tatlı gibi hissediyordu. Kadınlar onu ovaladıkça İsmihan ve Fatma "maşallah, maşallah" diye tekrarlayıp duruyorlardı. Bu, kızların Safiye'nin güzelliğini kötü gözlerden korumak için yaptıkları bir şeydi. Nazardan çok korkuyorlardı.

Güneş en tepedeydi ve yüksek pencerelerden giren ışınları yoğun buharın arasında bile görünüyordu. Safiye'nin saçları, içinde güllerle güneş çiçeklerinin bekletildiği sularla yıkanmıştı. Yıkanma faslı bitince kar beyazı yastık ve havluların arasına onu çırılçıplak yatırdılar ve güneş havuzda küçük kıpırtılarla dolaşırken başlayan masaj, çini duvarlar dolgun yaz ışığında şıkır şıkır parlayana kadar sürdü.

Genç efendinin bayram tatlısı hazır, diye düşündü.

Konağın fırınlarında o sırada pişirilen ince çıtır kabuklu ekmekler değil de çocukluğunda yediği güzel paskalya çörekleri gelmişti aklına. Uzun, sıcak öğleden sonra boyunca Safiye kimi zaman hayal kurdu, kimi zaman uyukladı, kimi zaman da gerçekten uykuya dalarak gerçek rüyalar gördü. Bu, onu gecenin yoruculuğuna karşı taze ve diri tutacaktı.

Masajcı kadın onun pembe, yumuşak tenini ovalarken Safiye tamamen bilinçsizce kalçalarını oynatarak bu dokunuşlara cevap vermeye başlamıştı. Poposuna yediği bir şaplakla kendine geldi.

İsmihan, "Bunları ağabeyime yapmalısın," diye onunla dalga geçiyordu.

Yıkanmaktan gelen Selim'in kızı havlunun ıslak ucuyla acıtmadan vuruyordu Safiye'ye.

"Seni küçük..." diyerek masajcı kadının ellerinden kurtulan Safiye yerinden fırladı ve o da bir havlu kaptı. Tombul İsmihan'a göre uzun bacaklarıyla çok daha avantajlıydı. İki kız bağıra çağıra havuzun etrafında koşturmaya başlamıştı.

Kızların mermer duvarlarda yankılanan çığlık ve kahkahaları içerde bir perdenin arkasından avludaki erkeklere bakan Nur Banu'nun kulağına kadar gitmişti. Öyle keskin bir öfkeyle onları ikaz etti ki, nefes nefese kızlar hemen toparlanıp sustular.

İsmihan'ın havlusuyla Safiye'nin teninde bıraktığı iz kıpkırmızıydı. Nur Banu ne azarlama faslını uzattı, ne de özürleri uzun uzun dinledi. Hemen bir kadın çağırıp oranın çürümemesi için yağ ve sabırotuyla ovulmasını emretti. Kızmasına kızmıştı ama, yine de Safiye'nin bu canlılığı hoşuna gitmişti, yüzündeki belli belirsiz gülüş bunun işareti gibiydi. Safiye, kadının asıl kaygısının enerjisinin tamamını akşamdan önce harcaması olduğunu anlıyordu.

Ortalık sakinleyince Nur Banu, "Erkekler camiden dönüyor," diye haber verdi. "Onları koridordan görebilirsiniz, haydi acele edin, acele..."

XXXIII

"*NE OLUR SAFİYE'Yİ DE ORAYA GETİRELİM*", d ye yalvardı İsmihan. "Saçı güneşin altında daha çabuk kurur hem de."

Nur Banu izin verince kızlar sevinçle koridora geçtiler ve oradan buradan konuşmaya başladılar.

"Koyunlar avluya getiriliyor," diyen Nur Banu'nun sesi, gıcırtılarla dönerek hazırlanan ızgaranınkine karışıyordu.

İsmihan'ın dizlerinin dibinde ona saçını taratan Safiye, önündeki aralıklardan avluyu görmeye çalışıyordu ama hiçbir şey göremiyordu.

"Kımıldanma", dedi İsmihan, "saçın karışıyor."

Ama Safiye dayanamıyordu. Avludaki doğal olarak tamamı erkeklerden oluşan kalabalığın çevresindeki yoksul köylüler aptal bakışlarla, sırık uçlarında sallanan tuğ ve bayrakların altındaki zenginleri seyrediyordu. *Foscari tiyatrosunda bir kıyafet balosu gibi.* Safiye kendisinden başka hiç kimsenin bunun farkında olmamasından memnundu. Bu memlekette yalnız oyuncular değil, tüm erkekler bu şekilde giyiniyordu. Üzerlerine güneş vurunca bu uzun elbiseler zenginlikleriyle insanın gözünü alıyordu.

"Ağabeyin hangisi?" diye sordu. Heyecandan neredeyse soluksuz kalmasına kendisi bile şaşmıştı.

İsmihan tarağın ucuyla işaret etti. "Orada, babamın tam yanında duruyor. Mavi ve altın rengi çizgili sarığının sorgucunda tavus kuşu tüyleri olan."

Bu sözler Safiye'nin kalbini hoplatmıştı, ama uzun boylu genç adamda bu mesafeden görebildiği yalnızca il gisiz ve yorgun bir duruş oldu. Sultan'ın vârisi olan Se lim ve kucaklarındaki koyunlarla üç çoban çok daha dikkat çekiciydi.

Dikkatinin nerede olması gerektiğini unutan Safiye, "Koyunlar kesildi mi?" diye sordu.

"Hayır."

"Daha değil," diye ekledi Fatma.

İsmihan, "Tüylerine kurban edilecekleri için kırmızı işaretler konuyor," diye açıklama yaptı.

"Anlıyorum."

Korkacak bir şey yok, Safiye, saçlarını kokulu yağlarla tarayan İsmihan'a doğru eğilirken böyle düşündü. *Birkaç sabırsız adam ve birkaç pis koyun.*

İsmihan, "Saçların mücevherci dükkânında parıldayan altınlar gibi" diye iltifatlar yağdırıyordu.

Bu özen yalnızca Safiye'nin saçlarına gösterilmiyordu, bir yandan da tüm vücuduna hoş kokulu kremler sürülüyor, terlemesini engelleyecek bir karışımla koltuk altları ovuluyordu.

"Kurbanlık için çukur kazıldı" haberini verdi Nur Banu.

Safiye öne eğilip tekrar baktı. Koyunların ilkiyle uğraşan çobanın yanında Selim'i gördü.

"Ev sahiplerinin her biri için bir koyun" diye açıkladı İsmihan. "Belli bir yaşa gelmiş erkek koyun."

"Erkek koyun mu? Kadınlar için bile mi?"

"Evet, üstelik sağlıklı olmalılar, bu şarttır."

Safiye tavus kuşu tüylerine bakmaya çalışıyordu. Bu özelliksiz insan görüntüsünün onun geleceğe ait tüm hayallerinin anahtarını elinde tuttuğunu düşünmek ne kadar garipti. Ama belki de en özelliksiz kapılar en kolay açılanlardı. Andrea Barbarigo ve genç Veniero'yu düşündü, ama içinde hiçbir pişmanlık duymadan. Onlar geride kalmışlardı ve bir gün bu Murad için de öyle olacaktı.

Aslında Safiye hangi koyunun kendisinin olmasını isteyebileceği konusuyla daha çok ilgiliydi. *Belki de köleler için böyle bir şey yapılmıyor. Gelecek yıl bu zamanlarda kesinlikle en güzelinden bir tane de benim olacak.* Rahatlamıştı.

Şimdi sıra hizmetkârların getirdiği kıyafetlerin giydirilmesine gelmişti, bunların tümünü de Nur Banu Kadın gelini için kendi seçmişti. İlk önce incecik dantelden örümcek ağına benzer bir iç çamaşırı giydi, arkasından kıpkızıl ipek bir şalvar. Yerlere kadar uzanan yelek leylak tomurcuğu rengindeydi. Bluzu ise daha koyu mor ve altın ipliklerle işlenmiş gül desenleriyle süslüydü. Güllerin her birinin ortasında üç küçük inci sallanıyordu.

Yelek, kalçalarının yuvarlaklığını ortaya çıkaracak bir biçimde sıkıca üstüne oturuyordu. Daha sonra buraya yine kızıl kadifeden bir kuşak bağlandı, her adım atışında bunun ucundaki altın saçaklar sol dizinin üzerinde sallanıyordu. Kuşağın üzerinde badem büyüklüğünde beş ametist taşı vardı. Safiye'nin kulaklarına Nur Banu'nun taktığı küpeler de aynı taştandı ve neredeyse omuzlarına kadar sarkıyorlardı. Birbirine uymasa da bir yığın mücevher takıldı Safiye'ye, ama bunların hiçbirinin kendisine ait olmadığını, ödünç verildiğini bildiği için doğrusu pek ilgilenmiyordu.

Tekrar ileri uzanıp avluya bakmaya çalıştı.

"Efendimiz Selim, koyunun boynunu ne kadar da zarif okşuyor," dedi. "Hem de konuşuyor. Ne söylüyor acaba?"

Arkasında bir tokayla uğraşan İsmihan, "Dua ediyor," diye cevap verdi. "Kuran'da söylendiği gibi..."

Kollarındaki bilezikler birbirine dayanmış dirseklerine kadar uzanıyordu. Kolyeler, yüzükler ve halhalların sonu gelmiyordu.

Safiye, "Lütfen, yeter artık, kımıldayamıyorum" diye şikâyet etti.

Nur Banu bir süre düşündükten sonra başını salladı ve yeni emirler verdi. Safiye tekrar gidip camdan baktı ama bu kez dehşetten soluğu tutulmuştu. Beş koyun can çekişiyor, altıncının ise tüm kanı, kesik boynundan beyaz bağırsakların yığılı olduğu çukura doğru fışkırarak akıyordu.

"Neden, neden onları öldürüyor?"

"Tabii," dedi imalı bir sesle İsmihan. "Sen hayatında hiç onları yemedin değil mi?"

Görebilmek için Safiye'nin omzu üzerinden bakan Nur Banu, "Bıçağını ne kadar da hızlı kullanıyor," dedi. "Hayvan kımıldayamıyor bile."

Safiye'nin saçlarına altın tozları serpiliyordu. *Pastacının toz şekerle yaptığı süslemeler gibi*... Ama bu umutsuz bir düşünceydi. Safiye'nin ilk aklına gelen tuzlu rosto oldu.

"Gerçekten de gereğinden fazla altın var," diye mırıldandı İsmihan.

Küçük altın tozu şişesini dikkatle eline alan Nur Banu kendinden emin bir şekilde, "Saçma," dedi.

Saçlar dört örgüyle toplanmış, o güzel bukleler görünsün diye uçları serbest bırakılmıştı.

Camdan tekrar bakan Nur Banu gururla, "Oğlum hiç bu kadar yakışıklı olmamıştı," dedi.

Safiye ise dışarı baktığında bir koyunun bacağını yüzen çobanı gördü.

"İşleri bitiyor, birazdan adamlar postları ortadan kaldırırlar," dedi Nur Banu.

Safiye yalnızca beyaz bir ışık görüyordu, daha fazlası için parmaklarının ucunda yükseldi.

Metrelerce ince tül, başındaki incili küçük kırmızı

şapkanın altına tutturuldu. Üzeri nakışlı dana derisi terlikler ayaklarına giydirildi. Ve sonunda yüzü boyanmaya başlandı: Gözleri bademe, kaşları "Frenk" kaşına, yanakları şakayığa ve ağzı da bir gül tomurcuğuna benzetildi. Dişleri, yeleğe işlenmiş incilerden çok daha parlaktı.

"İşte, Kuran'da yazıldığı gibi et dağıtılıyor. Adamlar efendimizin cömertliği karşısında ne kadar mutlular..."

"Aman çabuk olun kızlar," diye devam etti Nur Banu. "Aşçı kendi payını alıp mutfağa götürüyor, kaybedecek vakit yok."

Harem halkı telaş içinde hamamdan çıkıp evin ana bölümüne yönelmişti, çünkü akşam duasının yapılıp Murad'ın bölümünün kapısının açılmasına çok az kalmıştı.

Pencereden uzaklaşıp, aynada kendini gören Safiye'nin özgüveni geri gelmişti. Gördüğü güzellik her şeyden daha üstündü ve kesinlikle en yüce şeylere layıktı.

O geceki ibadet ve dualar Safiye için yeni öğrendiği Türkçe dans ve şarkılardan daha farklı bir anlam taşımıyordu. Telaş içinde ve sırtında bir yığın mücevherin ağırlığı da olsa halasının ona Azize Catherine ile ilgili olarak öğretmiş olduğu küçük duayı Arapça cümlelerin arasına sıkıştırabildi. Bu, eğer o aşağılık Korfulu ile evlense söyleyeceği evlilik duasıydı.

Hizmetkârlar seccadeleri toparlarken Nur Banu Safiye'yi yanına çağırdı. Ona tatmin olmuş bir şekilde baktı.

"Eğer oğlum seni almazsa" dedi, "Allah'ın da istediği gibi asla Sultan olamasın."

Kızı memnunlukla iki yanağından öptü ve bu arada eline iki gümüş kutu tutuşturdu. Safiye hemen bunları açıp baktı. Birinde sarı, diğerinde siyah, birtakım parmağa benzer nesneler vardı ve ilaç gibi kokuyorlardı.

"Bunlar nedir?"

Nur Banu "ferazik," dedi. Safiye bu kelimeyi hiç duymamıştı, İtalyancasını da bilmiyordu. Hiç kimse bir manastır kızına doğum kontrol yöntemlerinden tabii ki söz etmemişti.

"Hayır, hayır, onlara dokunma," dedi Nur Banu. Safiye meraklı parmaklarını kutudan çekti. "Vücut ısısında erirler. Onları içine yerleştireceksin, sarıyı birleşmeden önce, siyahı ise sonra."

"Bunlar neden yapılmış?"

Nur Banu kaşlarını yukarı kaldırdı. Bu kız kendi kendine ferazik yapmayı mı planlıyordu? Bu düşünce çok sarsıcı ve hayal dahi edilemez bir şeydi, ama yine de cevap verdi.

"Sarı olanı; şap, sedef otu, sarı sakız, kara ot ve öküz ödünün karıştırılmasıyla elde ediliyor. Sonra buna kuyrukyağı da katılıyor ki kolayca eriyebilsin. Siyah olanında ise katranda eritilmiş kükürt, akasma ve lahana tohumu var."

"Bunlar Ayva'nın formülleri mi?"

Nur Banu kaşlarını daha da yukarı kaldırarak "Evet," dedi.

Safiye rahatlamış olarak güldü, köle bedenini ne kadar ağır bir baskı altında tutmuş olduğunu fark etmişti. "O halde işe yarayacaklardır."

Bu hafifleme ve kızın sesindeki çocuksuluk bir özür gibiydi ve daha yaşlıca olan kadının kaşları alışılmış halini aldı.

"Umarım mutlu ve çocuksuz pek çok gece yaşarsın," dedi.

XXXIV

MABEYNİN HAVASI tamamen farklıydı, kadın ve erkek dünyalarının arasındaki bu bölüm daha karanlık ve daha ağır gibiydi. Genç Murad'ın odasındaki kullanılmamaktan kaynaklanan toz, bir günlük havalandırmayla gitmemişti. Erkeklerin gün ışığındaki günlük yaşantısına katıldığında bile, her zaman arkasında duran gölgelerle pek az ilişki kuran biriydi o. Bu ara yer, mabeyn, zıtlıklarla doluydu. Yağ ve sirkenin karıştırılmasına benzemeyen bir karışımdı bu, bir kez bir araya geldi mi bir daha asla birbirinden ayrılamayan ve birbirinin içine karışınca patlayan ateş ve barut gibi bir zıtlıktı bu..

Nur Banu, oğlu odaya gelmeden önce içeri girip kendi zevkince ortalığı düzenlemişti. Bunu dikkatle ve sahnedeki bir oyuncu gibi yapmıştı. Köşelere yerleştirilen lambalar yakılmış, alçak sehpalara fındıklar ve tatlılarla dolu tepsiler yerleştirilmişti. İyice kabartılan minderlere kimin oturacağı belliydi. Nur Banu, İsmihan, Fatma ve Murad'ın yerleri hazırdı.

Güzel köleler, Azize ve Belkıs duvar kenarında başları eğik, kolları göğüslerinde bitiştirilmiş, hanımlarının yeni emirlerini bekliyorlardı.

En önemli an olan Murad'ın odaya girişine Safiye ne yazık ki tanık olamıyordu. "Geliyor, geliyor" fısıltıları yükselince hareme giden kapı telaş içinde, ama yavaşça kapatıldı ve Safiye kadınlar dünyasında beklemeye başladı.

Selamlaşma ve sarılmaların dışında önce Safiye hiçbir şey duymadı. İlk işittiği, bir erkek için oldukça zayıf ve ince sayılabilecek bir ses oldu, belki de can sıkıntısından olabilir, diye düşündü. Ses, "Sevgili anneciğim, şu salak kızlarını uzaklaştır benden," diyordu.

Bu arada harem kapısı açılmış ve sıra sıra kızlar Safiye'nin yanına gelmişti. Bu yüzlerden olan biteni okuyabiliyordu. Umutları olup da bunları gerçekleştiremeyenlerin hayal kırıklıkları gün gibi aşikârdı ve neredeyse hemen gözyaşlarına boğulacak gibiydiler. Diğerleri gülümsemeler ve mırıltılarla "Allah yardımcın olsun," diyorlardı. Her şey Nur Banu'nun reçetesine uygun olarak ilerliyordu.

Oturuyor olmalılar, şimdi Nur Banu ona sofradaki lezzetli yiyeceklerden sunmalı. Kurban eti getirilmeli. Murad onu, pilavı, cacığı yemeli. Tatlılarla bitirmeli yemeğini. Bir bardak şerbet... Sonra gülsuyu ve sabunlu peçeteler. Sonra, sonra, annesinin aklına nargile gelmeli...

Safiye servis yapan hadımların giriş çıkışlarını sayarken bu senaryoyu defalarca kafasından geçiriyordu, ama bir şeyin yanlış gittiği düşüncesiyle kalbi çarpmaya başlamıştı. Oysa insanın aklından bir olayı geçirmesiyle, o şeyin kendi akışı arasında zaman farkı olması kaçınılmazdı. İçerdeyse, nargile dışında, Murad her şeye karşı inanılmaz bir kayıtsızlık içindeydi.

Üç el çırpışının ardından Safiye, Azize'nin ona uzattığı nargileyi aldı, öğretildiği gibi bunu sol eliyle taşıyordu, sağ elinde ise gümüş bir tepsi vardı. Azize kapıyı açtı ve mabeynin tozlu karanlık dünyasına Baffo'nun kızı tek başına girdi.

Ağır, ölçülü, talim edilmiş adımlarla yürüdü. Üzerindeki dört çift gözü onlara bakmasa bile hissediyordu.

Nargileyi genç adamın yanına getirdi ve marpucunu ayarlayıp uzattı. Beyaz, iskelete benzeyen parmaklar uzanıp bunu aldı, anlaşılıyordu ki, buraya kadar görevini başarıyla tamamlamıştı. Nur Banu ona dönüp, "Güzelim ben de içeceğim," dedi.

Bu, aralarında bir işaretti ve işlerin düşündükleri kadar iyi gelişmediğini gösteriyordu, toplantıyı biraz uzatmak gerekiyordu.

Safiye'ye yaptıkları sonsuza kadar sürecekmiş gibi geliyordu. İkinci nargile için geri döndü ve onu sahibesine verirken kadının, ağzına marpucu almadan önce zaman öldürmeye çalıştığını anladı. Pirinç mangal için tekrar hareme gitti, ama bu kez yavaş yavaş hareket ediyordu. Mabeyne geldiğinde her birinin önünde diz çöküp küçük bir maşayla közlenmiş kömürlerden alıp çanaklarına yerleştirdi. Her nargilenin kabarcıklar çıkarmaya başladığından emin olana kadar da bekledi. Nargilelerin tatlımsı kokusu odayı doldurduğunda Safiye köşeye çekildi. Mangal ayaklarının dibindeydi, orda elleri çapraz bir şekilde omuzlarında, başı öne eğik, ayakta yeni emirleri beklemeye başladı.

İlgi merkezi olamamanın yarattığı sıkıntı üzerinden kalkıyordu. Bu, ona nargileyi alıp dışarı fırlamak ve giderken de, "Al işte keş adam, bunun yerine beni alsan daha iyi olmaz mı?" diye bağırmak arzusu veriyordu. Bu duyguların onu sarmasına izin vermediği için kendinden memnundu. Her tarafı kaskatı, konuşmaları takip etmeye başladı. Doğru dürüst bir konu yoktu ortada ve açıkça görülüyordu ki Nur Banu bir panik içindeydi, ya da en azından yaklaşan bir paniğin izleri bu kontrollü kadında bile kendini belli ediyordu.

İsmihan hiçbir şey söylemiyordu. Fatma arada bir kıkırdayarak ortalığın yumuşamasına yardımcı olmaya çalışıyordu, ama genç adamın bunlar hiç mi hiç umurunda değildi.

Nur Banu kendince bazı konuşmalar hazırlamıştı ve

provalarda bu noktada durup "Bu zamana kadar mutlaka senin farkına varmış olacaktır ve bir şeyler söyleyecektir Allah'ın izniyle," derdi.

Şimdi öyle görünüyordu ki, iş onun planladığı gibi yürümüyordu, kadın hoş konular açıyor, tek kelimesi bile atlanmaması gereken konuşmalar yapıyordu ve oğlunun bir soru sorabilmesi için boşluklar yaratıyordu. Nasıl bir soru olduğu hiç fark etmezdi, yeter ki bir soru olsundu. Önemli olan köle kızla ilgilenmesiydi. Onun yaşını, nereden geldiğine, adına, ne kadar zamandır haremde olduğuna dair bir soru olabilirdi bu. Soruların cevabı verilmeyecekti, ama köle kız efendisinin elini öpmek üzere çağrılacaktı, sonra da bunları kendi cevaplayacaktı.

Esrarın acı ve tatlı, karışık, garip kokusu odayı sarmıştı, ama Safiye bunun genç adamın değil hanımının nargilesinden geldiğini biliyordu. Kadınınkine kalın kahverengi bir şeyler, adamınkine ise kimyon, sakız ve yanması için de bir parça kepek konulmuştu. Bunun Murad'a kafayı buldurması olanaksızdı, annesinin nargilesinden yayılan dumanla bu hileyi anlamayacağını umuyorlardı.

Safiye, bu tomarların her ikisini de yanyana görmüştü ama konuşma sürdükçe bir yanlışlık yapıp yapmadığına dair içine kuşku düştü. Acaba nargileleri doğru mu vermişti. Evet, gümüş ağızlıklı olan Murad'daydı, yeşil yeşim taşından olan ise Nur Banu'nun elindeydi.

Gözlerini aceleyle tekrar aşağı indirdi çünkü adamınkilerle karşılaşmıştı. Birkaç dakika aralıkla olan bu bakışlar en azından genç adamın onu hiçe saymadığının belirtisiydi. Ayrıca bu bakışlar Safiye'ye iyi birer de ipucu veriyordu.

Bunlar aptal bakışlar değildi. Yaşam ve zekâ pırıltıları vardı içlerinde. Hatta bunun dışa dönük bir ilgi ve mizahın işareti olduğu bile söylenebilirdi. Ama bütün bu özellikler sıkıntı, hareketsizlik, sorumsuzluk, ilgisizlikle gölgeleniyordu, uyuşturucunun etkisi ise gözle görülebilirdi. Tabii ki bu kadar kısa bir zamanda bunları saptamak o kadar da basit değildi.

Birkaç bakıştan sonra adamın gözlerinin onun yaratmak istediği havaya ihanet ettiğini anladı Safiye. Her şeyin farkına varıyor, ama bundan ötürü bir heyecan duymuyordu genç adam. Seyrek sakallarla çevrelenmiş ince bir yüzü vardı ve bunlar altındaki tenin solgunluğundan parlak ve kızılımsı duruyordu. Daha sağlıklı bir adamda aynı sakal çok daha doğal görünürdü. Adamın büyükannesi Hürrem Sultan'ın Rus asıllı ve kızıl saçlı olduğunu duymuştu, herhalde ona benzemiş olmalı, diye düşündü Safiye.

Bunun dışında orta boylu sayılırdı, belki Safiye'den bir parça kısa bile olabilirdi. Kolları, bacakları insanın içini bir tuhaf yapacak ölçüde inceydi, belli ki uyuşturucuya olan bağımlılığı kilo almasına engel olmuştu.

Kadınlar ve hadımlar arasında geçen beş aydan sonra gördüğü erkek giysisi kıza en ilginç gelen şeydi. Uçuk sarı bir ipek yazlık kaftan sivri dizlerini ve dirseklerini kapatıyordu, kuşağındaki mavi ve altın yaldızlı çizgiler sarığındakilerle uyum içindeydi.. Sorgucundaki tüyler dışında hiçbir şey özenli seçilmiş görünmüyordu.

Annesi ve kız kardeşlerinin yanında bile genç adam divandaki minderlere rahatça yayılmakta bir sakınca görmemişti, bir eliyle marpucu ağzına götürmeye çalışırken, diğer eli hareketsiz sarkıyordu. Her an uyuyacakmış gibi bir hali vardı. Bu uykulu hale tek uymayan ise gözleriydi.

Dikkat edilince, adamın bakışlarının kızın saçlarının tepesinde bir yerlerde olduğu belli oluyordu, buklelerin kurdeleler arasından döküldükleri yere bakıyordu genç adam. Safiye, onun gözlerini sırayla açıp kapayarak, her ikisini kısarak sanki deney yapan bir kimyacı titizliğiyle saçlarına baktığını anlamıştı. Aslında genç adamın gözleri tıpatıp annesinin gözleriydi ve Nur Banu bu gözlerin halinden anlayabilse oğlunun nasıl umutsuzca bir hayal âleminde yuvarlandığını daha kolay hissedebilirdi.

Keşke Nur Banu Kadın bana bu oyunda nargileden daha fazla bir rol verseydi. Bu genç adama uykuyla uyanıklık arasındaki farkı gösterebileceğim bir rolüm olabilseydi keşke. Eğer oğlunun üzerine soğuk su atılmasını istiyorsa ben de kendi usulümce bunu yapacağım. Bir şey yapacağım ama ne? Herhalde onların dikkatini şarkı söyleyerek ya da dans ederek çekecek değilim.

Safiye planını uygulamaya koyuldu. Omuzlarına koyduğu ellerininin durumunu hiç değiştirmeden yavaş yavaş parmağındaki yüzüğü çıkarmaya koyuldu. Sonra marpucu ağza götürmekten çok daha kolay bir hareketle bileğini kıvırarak mücevheri yere düşürdü. Yüzük, halıya düşerken hiç ses çıkarmadı ve ne söylemeleri gerektiğiyle uğraşan Nur Banu Kadın ve diğerleri bunu fark etmediler.

Ama Murad görmüştü. Onun gördüğünü biliyordu, gözlerinin ikisini birden açarak bakmış, sonra da bu bakışmayı hiçe sayarak uykuya dalmıştı. Yine de hiçbir şey söylememişti. "Anne, neden paranı mücevherlerini bile taşıyamayan sersem köle kızlara harcıyorsun?" bile dememişti.

Nur Banu'nun yenilgiyi kabullenmesi çok sürmedi. Ne yüksek sesle bir şey söylemişti, ne de ses tonunu değiştirmişti, ama artık vazgeçmişti, yine aynı hezimete uğramıştı. Safiye kırık bir kalple mangalı toparladı, onu geri taşıdı ve hanımının çoktandır tadına varamadığı yeşim ağızlıklı nargileyi almak üzere odaya döndü. Sabırsız bir bilezik şıkırtısı, genç adamın tüttürdüğü esrarla yalnız bırakılması gerektiğini ima ediyordu. Safiye, anne ve kızlar için kapıyı açtı, onları hareme kadar izledi ve arkalarından kapıyı kapadı.

XXXV

NUR BANU'NUN TAŞ GİBİ sessizliğiyle karşılaşan harem ahalisi sormayı düşündükleri sorulardan bir anda vazgeçmişti. Güzel Venedikli'nin cezasını paylaşmayı hiçbiri düşünmüyordu. İki belki de üç hafta bir kenara itilmek, arkasından aşağılayıcı kelimelerle söz edilmek... Haremde ölüm bile bundan daha güzeldi.

Nur Banu kendi odasına kapandı, diğerleri de ağır havadan nasibini aldı. Tek ayakta kalan, yenilgisinin üzüntüsüyle kahrolan, mabeyn kapısındaki Safiye idi.

"En sonunda bana dokunmadı," diye kendini korumaya çalışıyordu. "O, bir Sultan değil ve hâlâ, eğer Nur Banu'nun gözüne girebilirsem şansım var, benim hiç suçum olmayan bu durumdan ötürü beni hoş görmesi gerekir..."

Kapı ağzında terk edilmiş gibi duran Safiye son bir umuda sarıldı, mabeynde düşürdüğü yüzük hâlâ orada duruyordu. Eğer geri dönüp onu alsa suçlanamazdı.

"Bundan ne umuyorum ki?" diye kendine tekrar tekrar sordu Safiye. "Murad'ın ayakta, yüzüğü aradığını mı umuyorsun, işte buldum demesini mi?"

Hayır, tabii ki böyle bir şey söz konusu değildi. Odaya girdi, öğretildiği gibi yerlere kadar eğildi, yüzüğü aldı ve tekrar kapıya doğru yöneldi. Aslında belki de odada kimseler yoktu. Boşluğa doğru eğilmediğinden emin olmak için dönüp odaya baktı. Genç adam bıraktıkları gibi duruyordu; bir elinde marpuç, diğer eli hareketsiz sallanıyordu, gözleri yarı aralık hayaller âlemindeydi.

Uyuşuk, diye neredeyse yüksek sesle bağırdı. *Seni kim ister ki, tembel, yararsız kemik torbası... Sensiz de büyük olacağım, bekle de gör...* Ve genç adama sözlerle olmasa da gözlerle bu mesajı yollamak için son bir bakış attı.

Az da olsa hıncını alabilmenin verdiği duygularla kapıya doğru ilerledi ama yarı yolda bir şey onu durdurdu. Adamda bir kımıldama vardı. Çok çok küçük bir kımıltıydı bu, ama vardı. Ölmüş olamayacağına göre belki de bu, inip kalkan göğsüydü, ya da uykuya dalarken seğiren bacağıydı. Ama hayır bunlar değildi, kımıldayan bir parmaktı. Uzun, solgun bir işaretparmağıydı bu hareketin sahibi. Evet, yavaş yavaş, ama kesin bir biçimde onu yanına çağırıyordu.

Safiye bu emre uyup uymamak arasında kısa bir süre kararsız kaldı. Ama sonunda tutkularından kaynaklanan bir tavırla adama doğru ilerledi, üzeri dokunulmamış bayram yiyecekleriyle dolu alçak sehpanın yanına gelince durdu. Genç adam yarı aralık gözleriyle onu incelemeye devam ediyordu. Birden yüzünü buruşturarak, vücudu sarsıla sarsıla kuru ve sessiz kahkahalara boğuldu.

Sonunda konuştu, ama bu konuşma Safiye'den çok kendisiyle yaptığı bir konuşmaydı. "İşte dostum Murad, onu bu kez alt edebildin. Buradan giderken senin yarattığın hayali de yanında götürebileceğini sanıyordu o ihtiyar cadı, annen. Ama görüyorsun, bunun tersini kanıtladık. Hayal burada, o ise artık yok. Ne yazık ki diğer tüm hayallerin gibi o da senin istek ve emirlerine uymayacak olsa da, işte hayal hâlâ burada. Ne tuhaf bir hayal bu, sanki canlı gibi duruyor. Sanıyorum Murad, bu hayal otu seni sonunda müthiş bir yere getirdi."

Safiye adamın onun hareketlerini kontrol edemediğini belirtebilmek için divanın önünde yere oturdu. Ama bu bir işe yaramayınca konuşmaya karar verdi.

"Ben bir hayal değilim," dedi. "Ben senin zihninin yarattığı bir hayal değilim, en az senin kadar canlıyım."

Murad gülerek başını salladı. "Bütün hayallerim bana bunu söylerler. Bana yaşamımın ne kadar anlamsız olduğunu öğretmeye çalışırlar, sanki kendilerinkinde varmış gibi. Hayır senin bana bunu yapmana izin vermeyeceğim."

Kahkaha atarken gözlerini kapattı, sonra tekrar açtı.

"Tuhaf," dedi, "Tüm hayallerim bana gerçek olduklarını söylerler, ama gözlerimi kapadığımda seni göremedim, bu ilk kez oluyor."

"Böyle oluyor çünkü ben gerçeğim," dedi Safiye. "Annen senin nargilene esrar koymadı, onun içinde yalnızca sakız ve kimyon vardı. Bak sana göstereyim."

Adamın marpucundan ayrılmak istememesine karşın Safiye külleri karıştırıp ona geriye kalan yanık kepekle sakızı gösterdi.

"Biliyordum," dedi Şehzade. "Bunu anlamadığımı mı sandın? Ta başından beri biliyordum. Ama nargileyi getiren sendin. İçinde müthiş bir şey olduğunu anlamıştım. Haydi söyle bana ne olduğunu, yarın hemen gidip ondan alayım kendime."

"Bana böyle davranamazsın!" diye bağırdı sabrı taşan Safiye. "Evet, şu an için ben bir köle, sen de efendi olabilirsin. Ama ben Sofia Baffo'yum ve Korfu Valisi'nin kızıyım. Beni haremden çağıran sen değilsin, sana bunu kanıtlayacağım, şimdi de oraya dönüyorum. Beni durduramazsın."

Safiye çıkmadan önce, yine de ellerini tekrar omuzlarına götürdü, ama bu kez tavırlarında bir aldırmazlık ve kibir vardı. Aynı pozda başıyla veda eder gibi bir hareket yaptı ve ayağa kalkmaya yeltendi.

Murad olan biteni çok eğleniyormuş gibi yüzünde garip bir gülüşle izliyordu. Safiye görmeden, beceriksiz elleriyle kuşağının arasındaki hançerini aramaya başladı ve kızın başı öne eğikken ona saldırdı.

XXXVI

NEYSE Kİ HAFİF BİR yaralanmaydı bu. Adamın hançeri kınından dahi çıkarmamıştı. Hiç kullanmadığı bıçağın keskin olup olmaması Murad'ın umurunda bile değildi zaten. Tek umduğu, elini masanın öte yanına kadar hayalin içinden geçirebilmekti. Ama bu olmamıştı, kızın etinde, kının kaba kenarlarının açtığı yarayı görerek şaşkınlıkla kendine geldi.

Safiye'nin acı ve korkudan nefesi kesilmişti. Son konuşmasının küstahlığından ötürü cezalandırılmayı bekleyerek başı önünde, kolları omzunda çaprazlanmış bekliyordu. Bıçağın çarptığı sağ eli sızlıyordu. Gözlerinden yaş, yarasından kan akmaya başlamıştı.

Bu kanıtların karşısında Murad gerçeği kabul etmişti, "Benim, babamın ilk oğlu olduğum kadar gerçek bu da," dedi.

"O halde izin verin hareme döneyim efendimiz," diye yalvardı Safiye. "Sizi bir daha asla rahatsız etmeyeceğim."

Tutkularına karşın, henüz çok genç bir kızdı ve yaşadıkları karşısında şok geçiriyordu. Genç adam tam cevap verecekti, harem ahalisi içeri döküldü. Dilinin ucunda bu inatçı kıza savuracağı küfürlerle Nur Banu kapı önündeydi. Ama gördüğü manzara onu bir an durdurdu. Bir yıldan bu yana haşhaştan başka hiçbir şeye aldırmayan oğlu, önünde diz çökmüş kıza büyük bir ilgiyle eğilmişti. İşte bu anda Murad konuştu, "Anne, lütfen, izin verirsen..."

Bu kadarı kadının ağzını ve arkasından kapıyı kapaması için yeterliydi. Murad yerinden kalkarak kapıyı kilitledi. Döndüğünde yüzünde rahatlamanın verdiği bir gülümseme vardı.

"Şimdi ben seninle ne yapacağım", diye kızdan çok kendine soran bir ses tonuyla konuştu. "Eğer bu gece seni geri yollarsam, annem seni çiğ çiğ yer. Burada kalmalısın sanırım. İşte anahtar. Güvenliğinden emin olunca gidersin. Bana gelince, konakta bir yığın oda var, hem de buradan çok daha rahatlar. Gider orada uyurum... Allah aşkına, elbisen batmadan şu elinin çaresine bak."

Kızın yanına oturdu ve masadaki peçetelerden birini sallayarak ona uzattı. "Al, haydi, al diyorum sana."

Safiye sonunda söyleneni yaptı, yavaş yavaş titreyerek elindeki yarayı sarmaya başladı. Elini omzundan çektiğinde Murad oraya kendi elini koydu. Kızın saç örgülerinden birini tuttu ve avuçladı, daha sonra bıraktı. Safiye'nin güzelim bukleleri kendi ağırlıklarıyla sallandılar aşağı doğru. Murad elinde kalan pırıltılara baktı ve "Ah!" dedi. "Tam düşündüğüm gibi. Altın tozu. Annem gerçekten de cadının biri."

Ama bu düşünceler onun tekrar örgüyü tutmasına engel olmadı. İplerini çözerek, parmaklarıyla yavaş yavaş kızın saçlarını açmaya başladı. İncili şapkayı ve tülleri dikkatli bir özenle çıkardı ve tekrar sordu, "Ben seninle ne yapacağım?"

Aklından geçenleri uzaklaştırmak istercesine kafasını salladı. Diğer örgüler de birer birer Murad'ın ellerinde dağılmıştı, kucağı bu harikulade altın buklelerle doluydu. "Ben seninle ne yapacağım" diye mırıldandı yine.

Safiye "Belki de..." diye başladı ve sustu.

Kızın kararsızlığını ortadan kaldıran bir sesle Murad, "Belki de seni severim," dedi.

Her iki eliyle altın sarısı saçları avuçladı ve yavaşça yüzünü Safiye'ninkine yaklaştırdı. "Evet, bunu yapabilirim," dedi. "Eğer Allah yüzüme gülerse yapacağım. Gerçekten de seveceğim."

XXXVII

MABEYN KAPISININ AÇILIP Safiye'nin tekrar hareme dönmesi yaklaşık üç gün aldı. Mabeynin anahtarı genç âşıkların oyuncağı olmuştu. Bunu saklayıp arayarak oyunlar oynuyorlardı. Önce köle, kaçmak istermiş gibi yapan efendisinden anahtarı saklıyordu, sonra rolleri değişiyorlardı. Son olarak anahtarı Murad alıp, oturduğu minderin altına saklamıştı, Safiye onu bulduğunda kızı yakalayıp altına çekmiş ve yine uzun uzun sevişmişlerdi.

Sonunda yorgun düşen zayıf naif şehzade, çırılçıplak, divanın üzerinde aşk yorgunu uyuyakalmıştı. Bunun üzerine de Safiye, elbiselerini bir koluna alıp, anahtarı masaya bırakarak sıvışmıştı.

Onu görünce bir hayaletle karşılaşmış gibi şaşıran harem ahalisine kızın ilk söylediği, "Allahım açlıktan ölüyorum," oldu.

Üç gün boyunca âşıklar, artakalan bayram yiyecekleriyle idare etmişti. Yaşadıkları aşkın kıskançlığı içinde hiç kimseyi çağırmadan yarattıkları dünyanın tadını çıkararak. Çocuklar gibi ekmek kabuğu kemirip, ardından iki üç kez daha sevişmişlerdi. Öyle görünüyordu ki yiyeceklere karşı duydukları açlık, birbirlerine duydukları arzuyu kamçılıyordu.

Üç gün boyunca sofra artığı kuzu, tatlı işleri ve hurmadan başka bir şey yememişti Safiye. Rahatlıkla harem mutfağından bir şeyler isteyebilirdi ama aşk onu öyle bir uçuruyordu ki, akşamdan kalma pilav ve suyla yetindi, işin tuhafı bu ona dünyanın en lezzetli yemeklerinden daha güzel gelmişti.

Ellerini yıkayıp kendini toparlamaya çalışırken hikâyeyi öğrenmek isteyen meraklı kızlar etrafını sarmıştı. Avdan bir aslan ölüsüyle dönmek ya da savaşta elli düşman öldürmek selamlık için nasıl bir şeyse, olup bitenler de harem için o kadar önemliydi.

"Bu kadar uzun sürenin sonunda sana ne verdi?"

"Allah korusun, seni öldürdüğünü sandık."

"Evet, az kaldı hadımları oraya yolluyorduk."

"Üç gün, Allahım... Sana söyleyeyim, ben olsam ölürdüm."

"Sana mutlaka bir şey vermiş olmalı."

"Haydi, söyle, sana ne verdi?"

Sonunda Safiye bu yoğun soru yağmuruna cevap verdi. "Hiçbir şey."

"Hiçbir şey mi?"

"Buna inanmıyorum. Bizden saklıyor olmalı."

"Zaten saklanacak kadar büyük bir şey olduğunu anlamıştım ben."

"Belki de bir köledir..."

"Şişko bir hadım..."

"Karadeniz'de bir yalı... Kesinlikle daha az bir şey olamaz."

Safiye, pilavdan yağlanan elini sallayarak, "Bakın size söylüyorum," dedi. "Bana hiçbir şey vermedi." Ağzını tekrar doldurdu. "Ama belki de bir oğlan vermiştir, Allah kısmet ettiyse..."

Bunu söylerken Nur Banu'nun gözlerinin içine bakıyordu. Kadının gururu, olayları ikinci ağızdan öğrenemeyecek kadar kırılmıştı, bu yüzden herkesin arasına karışıp dinliyordu. Bir yandan da her ne kadar, tam planladığı gibi olmasa da, bunların tamamen kendi arzusuyla olduğunu düşünüp yüreğini ferahlatıyordu.

Bu duyguları yine de boğazını yakan öfkeye engel olamadı ve "Sana bir şey vermedi mi?" dedi. "Üç gün boyunca boşa çalışma, pek de başarı olarak kabul edilemez."

"Çalışma mı hanımım, siz buna çalışma mı diyorsunuz?" Safiye gözlerini neredeyse aşağılayan hatta alay eden bir şekilde Nur Banu'nunkilere dikmişti. "Buna çalışma diyenler, ücretlerini alsınlar. Bana gelince ben çok memnunum." Bu kelimeleri, herkesin ne demek istediğini anladığından emin olmak için bir kez daha tekrarladı... "Memnunum."

"Oğlunuzu suçlamayın," diye devam etti. "Belki de bana bir şeyler verecekti ama, onu uyurken bıraktım."

"Ne? Onu uyurken mi bıraktın, hem de iznini almadan öyle mi? O odadan çıkmadan?..."

"Evet, evet, evet..."

"Sana basitçe şunu söyleyeyim Safiye, böyle bir şey olamaz. Derhal Mabeyne dönmeni istiyorum ve hediye olsun, ya da olmasın oğlum, sana git demeden de buraya gelme."

Safiye bu emri duymamış gibi yaptı ve "İsmihan Sultan!" diye seslendi. "İsmihan, haydi benimle hamama gel. Su, bana öyle iyi gelecek ki... Tenim, üzerinde kuruyan terden tahta gibi oldu."

Nur Banu'ya bir an bakan kız Safiye'nin uzattığı eli tuttu. Haremde yepyeni bir güç vardı ve herkes bunun farkındaydı. Safiye, tabii ki şehzadenin annesinin yerini tutamazdı ama kız kendine bir arka bulmuştu. Veliahtın annesi de artık kolay kolay genç kölenin dizginlerini tutamazdı.

İsmihan'la el ele hamama doğru ilerleyen Safiye, omzunun üzerinden, "Ve hanımım," dedi. "Eğer oğlunuz beni çağırırsa, ki sanırım mutlaka bunu yapacaktır, ona hayır, deyin. Evet, ona, buna hazır olmadığımı söyleyin, ancak gelecek Cuma'ya olur, deyin. Kesinlikle daha önce olmaz."

İsmihan, elini tutan bu kızın, yani artık kadının, inanılmaz küstahlığı karşısında kıkırdamadan edemedi. Safiye de bu kıkırdamaya katıldı ve ikisi birden sanki içlerinde daha uzun yıllar onlara yetecek bir gençlik varmış gibi, nispet verircesine hamama doğru koşturarak gittiler.

Safiye ve İsmihan hâlâ hamamdaydılar ve gerçekten de Murad'ın habercisi geldi...

"Uygun durumda olmadığımı söyle ona," diyen Safiye keselenmeye devam etti.

Aracı bir süre sonra çok daha acil bir çağrıyla geri gelmişti.

Katı bir kararlılıkla tekrar "Uygun durumda değilim," dedi ve İsmihan da kıkırdaya kıkırdaya kadının ipek elbiselerini ıslatarak ona destek çıktı.

Ve armağanlar ardı ardına gelmeye başladı.

Daha önce, vah vah, diyerek dillerini şıkırdatanlar derin bir sessizliğe gömülmüşlerdi. Başlangıçta bunlar basit armağanlardı: Bir sepet dolusu olgun şeftali, daha önce kullanıldığı belli olan ama güzel bir mineli kutu. Murad'ın kadınlarla hiçbir ciddi deneyimi olmamıştı ve diğer erkekler gibi onların gönlünü alacak ıvır zıvır hakkında bir fikri yoktu.

Ama sonunda herhalde birilerine danışmıştı ki, bunların değerleri arttı da arttı. İpekler geldi, ardından mücevherler, mücevherler... Kütahya, böylesini daha önce hiç görmemişti.

Bunların bir kısmını kendisine bağlamak istediği ya da zaten bağlı olan kadınlara dağıttı Safiye. Sevgilisinin bu armağan yağmuru karşısındaki tavrını görse, Murad kesinlikle derin hayal kırıklığına düşerdi.

Safiye, bunların pek azını kendisine sakladı, ama inanılmaz bir kıskançlıkla yaptı bunu. Bunlar, şehzadenin kendi el yazısıyla yazdığı pek de iyi olmayan yarım düzine kadar şiirdi. Safiye tabii ki bunları kendi kendine okuyamıyordu, bunlardaki duygusallığı ona tek güvendiği insan olan İsmihan aktarıyordu. Gerçekten de kötü şiirlerdi bunlar. Safiye bile birkaç aylık Türkçesiyle iyi veya kötü şiiri birbirinden ayırabiliyordu. Haremde bol bol iyi şiir dinleniyordu. Kulağı çok iyiydi ve ana dili İtalyanca'dan ötürü şiir dünyasına yabancı sayılmazdı. Ama bunları onun gözünde değerli kılan Murad'ın beceriksiz sıradanlığıydı.

İsmihan'a sık sık, "Söyle bana bu kelime ne demek?" "Daha önce bunu nerede söylemişti?" diye sorular soruyor, her şeyi derinine öğrenmeye çalışıyordu ve genç adamın teninde dolaşan eliyle, kâğıt üstündeki bu çizgiler arasındaki benzer yankılanmaları bulmakta zorlanmıyordu.

Tekrar tekrar aynı şeyler söylenince de, "Sağol İsmihan," diyerek dikkatle mektubu katlayıp, kalbine en yakın yere, göğsüne yerleştiriyordu. Böylece onlara, aşk düşmanı kıskanç ellerin ulaşmasını da engelliyordu. Yine de ne hediyeler, ne de yakarışlar Safiye'nin Murad'ı şimdilik görmeme kararını değiştirebildi.

Hafta sonunda, haremde sürüp giden bu rezalete ve karmaşaya Nur Banu Kadın dayanamadı. Yanına kızlar ağasını da alarak, Safiye'yi odasına çağırdı. Beyaz iriyarı hadım, Nur Banu'nun fiziksel olarak da sağ eliydi. Ona emrederek rahatlıkla bir kızı ayaklarının altı şişip yürüyemeyecek hale gelene kadar falakaya da yatırtabilirdi, ya da oturamayacak, yatamayacak, hatta incecik ipekleri bile en azından bir ay giyemeyecek kadar sırtını, kıçını kamçılatabilirdi. Safiye, kadının en azından birkaç kez böyle öfkelenmiş olabileceğini hayal ediyordu, ama şimdi bu ceza konusunda kendisine hâkim olması gerekiyordu. Eğer onun kadar sinirli olan oğlu böyle bir şeyin olduğunu duyarsa sonsuza kadar annesini affetmezdi ve kadın onun üzerindeki etkisini tamamen kaybederdi. Safiye, hadımın orada bulunmasının yalnızca kadına sessiz bir güç sağlamak için olduğunun bilincindeydi.

Safiye bu kadına aitti, onun kölesiydi, ruh ve beden olarak onun malıydı, hem de ta başından beri onu bu hale getiren oydu. Nur Banu onu görünce öfkesini kontrol edemese sanki kız şaşıracak mıydı? Ama yine de elleri omuzlarında, düzgün ve saygı içinde durmaya çalışırken bile tavrında dalga geçen bir aşağılama vardı.

"Benim güzel kızım, kendini çok akıllı buluyordun değil mi?" diye sıkı bir iğnelemeyle sözlerine başladı Nur Banu. "Sanki benim oğlum sıradan bir adammış gibi onunla oynadın ha? Peki ya sen, sen nesin bir gecelik fahişe?... Bu sabah ne öğrendiğimi sana anlatayım. Murad aşk şairlerini de, mücevhercileri de başından def edip esrarkeş arkadaşlarını çağırmış yanına. Onunla oynamayı bir gün uzattın ve önümüzdeki hafta seni kerhanecilere satacağım, senin orospuluğun ancak onlara layıktır."

Safiye, kadının yüzündeki ifadeden ve bu sözlerden korkarak çarpılmış gibi kahır içinde önünde diz çöktü. Nur Banu'nun elbisesinin altın işli ucuna yapışarak yalvarmaya başladı. "Lütfen, lütfen bana inanınız hanımım, ben yalnızca onun iyiliğini istedim. Tek amacım onun tedavi olmasıydı. Lütfen, lütfen bana inanın. Bırakın ona bir kez daha gideyim. Onu yatıştırıp, tatmin edeceğim, Allah benim gibi bir sefile yardım elini uzatırsa, bunu başarabilirim."

Nur Banu yavaşça gülümsedi, sonra hadıma, gidip şehzadeye onu çok seven annesinin sorunu hallettiğini ve kızın derhal geleceğini söylemesini emretti.

Safiye, mabeyne girdiğinde kararlılığından hiçbir şey yitirmemişti ve tehlikenin oldukça abartıldığını gördü. Şehzade, canının sıkıntısını dağıtmak için bir nargile içmişti, hepsi buydu ve hâlâ Safiye'nin onun her derdinin çaresi olduğunu düşünüyordu.

❧

Nur Banu, bu mücadelenin gerçek galibi olmadığını biliyordu. Oğlunun güzel İtalyan kızını kendisini sevemeyeceği gibi sevdiğini biliyordu. Bu düşünülemeyecek bir günahtı. Nur Banu, kimseye itiraf edemese de içinden biliyordu ki, bu kız oğlunu kendisinden daha iyi anlıyordu. Safiye altıncı hissiyle Murad'ın ne istediğini, ne zaman istediğini biliyordu. Tıpkı hareme ilk girdiği günden itibaren karşılaştığı entrika ve hilelere boyun eğmeden, onları daha da mükemmel uygulamayı kendiliğinden öğrendiği gibi.

"Sadece uyumlu olarak, zamanı ve yatağı geniş tutarak yapılan bir sallanma ve itiş kakışdan ibaret bu iş." Nur Banu, bunu kafasında bir kenara atıverdi. "Her kız âşığının altında kımıldanıp, kıvırabilir."

Yine de kızın içgüdüselliğini ve oğlunu içine sürüklediği tutku fırtınalarını tam olarak küçümseyemiyordu. Zaman zaman kızın kedi gibi miyavlamalarına karşı Murad'ın çıkardığı hayvansı sesler mabeyinden hareme doğru yankılanıyordu ve bunları dinlememek olanaksızdı. Evet, bu içgüdüsel bir şeydi, kızın sahip olduğu ve Nur Banu'da olmayan.

Nur Banu, böyle tutku ve coşkuları kendi hayatında çok gördüğüyle övünürdü. Ama tek başına kaldığı zamanlarda biliyordu ki, Selim'e bir veliaht şehzade doğurmuş olması tamamen bir rastlantıydı. O, sevebilmesine izin verilen tek erkek- ve artık o adam Nur Banu'yu sevmiyordu- bir sarhoşluk anında rastlantısal olarak onunla olmuştu. Onun çürük çürük kokan terli etini ve şarap kokulu nefesini her hatırladığında midesi bulanıyordu. Günler boyunca sabahları hastalanmasının nedeninin bu olduğunu anlayamamıştı. Ne efendisinin ne de kendisinin tutkularını bilememişti. Eğer birinin tutkusunu tanıyorsa bu, o gece onun yüzüne gülmüş olan Allah'ın sevgisiydi.

Yine de olanları nasıl açıklayabilirdi? Bu güzel sarışın kız, onun sahip olabileceği her şeyin daha fazlasına ulaşmıştı. Murad hâlâ, zaman zaman esrar çekiyordu, ama kim yapmıyordu ki bunu? O kötü alışkanlığı bıraktığına dair bir şikâyeti de yoktu, çünkü Safiye'nin cesaret vermesiyle genç bir adamın hoşlanabileceği bir yığın etkinliğe de katılmaya başlamıştı.

Müzik ve resim alanındaki bilgisiyle kısa zamanda kendisine bir şöhret yapmış ve bir süre sonra da etrafında onun parası için değil dostluğu ve cömertliği için toplanan bir arkadaş grubu oluşmuştu. Beğendiği minyatürleri satın almadan önce Safiye'ye getiriyordu. Sevdiği bir müziği ise onunla birlikte dinleyebilmek için müzisyenlerin gözlerini bağlatarak huzuruna çıkarıyordu.

Aynı zamanda devlet işlerine de merak sarmaya başlamıştı. Ve sık sık babasıyla bu konularda çalışıyordu. Gün boyu süren yorucu işlerden sonra mabeyne, sevgilisinin kollarına geri geliyor ve onun beyaz, uzun bacaklarının arasında tüm geriliminden kurtuluyordu. Safiye, sevgi dolu dikkat ve ilgisiyle ondan Kütahya ve ilerde Osmanlı İmparatorluğu için çalışkan başarılı bir devlet adamı yaratmıştı.

Selim ve etrafındakilerin haftalarca kafasını kurcalayan bir sorunun kız tarafından çabucak çözümlenmesi pek de ender rastlanan bir durum değildi. Çünkü haremin dar ve özel baskılarının arasında bir beyin, eğer tutkulu ve zekiyse, ortamın tersine çok daha özgür kalabiliyordu.

Murad çözümü ertesi sabah babasına götürdüğünde, övgüler karşısında genç şehzade şöyle diyordu. "Allah yüzüme güldü, ben yalnızca istiareye yattım."

Bölüm III

Abdullah

XXVIII

KIŞIN DOKUNDUĞU bir sonbahar gecesinde, Kütahya'daki konağa geldik, bana yatacağım yer gösterildi ve kendi başıma kaldım. Yolculuğun tozunu ve yorgunluğunu yıkamak için haremlikle selamlık arasındaki uzun, geniş avluya çıktım. Bir kenarda haremin odaları, öbür tarafta hadımlarınkiler ve sancak beyiyle, oğlunun kadınlarla gönül eğlendirdiği iki oda vardı. Avlu kaba taşlarla kaplıydı, tepesindeki açıklıktan gökyüzü görünüyordu.

Kapıları açıp bir binadan diğerine geçerken dünyadan ayrı bir âleme, hareme geçmenin kesin ve kararlı duygusunu hissediyordum. Bir yabancı bile bunu anlayabilirdi.

O gece, duvarları yalayarak küçük dalgalar gibi yerdeki taşlara dökülen ayışığı bir pınara benziyordu. Uzun zamandır hiçbir şeyden etkilenmeyen ben bile gördüğüm bu manzara karşısında çarpılmıştım. Bir süre kımıldamadan durdum ve aklımı, bu dalgaların peşinde geçmiş günlere gitmesi için bıraktım. Bir daha asla tadına varamayacağım gemilere ve denize doğru...

Tam o sırada, mabeynin kapılarından biri açıldı ve ayışığı pınarından dökülen suda yürüyerek, avluda bana ulaştı.

Uzun, düzgün bedeninde alelacele sarındığı incecik bir gömlekten başka bir şey yoktu, çıplak boynu ve omuzlarının üzerinde altın rengi saçları özgürce dalgalanıyordu. Soğuk taşlarda aceleyle koşturan hafif, çıplak ayakları eriyen karda yürümeye benzer sesler çıkarıyordu. Adımlarında en başta olabilmenin acelesi ve ateşi vardı.

Onun kim olduğunu hemen anladım. Son altı aydaki bütün hayallerim ve karabasanlarım gerçeğe dönüşmüş gibiydi.

"Selam Sofia", dedim İtalyanca. İnanılmaz bir sakinlik içindeydim.

Anadilini duymaktan ya da Hıristiyan adıyla ona seslenilmesinden ötürü şaşırmıştı. Yine de hiç kimsenin onu yakalamasına izin verecek biri değildi. Derhal kendini toparladı ve hatta gömleğini soğukkanlılığını göstermek istercesine omzundan biraz daha aşağı düşürerek, "Veniero, bu gerçek bir sürpriz," dedi. "Hâlâ eski zamanlardaki gibi saf ve gözüpek. Hâlâ manastır duvarlarının tepesinde..."

"Kütahya'ya efendimin emri üstüne geldim, bu kez senin için değil."

"Bir köle? Sen de mi? Ben de öyleyim."

"İyi... Köleler ve köleler vardır, eski dostum Hüseyin'in dediği gibi."

Her delice sevdanın en önemli bölümü kuşku ve vesveselerdir, benim fiziksel reaksiyonum da bana aşkımın ne kadar bozulabilir, uyduruk olduğunu göstermişti. Kaybettiğim şeylerin karşısında acıyla gözlerimi kapattım, ama daha sonra konuşmaya başlayınca sakin ve kendinden emin bir duruma geçtim ve akıcı bir Türkçe'yle, "Efendim Sokullu Paşa'dır, yakında İsmihan Sultan'la evlenecek. Onu güven içinde İstanbul'a götürmek üzere geldim," dedim.

Baffo'nun kızı, duymak istemediği ve ona hiç uymayan bir durumla karşılaşan her parlak insan gibi cevap verememenin eksikliğini duyuyordu. Elimi cebime sokup ona bir kâğıt uzattım. Orada duran diğer iki değerli belgenin arasındaydı. Bu benim ne zaman ve nerede asla işime yarayacağını bilmeden, İstanbul'da bana emredilen işlerin peşinde koştururken görüp aldığım bir ilandı. Venedik elçiliği aracılığıyla limana gönderilmişti, altında Korfu Valisi Baffo'nun imzası vardı ve Türk haremlerinde esir olduğunu düşündüğü kızı için beş yüz kuruş fidye vereceğini söylüyordu.

Kâğıdı Sofia'nın eline tutuşturdum ve bu kez İtalyanca olarak, "Belki de bunu ilginç bulursun," dedim.

Onun savunma duvarını yok etmiştim. Gömleğinin yakalarını sinirli bir şekilde toparlarken merakına engel olamayıp kâğıdı açtı. Ama onda, anılaşmış geçmişe bir iki göz kırpıştan başka bir zayıflık belirtisi göremedim, hatta ilanın tümünü okuduktan sonra bile.

Çabucak ve kararlı bir şekilde kâğıdı bin bir parçaya böldü ve gözlerime dik dik bakarak "Babam," dedi. "Çok daha az bir şey teklif ediyor. Bu insanlar için ben şu anda en az altı yüz kuruş ederim."

Tam o sırada mabeynin kapısı açıldı ve genç bir adam, "Safiye, Safiye?" diye seslendi. "Neredesin aşkım, hani çabucak gelecektin, arzudan ölüyorum."

"Görüyorsunuz Veniero," dedi Safiye. "Burada bütün gece sizinle dedikodu ederek duramam."

"Safiye, aşkım..." diye tekrar bağırdı adam.

Daha soğuk ve daha alaycı bir İtalyanca'yla, "Hayır," dedim. "Sizin sorumluluklarınız şu anda çok daha yüce..."

Sesime hâkim olmak için hiç uğraşmamıştım ve sanıyorum çok ötelere kadar ulaşmıştı. Genellikle, dikkat ederek onu kontrol edebilirdim, ama olan olmuştu ve şu anda bildiğim tek şey, tele benzer bir çift elin boğazımı sıkmakta olduğuydu. Nefesim kesildi ve giderek sesim bir homurtuya dönüştü. Boğazlanmam sırasında dengemi yitirmemeyi başarmıştım. Bana saldıran, benimle aynı yaşlardaydı ve ne benden daha iri ne de daha güçlüydü, yine de öfkeli enerjisi beni duvara yapıştırmaya yetmişti.

Hüseyin'den bile duymadığım küfürleri savurup duruyordu. Oysa Suriyeli tüccar dostumdan ayrıldığımdan bu yana görüp öğrendiğim hep soylu ve nazik davranışlarla konuşmalardı. Bu ateşli genç adamın bana savurduğu hakaretlerin yarısını bile bilmiyordum. Ama zekâm bana bunların ne anlama geldiği konusunda bir fikir veriyordu. Sanıyorum adam, benim onun kadınının onuruna saldırdığımı ve bunun cezasının da derhal beni öldürmek olduğunu söylüyordu.

Safiye yarım yamalak Türkçesi'yle, güya ortalığı yatıştırma pozundaydı. "Aşkım, aşkım..."

Adını bilmediğim saldırganın çılgın darbelerinden kendimi korumak için öylesine bir savaş veriyordum ki, avluya başka kadınların da geldiğini zor fark ettim. Yerlerde yuvarlanırken çıkardığımız gürültü ve bağırışlarımız onları buraya çekmişti. Yarı giyinik, yarı çıplak bir yığın kadın ne olup bittiğini anlamak için yataklarından fırlayıp avluya çıkmıştı.

İçlerinden bir sesin yeni sahibeme ait olduğunu hemen anladım. İsmihan Sultan'dı bu. "Murad, kardeşim, dur!" diye bağırıyordu.

Dövüştüğüm adamın bir şehzade olduğunu anlamıştım, derhal kendime gelip onun huyuna gitmeliydim... Ama aylardır içimde büyüyen öfke ve bu çılgın darbeler sabırlı olmamı engelliyordu. Zaten bu insanların bana yapacakları başka bir kötülük kalmış mıydı? Bu pisliği öldürsem bile bana verecekleri ceza daha önce yaptıklarının yanında bir ödül olurdu.

İsmihan tekrar bağırdı. "Murad! Bir hadım. Yalnızca bir hadım!"

Genç şehzade bunu yanlış anladı. Kızın ona benimle kıyaslandığında bir hadımdan farksız olduğunu söylemek istediğini sandı (elinden değiştirebilecek bir şey gelmese de aramızdaki cüsse farkını o da biliyordu) ve bu onu daha da çıldırttı. Allahtan ki buna dayanacak kadar güçlüydüm.

Yüzünü göremediğim bir kadın sesi. "Tam söylediğim gibi," diyordu.

"Evet," dedi bir başkası. "Sokullu ne düşünüyor acaba? İsmihan için böyle birini satın almak..."

Ben kafama yumruklar yiyip dururken harem dedikoduları da hızla devam ediyordu.

"Herhalde hiç aklına gelmedi..."

"Tam bana söylendiği gibi, Paşa devlet işleriyle öylesine yoğun ki, evlilikle ilgili işleri bir türlü ayarlayamıyor galiba."

"Gerçekten. Böyle genç bir hizmetkâr. Ne yapması gerektiğini acaba biliyor mu?"

"Bu bir hizmet işi değil," diye bir başka ses karıştı. "Böyle genç, böyle yakışıklı biri... İsmihan'ı korumak için mi, gönlünü okşamak için mi?"

Yaşlıca biri, "Benim babamın hareminde" diyordu, "Kendini ispatlamamış bir adamın korumasına asla teslim edilmezdik. Buna dikkat edilmesi gerekir, peygamberimizin bu konuda sözleri var. Ben biliyorum. Babam..."

"Sokullu çok yaşlı" dedi kıkırdayan bir diğeri, "kendi yerine gerdeğe girecek birini yollamış galiba."

Şimdi bütün avlu kahkahalarla inliyordu ve sahibem genç, tatlı sesiyle hâlâ bağırıyordu. "Susun! Allah aşkına susun!" Ama bu onların kahkahalarını daha da artırdı.

"Sizin hadımlarınız nerede hanımlar?" diyebildim.

"İki adamın dövüşü size göre çok mu soylu bir davranış, durup bunu seyrediyorsunuz?"

Doğru söylüyordum ama bu benim duvara yapışmamı engellememişti. "Allah aşkına," dedim, kanayan burnumdan çıkan sesim hırıltılıydı. "Hadımlarınızı çağırın!" Adam böbreklerimi tekmeliyordu. "Söyleyin bunu benim üstümden alsınlar..." Şehzadenin koluna sarıldım, kendini kurtarmaya çalışırken kaftanı yırtıldı. "Yoksa buna bir zarar vereceğim."

"Bana zarar vereceksin ha?" Şehzade öfkeyle çeneme öyle bir çaktı ki, bir süre konuşamadım. "Görelim bakalım kim kime ne yapacakmış"

"Ah Veniero, Veniero!" Safiye'nin İtalyanca bağırışı diğerlerinin arasında sivrilmişti. Bir köşede incecik gömleğinin yakasını çekiştirip duruyordu. "Burası bir manastır değil benim sevgili Veniero'm. Burası harem. Bir erkeğin hareminde bulunmanın cezasının ölüm olduğunu hâlâ öğrenemedin mi?"

Benim gücümü yakından bilen biri olduğu halde beni böyle aşağılaması öylesine tepemi attırmıştı ki, bu hırsla şehzadeyi omuzlarından yakalayıp yukarı kaldırdım ve öylece tuttum. Öfke kalbimden boğazıma yükselmişti ve sözlerimde yankılanıyordu.

"Ya sen benim güzel Sofia'm, bir hadımla bir erkek arasındaki farkı hâlâ öğrenemedin mi?" İtalyanca'yı bırakıp, yanlış anlaşılmaması için Türkçe konuşuyordum. "Şimdi bile benim gibi iğdiş edilmiş gizli âşıklar mı arıyorsun? Sofia Baffo, ben bir hadımım. Teşekkür ederim." Şehzadeye döndüm. "Efendimiz, benim sizin kadınlarınızla ilgili hiçbir arzum yok. Ben bir hadımım."

XXXIX

"BURAYA IŞIĞIN ALTINA gel de kendine neler yaptığını görelim."

İsmihan'ın odasındaydık, beni bir çocuk gibi şefkatle elimden tutarak, uzun bir zincirin ucunda asılı zayıf ışığa doğru götürdü.

"Gözünün durumu iyi değil." Beni divana oturttu ve yaralarımı incelemeye başladı. Göğsünden yayılan gülyağı parfümü burnumda pıhtılaşan kanın kokusunu bile bastırıyordu. "Bak, dudağın şimdiden şişmeye başlamış."

Birkaç çabuk emirle yaralarımı temizlemek için içinde lavanta ve karanfil olan sıcak su getirtti. Yara temizleyici sıvıların kokusu beni karabasanlarıma taşıyıvermişti, bunları kafamdan atmak için şehzadeyle yeniden dövüşüyormuşum gibi bir hareket yaptım. İsmihan oturup acımın hafiflemesini bekledi. Hiçbir şey söylemedi, ama gözlerindeki sevgi beni kendimi kontrol etmeye zorladı.

"Biliyorsun üstat, sana henüz bir isim veremedim."

Bir oyuncakmışım gibi... Bu düşüncede yoğunlaştım.

"Üzgünüm," dedi hanımım. "Acıtacağını söylemeliydim. Daha dikkatli olmaya çalışacağım."

Beni geri çekilmeye itenin onun yaptıkları olmadığını ona söyleyemiyordum. Elimi onun avucuna bıraktım, kardeşinin yüzünü ıskalayıp duvara çarpan eklemlerime dokunuyordu.

"Lülû," dedi. "İlk hadımımın adının Lülû olmasını hep istemişimdir. Beyaz olursa Lülû, siyah olursa Sandal."

"Allah aşkına, Lülû olmaz," sözleri ağzımdan kaçıverdi.

Hanımım, sanki bir köpek yavrusu hatta bir küçük çocuk onun verdiği isme itiraz etmiş gibi şaşkın şaşkın gözlerini kırpıştırıyordu. Yeni durumumun dehşeti karşısında gözlerimi kapadım. Bu kadınlar hadımlarına köpek yavrusu ya da çocuk muamelesi yapıyorlardı demek ki. Buna katlanamazdım.

"Lülû adını sevmedin mi?"

Böylesi bir şaşkınlık karşısında cevap bile veremedim.

"İnci demektir ve ben düşünmüştüm ki İnci beyaza, tatlı kokulu bir ağaç cinsi olan Sandal da siyaha yakışır. Biz hadımlarımıza hep böyle isimler koyarız. Bilmiyor muydun? Nergis, sümbül gibi... Ya değerli taş ya da koku adları... Lülû'yu sevmedin."

Kendini ikna etmek ister gibi bunu tekrarlayıp duruyordu. "Bu akşamüstü seni gördüğümde ender bulunan bir inciye benziyordun." Çürüyen gözüme özenle merhem sürerken hafifçe güldü. "Şimdi pek o haline benzemiyorsun. Daha çok lekeli mermer gibisin. Ya da lâl taşı gibi diyelim. Aaa evet, Lâl adına ne dersin?"

"Adım Giorgio Veniero," dedim. Artık yok olmuş bir soyun adını söylerken sesim ıslıklaşmıştı.

Sahibem topuklarının üzerinde sallandı. Anlamadığı bu sesler onu şaşırtmıştı. Şaşkınlığının nedeni yalnızca bu değildi, hadımların sahibelerinin verdiği adlar ve hatta hayatlar dışında da bir şeyleri olabileceğini hiç düşünmemişti daha önce.

"Giorgio Veniero," diye tekrarladım. "Veniero."

Bu yabancı heceleri dilinin döndüğünce tekrarlamaya çalıştı ama bu şekilde söylendiğinde kelimeler daha çok amcamın fahişelerden kaptığı hastalığın adına benzemişti. Halbuki San Marko'da ne kadar da kolaydı bunu söylemek ve doğal. Evet yaşamımın kalan kısmını kadınlarla geçirmek zorundaydım. Neden yine kendimi korumaktan âciz kalmıştım? Şehzade Murad beni öldürseydi çok daha iyi olacaktı. Sonunda durumun umutsuzluğunu kavradım. Yoksa gün boyunca adımı rezil ederek tekrarlamaya devam edecekti.

"Ama sana ne diyeceğim o zaman?"

"Bana adam de."

"Adam mı?" Sesinde hakaret etmek istediğine dair bir iz yoktu. Sadece şaşırmıştı.

"Hayır artık o şekilde bile çağrılamam. Bana Allahın kulu de, başka her şey bir küfür gibi olacaktır benim için. Âdem bile benimle kıyaslanınca daha iyidir."

Türkçe anlatımımdaki başarısızlık acımı tam olarak ifade etmemi engelliyordu.

"Sen Allah'ın hizmetkârısın," dedi.

"Evet onun kölesiyim, hadımıyım."

"Hepimiz öyleyiz, hepimiz Abdullah'ız. Hepimiz alçakgönüllülükle bunu bilmeliyiz. Bazıları daha şanslıdırlar ve bunu diğerlerinden daha önce kavrarlar. Evet sonuçta hepimiz öyleyiz." Bu söyledikleri Türkler'in üzerinde düşünmeden ezberlediği şeylerden miydi, yoksa kendi düşünceleri miydi? "O halde sana Abdullah diyeceğim. Allah'ın hizmetkârı demektir."

"Abdullah?" En azından bir erkek ismiydi bu. "Dostum Hüseyin'in benimle dalga geçerek söylediği bir isim bu, onun İtalya'da Enrico diye çağrılması gibi benim de İstanbul'da yaşasam adımın Abdullah olması gerektiğini söylerdi."

"Bu seni üzer mi?"

Ne fark ederdi? Hiçbir şeyin önemi yoktu ki zaten. Yeni adımın karşısında omuzlarımı silktim.

"O halde adın Abdullah oldu." Elindeki bezi kabın içine daha kararlı bir şekilde sıktı. "Evet, bu sana çok uydu. Lülû'dan çok daha iyi. Sen diğer hadımlardan farklısın. Belki de onlardan çok daha yenisin, ondandır."

"Belki de."

"Bu senin ilk görevin mi?"

"Evet."

"Belki de her şeyin nedeni bu."

"Belki de."

"Bunun senin ilk görevin olduğunu düşünerek ben de elimden geleni yapacağım. Bir hadım için alıştığı sahibinin değişmesinin kolay bir şey olmadığını anlayabilirim."

Çok alakasız gibi görünse de, "Emrinizdeyim efendim," dedim.

Selahaddin'in şişko ve pasaklı karısının bana işin başında bunları öğretmesinden ötürü ilk defa ona karşı şükran duyuyordum. Bana bunları öğretmekte ısrar etmişti, çünkü o zaman satışım daha kolay ve kazançlı olacaktı. Oysa o sıralarda kin ve öfke içindeydim ve bunlar beni hiç ilgilendirmiyordu. Oysa şimdi anlıyordum ki, bunların bir anlamı vardı, insana kaçış olanağı veriyordu.

"Diğerlerinin söylediklerinde gerçek payı var mı?"

"Hangi diğerlerinin?"

Hanımım dudağını ısırdı, normalde yusyuvarlak olan ağzını germesi ona daha sıradan bir görüntü vermişti. "Sokullu Paşa, nişanlım, seni yollayarak belki de bir hata yaptı, senin gibi genç ve deneyimsiz biri..."

"Sanırım hadımlarla ilgili yoğun bir deneyimi yok, bu doğru."

Birden neşelendi. "Aslında, sende bir yanlışlık görmüyorum ben. Ağabeyime karşı duruşun ... Yanımda sen varken bana kimse bir şey yapamaz."

"Onun sizin kardeşiniz olduğunu anladığım için yakasını bıraktım, başka biri olsaydı..."

"Bunu takdir ediyorum üstat. Başka biri olsaydı bu gece Safiye'nin ona yapacağı yardımdan çok daha fazlasına ihtiyaç duyardı."

Suyla işini bitirmişti. Zaten artık soğumuştu. Bezi kabın içine bıraktı ve hizmetçiye onu dışarı çıkarmasını emretti.

Kız gidince şöyle dedi, "Safiye'yi tanıyorsun değil mi?"

"Safiye? Ona böyle mi diyorsunuz? Niye cadı ya da yelloz değil?"

"Onu tanıyorsun, eskiden?"

"Eskiden."

"O da İtalyan. O kadar küçük bir yer mi orası? Siz İtalyanlar büyükbabama denizlerde ve savaşlarda yeterince bela çıkarıyorsunuz."

"İtalya çok, çok zaman önceydi." Bu konuyu kapatamaz mıydık?

"Anlıyorum." Sanıyorum o da konuyu değiştirmeye çalışıyordu ama bu benim için yeterli değildi. "Safiye kesinlikle hareme hayat getirdi. Ağabeyime de... Senin bu gece yumruklarınla geri almaya çalıştığın hayatı. Safiye gibi iyi bir arkadaşım asla ve asla olmadı."

"Hanımımı hoşnut eden her şey beni de hoşnut eder." O, durumu idare eden cümlelerden bir başkasıydı bu.

"Sokullu Paşa umarım benim onunla arkadaşlığımı devam ettirmeme izin verir."

"Eminim ki hanımımı hoşnut edecek bir şey efendimi de edecektir."

Selim'in kızı kıkırdadı. Bir hadım gibi konuşmaya çalışmamda bu kadar komik olan neydi? "Hanımım?"

"Bir şey yok. Yalnızca ağabeyimin, haremin gerçek davetsiz misafiri olmasına gülüyorum. Ciddi biçimde kırılmış gururuyla nasıl çabucak mabeyne sıvıştı? Yaygaracının tekidir o. Ona aldırmamalısın."

"Doğrusunu isterseniz eğer gözümü böyle zonklatmasaydı ben de aldırmayı düşünmüyordum."

Hanımım tekrar güldü ama bu kez yüksek sesle. "Ve Safiye, öfkeyle sana sırtını dönüp nasıl âşığının peşinden gitti? Onu kimse daha önce böyle dize getirememişti."

"Âşığını izlemesi gerekirdi."

"Oh, hayır Murad değil sözünü ettiğim. O, Murad'ın isteklerini ancak kendi de istiyorsa yerine getirir. Sözünü ettiğim insan sensin Abdullah. Sen onu alaşağı ettin. 'Hadımlar arasında mı âşık arıyorsun?' Bakalım kim daha önce iyileşecek, çürük gözlü Murad mı, senin sözlerinle perişan olan Safiye mi?"

Hanımımla tanışalı çok kısa bir zaman olmuştu ama, onun tombul, sağlıklı, genç yüzünü aklıma yazabilmek için bu yeterli bir süreydi. Bunu, içim acıyarak yakında onun kocası olacak efendimin yaşlı ve sert yüzüyle karşılaştırdım ve hatta daha da acıyarak Selahaddin'in karısının gençlik haliyle de... Ama şu anda bana çok güzel geliyordu. Yuvarlak yüzü, yuvarlak kara gözleri, siyah bukleleri ve gülünce gamzelenen yuvarlak bir çeneyi tamamlayan yuvarlak ağzıyla insanın aklını başından alacak cinsten bir güzellik değildi bu. Burnunun sol tarafında kalıcı bir leke vardı. Ama iyi huyluydu ve içi dışına vurduğunda bile bu hoşluk bozulmuyordu.

Kendime rağmen güldüm ve o da güldü.

Sonra ani ve anlatılmaz bir birliktelik içinde İsmihan ve ben tekrar gülmeye başladık. Bir gülme kriziydi bu. Güldük, güldük, güldük... Gözlerimizden yaşlar gelip, her tarafımız ağrıyana kadar güldük. Göz göze geldiğimiz anda yeni bir gülme fırtınasına tutuluyorduk. Ve sonunda minderlere yıkılıp yuvarlanarak kendimizden geçene kadar güldük, ağladık.

"İyi geceler hanımım."

Bir serinlikle kendime geldiğim ana kadar yanyana ne kadar yattığımızı bilemiyorum. Selim'in kızı gülme krizinden sonra kımıltısız yatıyordu, cevap vermedi. Belki de uyumuştu. Sonbaharın soğuğu beni tekrar ürpertmişti. Bir battaniye buldum ve üzerine örttüm. Küçük kınalı ayakları kıvrılmış yatıyordu, derin derin nefes alıyordu. Evet uyumuştu.

İsmihan için gülmek iyi olmuştu. Bir gelin adayı olarak ağır bir baskı altındaydı ve ilerde bu daha da artacaktı. Ama gülmek benim için de iyi olmuştu. Hüseyin'in konuk odasından bu yana gülmek için kendime izin vermemiştim.

Bir kahkahanın zorlamasıyla hadımlık yaralarımın tekrar açılmasından korkuyordum, ama demek ki kahkaha atmanın bir zararı olmuyordu.

XL

NEMLİ NEMLİ KOKAN kırmızı ve sarı yapraklarla kaplı sonbahar tepeleri boyunca ilerledik. Gelin alayı neyseki tahmin ettiğimden daha iyiydi. Efendim başlangıçta yalnızca beni ve eski zenci kölesi Ali'yi yollamaya niyetlenmişti.O sıralarda devlet işleriyle çok yoğundu ama, yine de gelini karşılamak için İstanbul dışına bir gün için geleceğine söz verebilmişti.

Birileri, belki de Sultan'ın kendisi, onun kulağını büküp evleneceği kızın alelade bir köylü değil padişah soyundan gelme olduğunu söylemiş olmalı ki, Sokullu Paşa son dakikada sayımızı otuza çıkarmıştı. Kafilemiz, bir gelin alayında alışılageldiği gibi müzisyenler, hokkabazlar, akrobatlar ve soytarılarla dolu değildi, bunların yerine bir bölük yeniçeri vardı. Dışardan bakıldığında gelin almaya değil de Anadolu topraklarına vergi toplamaya gitttiğimiz zannedilebilirdi.

Bu dönüş yolculuğumuza Şehzade Murad da katılmıştı. Nur Banu ve avanesi her zaman yaptıkları gibi kış geldiği için dağlardan ayrılıyorlardı. Bu soğuk aylar boyunca, Selim'in ihtiyaçlarını karşılayacak ölçüde ufak bir harem bırakılıyordu konakta. Ve Safiye de bu ayaktakımı arasında olmak istememişti. Murad'ın yanı başından ayrılmıyordu. Onların da kışı İstanbul'da geçirebilmeleri için tek şansı Murad'a baskı yapıp, Selim'i bu konuda ikna ettirmekti. Safiye bunu kendi metotlarıyla sağlamıştı, gündüz vakti ortalıkta yapılan tartışmalarla değil, geceler boyunca sürüp giden aşk cilveleriyle...

Dedikodular ne derse desin, ben yine Murad'ın bizimle gelmesindeki tek amacın bu olmadığını hissediyordum. Bana kadınlarının namusu konusunda zerre kadar güvenmiyordu. Bu kuşku, perdeli arabalardan birine her yaklaşışımda sırtımda şakladığını hissettiğim bir kırbaç gibiydi. Kız kardeşiyle olan ilişkimden daha çok, sanıyorum Safiye ile yaptığımız sert ve kısa konuşmalar onu kıskandırıyordu. Onu ilgilendiren İsmihan'ın bekâreti değil, Baffo'nun kızıyla aramızda olduğunu düşündüğü geçmiş ilişkiydi.

Kendi çıkarları söz konusu olduğu için Safiye bunu

gayet güzel idare ediyordu. Sahibemin gün boyu benim aracılığımla, onu dedikodu haberi yağmuruna tutmasına ve sık sık yanına davet etmesine karşılık olarak tek kelime bile etmiyordu. Tüm ilgisi kafilenin başında, at üstünde ilerleyen şehzadedeydi ve bu ilgisini hadımlar aracılığıyla ona iletiyordu.

Üçüncü gün öğle molası verdiğimizde yine elim boş olarak İsmihan'ın yanına döndüm.

"Safiye ne diyor?" diye merakla sordu hanımım.

"Bir şey söylemedi, sessizce kafesin arkasından mesajı aldı, o kadar."

"Beni görmeye yanıma yine gelmiyor."

İsmihan'ın sesinde derin bir acı vardı. Dibinde kozalakların yayıldığı kızıl çamın gölgesindeki minderler bile ona kendini rahat hissettirmiyordu.

Hizmetkârlar öğle yemeği için çeşit çeşit yiyecek getirdiler ve ona öncelikle bir lokma ikram etme hatasına düştüler.

"Safiye'nin en sevdiği şey." dedi. Tüm iştahı kaybolmuştu, hiçbir şey yemedi.

Kadınlardan biri onun gönlünü alabilmek için "Hanımım, Safiye şu anda aşkıyla meşgul," dedi. "Yakında sizin de kendi aşkınız olacak ve en az onun kadar siz de meşgul olacaksınız. Bunu düşünün, evleneceğiniz adamı düşünün ve üzülmeyin."

Diğer kızlar da buna benzer şeyler mırıldandılar ama İsmihan, bunlara kulak vermedi ve bakışlarını onlardan kaçırırken benimkilerle karşılaştı. Kimse bana çekilmemi söylememişti, orada saçma bir şekilde dikiliyordum ve acaba kendi kendime çekileyim mi, diye düşünüyordum. Kadife bakışlı kahverengi gözlerinden yağmur gibi boşalan yaşlar canımın sıkıntısını kat kat artırıvermişti. Ama beni görünce sustu ve bir küçük bir kahkaha attı. Bu Kütahya'daki odada üç gece önceki kahkaha tufanının bir yankılanmasıydı.

"Abdullah," dedi.

"Emrinizdeyim hanımım."

Elini uzattı ve benim onu avucuma almam için ısrar etti. Eli yumuşak ve sıcaktı. "Buraya benim yanıma gelip oturacaksın ve bana her şeyi anlatacaksın Abdullah."

"Hanımım?"

"Bana kocam olacak Sokullu Paşa ile ilgili olarak bildiğin her şeyi anlat."

"Korkarım ki hanımım bu konuda fazla bir bilgim yok."

"Onu tanıyorsun öyle değil mi?"

"Evet", dedim, "ama yalnızca bir kez gördüm."

"Gördün mü? Bu tanıdığım herkesten bir kez daha fazla. Bütün bu sersem kadınlar ya beni korkutmak, ya da korkularımı yatıştırmak için saçma sapan şeyler söyleyip duruyorlar. Oysa onu hayatlarında tek bir kez bile görmemişler ve ben bütün bu anlatılanlara inanmıyorum. Yalnızca sana inanırım Abdullah, onun için bana gerçeği söylemelisin. Sokullu Paşa'nın yaşlı olduğu söyleniyor, gerçekten de çok mu yaşlı?"

İsmihan'ın bu sözleri üzerine hizmetçiler ellerindeki işleri bile bırakıp can kulağıyla dinlemeye başlamışlardı. Nerdeyse İsmihan kadar büyük bir merak içindeydiler.

"Genç değil," diye itiraf ettim. Yükselen hayal kırıklığıyla dolu mırıltılara bir son verebilmek amacıyla konuşmamı sürdürdüm. "Ama hanımım, siz gençliğinizin tomurcuk dönemindesiniz –Allah sizi korusun– ve hakkınızda yapılan bu kıyaslamanın sizin lehinize olmasından sevinç duyun. Hiçbir erkek karısıyla ilgili hiçbir konuda bozguna uğramaya tahammül edemez, çünkü kendisi galip gelmek mecburiyetindedir."

Bu açıklama herkesi memnun etmiş olmalıydı ki, hepsi birden kıkırdadı.

Ama İsmihan, "Hayır, benimle dalga geçme Abdullah," dedi. "Diğerleri hep benimle alay ediyorlar, sen yapmamalısın bunu. Sokullu Paşa yaklaşık otuz yıldır büyükbabamın hizmetindeymiş. Toplama yapabilirim. En azından kırkında olmalı."

"Allah yaşını iki katına çıkarsın," dedim. "Efendimiz elli dört yaşında."

İsmihan, "Hayır, hayır, onun yaşının iki katına çıkması için dua etme. Elli dört! Bu benim yaşımın üç hatta neredeyse dört katı. Babam bile ondan genç," diye feryat etti.

"Sokullu Paşa güçlü, kuvvetli ve zeki bir adam. Allah'ın izniyle uzun yıllar yaşayacak bir asker o, en azından bir yirmi yıl daha savaşır, devlet yönetir ve aşk da yapabilir."

"Ama ben önünde koca bir hayatı olan küçük bir çocuğum Allahım, dedem yaşında biriyle evlendiriliyorum."

"Eğer bu sizi rahatlatacaksa, söylenenlere göre ve benim de gördüğüm bunu doğruluyordu, Sokullu Paşa aşk konusunda en az sizin kadar acemi biri."

"Eğer söylediğin gibi sağlıklı biriyse bu nasıl olabilir?"

"Unutmayınız hanımım. Sokullu Paşa Enderun'dan geliyor."

"Yani devşirmelerden biri öyle mi?"

Eğer İsmihan onun bugünlere ulaşmasını sağlayan Haçlılar'ı bilerek yetişmiş bir Hıristiyan kızı olsaydı, sesinde en azından bir korku titremesi olurdu. Ya da nişanlısının her beş yılda bir imparatorluğun geniş topraklarından toparlanan binlerce devşirmeden biri olduğunu düşünmenin verdiği bir acıma... Padişahın özel köleleri olan bu gençler küçük yaşta zorla İslam'a döndürülüyorlardı ve bir daha ne evlerine ne de yurtlarına geri dönme şansları oluyordu.

Ama neredeyse inzivada geçen yaşamında tek bir devşirme çocuk görmemiş olmasına karşın İsmihan işin yalnızca Türk anlatımını biliyordu. Hıristiyan anne ve babaların çocuklarından ayrılmaktan hoşlanmasalar da onların seçilmelerini engelleyecek sakatlıklarını kapattıkları gibi... Daha iyi bir eğitim ve gelişim şansının olduğu pırıltılı başkentin sınırındaki savaşın gadrine uğramış yoksul ve perişan sınır köylerinde tabii ki ne din ne de aile birliği kalıyordu. Ama bir Müslüman ailenin, oğlunun sünnetinden vazgeçip onu Hıristiyan yapacak bir "daha iyi hayat" özlemine izin verdiği de duyulmamıştı.

İsmihan bile kocasının bir köle olduğunu düşünmek zahmetine katlanmamıştı. Enderun'a giden çocukların ilk öğrendiği Allah'ın gölgesi Sultan'a sorgusuz sualsiz tam itaatti ama, başka şeyler de vardı. Daha zeki bulunanlara okuma ve yazma öğretiliyordu; bileği güçlü olanlar ise savaşçı olarak yetiştiriliyordu, pek çoğu kalemle de kılıçla da arası iyi olan çocuklardı. Artık evleri olan koğuşlarda ne aile prestiji, ne sağlık, ne de para önemliydi, tek gerçek faktör bireysel yetenekti. Bazıları bahçıvan, bazıları aşçı, bazıları din ve bilim adamı oluyordu. Ama büyük bir kısmının gittiği yer yeniçeri taburlarıydı ve orada tek vücut halinde Sultan için dövüşüp kendi hayatlarını ikinci plana itiyorlardı. Bağlılığını özel bir şekilde gösterenler Sultan'ın özel koruması olma şansına erişebiliyordu.

İçlerinden pek azı, Sokullu gibi çok büyük yeteneklere sahip olanlar, yirmi yaşından önce padişahın dikkatini çekebiliyorsa devlet adamı ya da paşa olmak yolunda şansa kavuşuyordu. Bunlar, Osmanlı yönetiminin görünmeyen belkemiğini oluşturanlardı ve padişah bunlara özbeöz Türk olanlardan çok daha fazla güvenirdi. Sonuçta bu adamlar onun kendi yarattıklarıydılar. Onlar paşa ve hatta vezir bile olsalar Sultan'ın köleleriydiler. Yaşamları boyunca yaptıkları dünyalıklar, ölümleriyle birlikte hanedanın kasasına geçiyordu ve Sultan bir anda onları bu ölüme yollayacak güce her zaman sahipti. Onun elini bir sallamasıyla, kendi içlerinden biri yağlı ipi çekiveriyordu.

Sokullu Paşa'nın on dokuz yirmi yaşından sonraki yaşamıyla ilgili tüm bildiklerimi İsmihan'a aktardım. Avrupa'nın kenarından gelen bu delikanlının nasıl padişahın gözüne girip yükseldiğini ve devlet yönetiminin gözbebeği olduğunu. Bu basit bir öyküydü, tüm büyük başarı öyküleri gibi. Bir durumdan ötekine yükselerek, paşa ve vezirlerin arasında yerini almış, en sonunda da cuma günleri arkasında sallanan üç tuğa kavuşmuştu.

"Sokullu Paşa'nın bu yükselişi karşısında pek çok söylenti üretilmiş, öyle ki bazı diplomat ve siyasetçiler, aralarında onun unvanı kadar gücü olmadığını fısıldaşmaya başlamışlar," dedim. "İşte, Aya Sofya Camii'nin karşısındaki büyük araziyi satın almasının bir nedeni de bu."

"Hareminin dışında İstanbul'da fazla bir yer bilmiyorum," dedi İsmihan. "Ama oradan söz edildiğini duydum. Yeni saraydan fazla uzak değil galiba, öyle değil mi?"

"Hiç uzak değil. Zaten orayı alırken en fazla buna önem verdiğini düşünüyorum. Sultan'ın ani bir davetiyle karşılaştığında, yatağından fırlayıp Divan'daki yerini alması yarım saat bile sürmeyecek bu durumda. Satın aldığı arazinin havuzları, bitkileri ve üzerinde konağının olduğu küçük tepecik onun için daha az önem taşıyor. Evin mimarı da Sinan."

"Evet onu biliyorum, saray mimarı."

"Bu konak onun tarafından yapıldığı için ayrıca değerli. Ama Sokullu Paşa ölümünden sonra tüm mal varlığının saraya geçeceğini biliyor. O yok olduğunda onunla birlikte yok olacak bir servete sahip olmanın ne önemi var ? Hatta çocuklarının ve karısının meteliksiz kalacağını bile bile evlenmenin de... Bu yüzden konağı karıları ve çocuklarıyla doldurmamış. Ayrıca Enderun'da öylesine katı bir eğitim ve terbiye almış ki, sıradan insanlara mutluluk veren şeyler, Sokullu gibi disiplinli bir adam için hiçbir şey ifade edemez. İşi, kumaşların da, müziğin de ve hatta kadınların da önünde geliyor onun için. Ayrıca Sultan'ın istekleri doğrultusunda diplomatlarla, vergi toplayıcılarla ve bin bir sorunla dolu geçen bir günün ardından kendine ayıracak özel bir vakti kalmıyor.

Yüksek mertebelerdeki bir kölenin dünyaya kalıcı bir ad bırakabilmesinin tek bir yolu vardır ve Sokullu da daima bunun için uğraşmıştır," diye İsmihan'a açıklama yapmaya devam ettim.

O da, "Medreseler ve vakıflar," dedi.

"Evet, onun adına kurulmuş yeni bir cami, medrese ya derviş tekkesiyle övünmeyen eyalet sayısı çok azdır. Başkaları bunun arkasında istifçilik yapıp, haremlerinde gönül eğlerken, Sokullu Paşa onuruyla yaşamayı seçmiş biridir.

Ve işte elli dört yılın sonunda, ona da özel zevklerin tadını çıkarması için bir öneri sunuluyor. Hayır bir öneriden daha öte... Reddedemeyeceği bir biçimde Sultan tarafından sunulan bir armağan bu. Padişahın torununun kocası olup, onu yaşam boyu koruyup kollamanın onuru veriliyor Sokullu'ya. Sizin Sultan soyundan gelmeniz, onun ölümünden sonra karısı ve Allah kısmet ederse, çocukları için endişelenmesini gerektirmeyecektir. Sizin arkanızda koskoca bir hanedan var. Sokullu Paşa, sanıyorum bu onurun şoku içindedir hâlâ ve bunun kendisine yüklediği sorumluluğu asla unutmayacaktır. Bahse girerim..."

Sözlerimi bitirirken İsmihan'a bakarak göz kırpmaya cesaret ettim ve "Sizin yanınızda utangaç olacaktır, inanın cesaret vermesi gereken de siz olacaksınız" dedim.

İsmihan bu sözlerimin üzerine utançtan kıpkırmızı olmuştu, "Ama söyle bana yakışıklı mı, Paşa yakışıklı mı?", diye sordu. "Bu çok önemli. Eğer yakışıklıysa her şey daha kolay olacak."

Kibarca gülümsedim ve kelimelerimi seçmeye özenerek, "Korkarım ki hanımım," dedim, "bu sorunuzu cevaplayamam."

Çabucak gözleri tekrar yaşlarla dolan İsmihan, "Oh, ama cevaplamalısın," dedi. Bu defaki yaşlar üzüntüden çok kafa karışıklığındandı.

"Lütfen hanımım, şunu anlamalısınız, bir erkek hadımlaştırılmış bile olsa, bir başka erkeğe bir kadının gözleriyle bakamaz. Bana gelince bir kadının gözleri olmayı öğrenme konusunda o kadar yeni ve acemiyim ki..."

"Zavallı, zavalllı Abdullah," dedi İsmihan, bana cesaret vermek istiyordu.

"Lütfen beni anlayınız hanımım, Sokullu Paşa'ya bakma nedenim, yeni efendimi görmek içindi, sizin kocanızınızın kim olacağını görmek için değil."

"Ama bana izleniminin ne olduğunu söyle. Emin ol ki bir adamın karısı kölesinden daha farklı ve üstün değildir."

Bu bakış ve kelimeler beni derinden sarstı ve içimden bir ses, bu kadına koparılamaz bağlarla bağlandığımı söyledi. Aslında zaman zaman İsmihan'la bu sözlerin beni evlendirdiğini hissettim, bu öyle bir evlilikti ki, Paşa'yla olandan çok daha hoştu ve daha gerçekti, çünkü birleşen bizim ruhlarımızdı ve bedenlerimizin bununla hiçbir ilgisi yoktu.

Şimdi yavaşça konuşuyordum ve yürektendi bu, hiç kimsenin bizi duymasını istemiyordum.

"Hanımım, beni doğruyu söylemek konusunda zorladınız ve ben de size doğruyu söyleyeceğim. Sokullu sizin yakışıklı olarak tarif edebileceğiniz biri değil. Ama korkmayın. Beni dinleyin. Kadınların 'yakışıklı' dedikleri daha çok 'hoş'luk anlatan bir şeydir. Bir kocadan çok, bir oğul için daha uygun bir tanımlama. Örneğin, bana yakışıklı olduğum söylenmiştir ve Kütahya'da başıma gelenler bu durumun çok değişmemiş olduğunun belirtisi bence. Ama bir koca olarak sizin pek işinize yaramam, öyle değil mi?" Bunları söyledim ve o da başıyla onayladı, ama gözlerimiz birbirinden kaçıyordı. Sözlerim, sanki, ta derinlerde çok iyi bildiğimiz bir gerçeği örten, bir çeşit usule uygun yalandı

"Sokullu'nun içindeki küçük çocuk hâlâ duruyor. Çok sağlam bir zekâsı var ve vücut yapısı da bunu yansıtıyor. Uzun boylu, belki benden de uzun. İnce, keskin bir burnu var. Kaşları ve çenesi belirgin. Bunlar bana, onun adının anadili olan Sırpça'daki karşılığını hatırlatıyor, şahin demekmiş bu. O bakışlara sahip birine ne kadar uygun bir ad. Kararlı bir güçlülük ve bağımsızlık o gözlerin en belirgin iki özelliği. Onu gördüğüm ilk anda bir rahatlama hissetmiştim. İşte güvenilebilecek bir efendi, Allah'a şükürler olsun, dedim. Yakışıklı olmayabilirdi, belki benim gibi saatlerce oturup şiir dinlemeyebilirdi. Ama işini seven, sorumluluklarına sahip biri olduğu belliydi ve bunu yerine getirememektense ölmeyi tercih edenlerdendi. Eğer onun yanında kötü bir davranışla karşılaşırsam, bunun nedenini ancak kendimin yaratmış olacağının bilincindeydim. Eğer ben görevlerimi başarıyla yaparsam, o da bunun karşılığını verecekti bana. Beni besleyip, giydirecekti ve elinden geldiğince –Allah'ın istediği kadar– yaşadığım sürece mutlu olmamı sağlayacaktı. Bir köle olarak bu düşüncelerle rahatlamıştım."

Yastıklarına keyifle yaslanan İsmihan, "Bir gelin olarak ben de..." dedi.

Ne yazık ki bu keyfi uzun sürmedi, mola bitmişti. İsmihan'ın elinden tutup ayağa kalkmasına yardım ettim, Arabasına bindirdim, arkasından bir mücevher kutusunun kapağını kaparcasına perdeleri indirdim. Adamlara artık onu taşıyabileceklerini işaret ettim. Elim, arabanın kafesinde bir süre yürüdüm. Ama düşüncelerim çok uzaklardaydı.

Sokullu ile ilk karşılaşmam hâlâ aklımdaydı. İsmihan'a daha fazla detay verebilmek için değildi bu. Yalnızca ikimizin arasında oluşan o kuvvetli manevi bağ bana, o güne dek aklıma getirmediğim bir yığın şeyi hatırlatıvermişti.

Düğün için hazırlanmış kumaş ve baharat çuvallarının üzerinde oturuyordum. Bir yığın armağanın biri de bendim ve bu durum gururumu okşamıyordu. Bir eşya gibi değerlendirilmek insani duygularımı zedeliyordu ve dudaklarım "efendimiz" lafının acısına henüz alışamamıştı.

Ve Sokullu Paşa odaya girmişti. Alışverişleri bir kadının ince zevkine hitap edebilecek biçimde değil de, eski bir kölenin kaba saba tavrıyla yapan zenci Ali, efendisini hazırlıkları son bir kez denetlemesi için çağırmıştı.

Paşa'nın aklı başka şeylerle meşguldü ve hemen işinin başına geri dönmek istiyordu herhalde. "Tamam, tamam Ali", diyerek aceleyle dolaşıyordu malların arasında.

Sonra şahin bakışları beni bulmuştu. Öğretildiği gibi, ama çok sert bir biçimde eğilerek selamlamıştım Paşayı. Onun gibi bir büyük adamın durumumu anlayabileceğini düşünüyordum.

Ali sırıtarak, "Emrettiğiniz hadım," demişti.

"Görüyorum."

"İyi bir hadım ve doğrusu iyi fiyata aldım onu."

"İyi Ali, çok iyi."

Sokullu bunları söyledikten sonra genzini temizleyip ben önüme bakana dek gözlerini ağartarak bana dikmişti. Ne adımı ne de işimi sormuştu, hoş zaten bunlara verecek doğru dürüst bir cevabım da yoktu. Çok gerilerde kalmış bir maziyle uğraşıyormuş gibi bir iki dakika daha bakmıştı bana. Tekrar kontrolünü kazanıp, o bildiğimiz güçlü adama dönüştüğünde, elini omzuma koymuştu ve sonra hızla odadan dışarı çıkmıştı. Beni köle pazarına geri göndermeyeceğini anlamıştım.

İşte benzer bir şekilde, elim İsmihan'ın kafesinde yürürken o dakikaları yeniden yaşıyordum. Tabii ki hanımıma bunları anlatmayacaktım bunun ona bir faydası olmazdı, hatta bana bile...

XLI

"ANNESİ Mİ? Oh, Sokullu'nun bir de annesi mi var? Bunu bana niye daha önce söylemedin?"

Sesindeki acı ve korku, imparatorluğun çöktüğünü duysa bilmem bu denli büyük olur muydu. Bunun kabahati de bendeydi.

Sokullu'nun küçük vakıflarından birinin olduğu İnönü'de mola vermiştik. Burası, yoksullara ekmek ve süt dağıtılan ufacık bir binaydı. İsmihan gümüş gerdanlığını bana verdi ve içeri girip belki biraz sebze ve et alınabilir düşüncesiyle, bunu vakfa bağışlamamı istedi. Geri döndüğümde gördüğüm her şeyi ona anlatmamı eklemeyi de unutmadı.

Bu önce bana çok basit görünmüştü ama geri dönüp de izlenimlerimi aktarmaya başladığımda bayağı zorlanmıştım. Haremin dışına pek çıkmamış birine, küçük bir kasaba pazarını sarmalayan kayısı rengindeki akşamüstü ışığını anlatmak hiç de kolay değildi. En aşağı işlerde kullandığı kölesi bile çok daha iyi beslenip, giyinen birine yoksul yüzlerdeki ifadeyi nasıl aktarabilirdim?

İşte bu zorlanma içinde ona, vakfın başındakilerin birine söylediğim cümleyi aktarırken olanlar olmuştu: "Kayınvalidesi gibi o da nur yüzlü biri."

Gelin adayına kayınvalidesinin varlığından söz etmeyişimin arkasında hiçbir kötü niyet yoktu oysa. Sokullu'nun haremindeki tek varlık olan gölgemsi figür, o kadar silikti ki, onu tamamen aklımdan çıkarmıştım. Aklıma gelip söylemek istediğimde ise konu değiştiği için yine unutmuştum. Vakıfla ilgili merakı silinip giden İsmihan'ın güvenini tekrar kazanmak için çabalıyordum. Bu konuyu atlamamın nedeninin, kadının güçsüz görüntüsünden kaynaklandığını söylemeye çalışıyordum İsmihan'a.

"Ufak tefek, ürkek bir kadın, ayakları onu daha uzun bir süre taşıyamayacak belli. Hiç kımıldamıyor denebilir, ne gece ne de gündüz. Haremdeki divanında oturup duruyor. Ama gözleri ve elleri hâlâ becerikli, güneş doğduktan batana dek elindeki işle uğraşıyor. Harika şeyler yapıyor, hiç görmediğim güzellikte kuşlar ve çiçekler işliyor."

İsmihan, "Biraz tuhaf görünüyor," dedi.

"Bu desenler resim yapmanın yasaklandığı Müslümanlar için tuhaf olabilir, ama efendimizin doğduğu Bosna'nın kadınları için çok olağan. Efendimizin annesinin dini eğitiminin olmadığı belliydi, ama bu konuda ona hiçbir şey söyleyemezdim. Ona yaptığı elişleri hakkında da bir şey söyleyemezdim. Çünkü Paşa'nın onu yanına aldırdığı yirmi yıl boyunca tek bir Türkçe kelime bile öğrenmemişti. Bu yaşlı kadın, kendisini çok sevdiği için değil de, yine yerine getirilmesi gereken bir görev olarak kabul eden oğlunun ziyaretleri dışında konuşmuyordu. Bana selam verirken, kendi dilinde bir iki söz söylemiş olmasının nedeniyse, herhalde benim bir yabancı olmamdan kaynaklanmıştı. Ona gülümseyerek karşılık vermeye çalışmıştım. Sokullu Paşa'nın haremindeki yalnızlık, en az haremin kendisi kadar büyüktü. Yaşlı kadına bakan Ali'nin karısı düşüncelerimi okumuş gibi, 'korkma', demişti. 'Gelinin varlığı buraya hayat getirecektir.' İnşallah bu sözler yakında gerçekleşecek."

İsmihan sözlerimle rahatlamaya çalışıyordu. Bunun birinci redeni, rahatlamasını benim de en az onun kadar arzu ettiğimi bilmesiydi, ikinci nedeni ise gideceği tek kişilik haremde benden başka arkadaşı olmamasıydı. Bir başkası için affedilmez bir şekilde kendini ele vermek olarak da değerlendirilebilen, düşündüklerinin insanın yüzünden anlaşılmasının ne kadar önemli ve asla gözden kaçırılmaması gereken bir şey olduğunu yeni yeni anlamaya başlamıştım. Birbirini gözünden anlamak ve yapmacıksız bir şekilde, içtenlikle eskisinden çok daha iyi bir arkadaşlıkla birbirini kucaklamak gerçekten de değer biçilemeyecek bir şeydi.

Aynı zamanda, yaptığım büyük hatadan sonra bile, hâlâ birbirimizin yaşamını bu kadar güzel paylaşabilmemizin bir kader mi, yoksa benim kendi gücüm mü olduğunu kafamdan geçiriyordum. Şimdi anlıyorum ki, bu büyük bir gayretti; derilerinden terler fışkırarak, adaleleri şişerek bir taşı bir tepenin üzerine taşımaya çalışan köleler ordusununki gibi bir gayret. Bu gayretin tamamı İsmihan'dan gelmişti. Onun küçük ellerinin, kahverengi tatlı gözlerinin ve mükemmel yüreğinin gücünden kaynaklanmıştı bu gayret. Geçmişine dair benimle paylaşmadığı herhalde pek az şey kalmıştı İsmihan'ın. Babasının haremine kapatılmış olarak geçen bir on dört yıl. Onun da dediği gibi yaşamı bir öyküden çok şiire benziyordu. Bana şu mısraları okudu:

"Kapıları gece gündüz açık
Bu eski kervansarayda
Azametli sultanlar bile sırayla
Saatini bekledi ve gitti."

Onda neredeyse kutsal bir dinleyebilme yetisi vardı. İnsan konuştuğunda, kelimelerinin onu dinleyen tarafından mücevherden daha değerli bulunduğunu hissediyordu. Sokullu Paşa'nın annesiyle ilgili endişelerinden uzaklaşıp, benimkileri ortadan kaldırmaya çalışması ise inanılmazdı.

İnönü'deki Bey'in, yatak odalarından birinde hanımım tuhaf bir yatakta kıvrılmışken, ona çocukluğumdan ve denizlerdeki hayatımdan söz ettim. Aslında bu çok kolay olabilirdi. Bir hikâyeci sesine bürünüp, geçmişimi ikimizi de eğlendirecek bir şekilde anlatabilirdim.

Ama becerikli İsmihan, benim anlattıklarımdan yakın geçmişime ait tabloları ortaya çıkartmayı başardı. Pera'nın dışındaki o karanlık evde bana neler olduğunun detaylarını aktarmamıştım ona. Oysa beynimi esas zehirleyen buydu. Bunu konuşmaktan deli gibi sakınıyordum kendimi. Ama o beni bu konuya doğru itiyordu, başka hiç kimseye izin vermeyeceğim bir şekilde yaklaşıyor, yaklaşıyordu bu ince ve özel noktaya. Sabırla anlattıklarımdan alacaklarını alıyordu ve ben de ona beklediğini yeterince veriyordum. Sonra ona çeyizlik almak üzere gittiğim pazarda başıma gelenleri anlatmaya başladım.

"Sokullu Paşa'nın adı ve bana verilen paranın çokluğu alışverişi hem kolay, hem de zevkli yapıyordu."

Ona söylemedim ama için için zenci köle Ali'ye göre benim zevkimin bir kadının çok daha hoşuna gideceğini bilmenin gururunu duymuştum. Başlangıçta efendimin bunu takdir edebileceğini bile ummuştum, ama o böyle bir durumun farkında olamazdı. Hâlâ birinin beni takdir etmesini istiyordum. Ama bu konuda daha ileri gidersem İsmihan için aldıklarım bir sürpriz olmaktan çıkacak ve işleri bozacaktım. Onun için bu isteğimi erteleyerek hızlı hızlı anlatmaya devam ettim.

"Pazardayken kendi memleketimden iki adam gördüm, tüylü şapkaları ve dar külot pantolonlarından onları hemen tanıdım. Bir kümes tavuğun arasındaki horozlara benziyorlardı. O anda, ilk giydiğimde bana uymayacağını düşünerek endişelendiğim kıyafetlerime şükrettim. Utançtan içim bile kızardığı için, üzerimdekilerin yardımıyla bana dikkat etmeyeceklerini umuyordum. Ama onlar benim için ne kadar ilginçse ben de hâlâ onlara o kadar ilginç geliyordum. Ne dediklerine hiç özen göstermeden konuşarak bana yaklaşıyorlardı. Birinin 'İsa aşkına, işte bir tane daha' dediğini duydum.

'Zavallı, üstelik çok da genç.'

'Ne kadar da güzel bir teni var. Türkler'in çalıp budadığı Hıristiyan çocuklardan biri olmalı. Haydi Angelo, onunla bildiğin bir Hıristiyan diliyle konuşmayı dene.'

Bu cesaretle ikinci adam bana Latince bir şeyler söylemeye başladı. İrlanda'dan Girit kıyılarına kadar herkes durup buna bir cevap verebilirdi. Bense pembe bir ipek satenle ilgilenip onu anlamıyormuş gibi yaptım. Aslında bir önceki dükkânda çok daha iyisini, üstelik de daha ucuza zaten bulmuştum ve aksi suratlı satıcıya katlanmak da çok sinir bozucuydu, ama yine de İtalyanlar'la konuşmaktan daha iyiydi.

Beni ilk gören diğerine, 'Bırak onu Angelo', dedi, 'anlamıyor. Hristiyan düşmanı bir Yahudi olabilir ya da inkârcı bir Protestan ya da Türkler onu bulmadan lanetlenmiş herhangi bir pislik.'

Bu karşılaşmaya gösterdiğim tepki hakkında bir süre düşündüm. Yaralarımın acısıyla kıvranırken, bunlar gibi insanların yardımı ve koruması için nasıl bağırdığımı hatırladım. Kim olsa fark etmezdi, İspanyol, Polonyalı... Yeter ki bir Hıristiyan olsundu. Ama ne acıydı ki, beni doğrayan da bir Hıristiyandı, en azından bir zamanlar Hıristiyandı ve üstelik de bir İtalyandı.

Tüm ırkımdan vazgeçmeden işimi bitirip gitmek istiyordum. Pazarda bir başka İtalyan'a daha rastlamaz mıyım? Onu ilk gördüğümde, hemen arkamı dönüp kaçmak istedim, biraz önce olanların tekrarına katlanamazdım. Ama bu genç adam, gayet nazik bir şekilde, aksanlı ama kibar bir Türkçe'yle beni selamladı. Bunu anlamamış gibi yapamazdım, aslında üzerinde en çok durduğum şeylerden biri çabucak aksansız ve akıcı bir Türkçe'ye sahip olmaktı. Ancak bu şekilde dikkatleri çekmekten kurtulabileceğimi düşünüyordum. Bu genç adamın bana hitap ederken 'üstat' demesi karşısında onu reddedemeyecek duruma gelmiştim ve onu selamladım."

"Neden sana üstat dedi ki?" diye sordu İsmihan. "Hoca, bilen kişi demektir bu."

"Tabii."

"Bu, büyük saygıyı gösterir."

"Tabii."

"Daha çok hadım denir."

"Bunu ben de biliyorum ama birinin bana ilk defa bu şekilde hitap ettiğini duyuyordum ve bu hoşuma gitmişti. Kendi ülkemden biriydi bu üstelik."

"Eğer bu seni mutlu ediyorsa Abdullah, sana daima üstat diye sesleneceğim."

"Allah izin verirse, sizin tarafınızdan böyle hitap edilmeye layık olacağım hanımım. Ama benim kendi ülkemden biri tarafından bu şekilde selamlanmamın yarattığı şoku anlamaya çalışın lütfen."

Onunla göz göze gelince, dalga geçmediğini anlamıştım. Bana nasıl davranması gerektiğini bilemiyordu, erkek gibi mi, kadın gibi mi? Bu karışık duygu yüzünden belli oluyordu. Ama onu suçlayamazdım. Ben bile aynı karmaşayı hissediyordum.

'Üstat, lütfen gelin de benimle bir bardak şerbet için.'

Önünde bir bardak limonata vardı, orada epeydir oturduğu belliydi, ısınan bardağındaki karlar erimiş, limon ve su ayrışmıştı. Oturmayı bile reddetmem üzerine yüzü kızarıp Türkçesi daha aksanlı ve karışık bir hal almıştı. Yine de onun bir şeyler söylemesini bekliyordum."

"Peki ne dedi?" diye İsmihan sordu.

"Kendini tanıttı, adı Andrea Barbarigo'ydu, limandaki Venedik elçisinin yardımcısıydı. Daha fazlasını duymak istemiyordum."

"Onu tanıyor muydun?"

"Onu bir zamanlar tanımıştım, zengin ve güçlü bir ailenin en genciydi. Sofia'yı, Safiye'yi düşünüp kendi kendime alaycı bir şekilde güldüm. Safiye bir zamanlar bana bu aileden biriyle evlenmek istediğini söylemişti kim bilir belki de bununla evlenmek istemişti." İsmihan'a nasıl kaçmaya çalıştıklarını anlatmanın bir anlamı yoktu.

İsmihan, Safiye adını duyunca meraklanmıştı, "Safiye de bu adamı tanıyor muydu?"

"Evet, çok zaman önce ve çok uzaklarda."

"Onunla evlenmeyi isteyecek kadar iyi mi tanıyordu?"

"Şu anda emin ol ki, bu isim Safiye'ye yalnızca Venedik gücünü ve refahını hatırlatıyordur."

İsmihan gözlerini gecenin karanlığına çevirmişti. Safiye'nin şu anda da kendi ağabeyi üzerinde kadınsı oyunlarını oynadığını düşünüyor olmalıydı. Belki de ilerde kocasına yalan söyleyip söyleyemeyeceğini düşünüp, entrika konusunda kendi yeteneklerini merak ediyordu. Gözleri ve sesi bu merakla doluydu. " Senin ve Safiye'nin geldiği yer ne kadar garip. Bir genç kız evleneceği adamı seçmeyi bile düşünebiliyor. Safiye'nin niye kimselere benzemediğine şaşmamak gerek."

Aslında ona tüm Venedikli kızların böyle olmadığını açıklamam gerekiyordu. Safiye'ye gelince, hangi ülkede olursa olsun, başka türlü olamazdı o. Bunları anlatmak yerine tekrar genç İtalyan'a döndüm ve onunla karşılaştığımda içimden ne geçtiğini İsmihan'a söyledim. "İşte, Tanrı'nın gazabına uğramak pahasına, buradayım."

Vali Baffo'nun kızı için önerdiği fidyenin ilanını, tabii ki Andrea Barbarigo'dan almıştım. İsmihan'a bunu da anlattım ve yine iki ülkeyi kıyasladı. Bir kızda aileye bağlılık ve sadakat duygusunun olmamasını yadırgamıştı. Selim gerçek bir baba gibi değildi, İsmihan belki de asla onun kucağına oturmamıştı, ya da tek bir kez bile babası onun yanağını okşamamıştı. Ama yine de bir kızın böyle bir mektubu gururla saklayacak yerde parçalayıp atmasını aklı almıyordu. Ona Venedik'te işlerin böyle olmadığını, farklı olanın Safiye'nin kendisi olduğunu söylemeliydim, ama hiçbir şey söylemedim.

Sonunda kısık lambanın ışığında bu saf, ama insanı derinden anlayabilen azizeye bir itirafta bulunmaya karar verdim.

"Birine daha pazarda rastlamıştım."

Bu cümle, beni Pera'ya doğru götürüyordu. O korkunç anın yakınına, yeterince yakınına... Selahaddin'in karısının direktifleriyle ilk eğitim koşturmalarını yaptığım günlerde olmuştu bu.

Hanımımın yüzüne baktım ve karar verdim henüz, daha da yakın olmamalıydı.

"Şunu söylemeliyim ki, yeni durumumda yeniden karşılaşmayı isteyeceğim son kişiydi bu. Ancak bende yaşattıkları ümit ve arzularının yok olduğunu görüp gözlerini keder bürüyen amcam ve babamla karşılaşmak bana daha büyük bir acı verebilirdi ve ben böyle bir durumda ölmeyi tercih ederdim. O krizli dönemimde, karabasanlarımın merkezi olan o keder dolu bakışlar...

Pera'daydık. Beni eğitenler ancak bu kadarına izin veriyordu. Dolayısıyla Haliç'i özel olarak geçmiş olmalıydı."

"Seni mi arıyordu?"

"Belki de. Pera'daki pazarda dostum Hüseyin'i bazı tüccarlarla konuşurken gördüm. Acı çektiğim günlerde yüksek sesle adını söyleyip ağladığım halde, onu görür görmez arkamı dönüp kaçtım. Venedik'teki kilisemde rahibin çok hoşuna giden bir hikâye vardı. Günahkâr, Tanrı'nın yüzünü görünce kaçar. Sonra gidip, bu utançtan kurtulmak için, dağlar üzerine devrilsin, diye ağlayarak yalvarır.

Ama çok geçti. Hüseyin beni görmüştü ve bana sesleniyordu. Sesindeki duygu beni allak bullak etmişti. Beceriksizce döndüm, çaresizdim. Hızla gelen bir top gibi küçük tombul adam bana sarıldığında bir an nefesim kesilmişti.

Önce Hüseyin beni alıp evine götürmek istedi. Beni köle edeni bulacağını, adama parasını ödeyeceğini, Babıali'ye gidip bu yanlışlığın düzeltilmesini isteyeceğini söylüyordu.

Ben ona zamanını boşa harcamamasını söyledim.

'Hayatından memnun musun? Genç hanım, o başka bir çeşitti. Ama sen dostum, böyle bir hayattan memnun musun?'

'Buna hayat mı diyorsun? Artık zamanım bana ait değil.'

Venedik camından hiç söz etmiyordu."

"Venedik camı mı?", diye sordu İsmihan, ama ona cevap vermedim.

"Hiçbir şey için özür dilemedi. En yakındaki asmalı kahveye oturduk. Kahve denilen o kuvvetli içecekten ısmarladı ikimize."

"Kahve mi? Hiç böyle bir içecek adı duymadım."

"Doğrudur. İstanbul'da çok yeni bir şey bu. Bazı dindarlar yasaklanmasını bile istiyorlar. Ama hanımım, bana sorarsan buna değecek bir durum yok ortada. O gün midem kavruldu kahveyle.

Her ne hal ise, kahveden sonra, Hüseyin'in dostluğu ve mutluluğu hoş bir şekilde devam ediyordu. 'Seni ne kadar merak ettim,' dedi. 'Köle pazarına gittim ve sordum adamlara, senden hiç haberleri yokmuş gibi davrandılar. O zaman böyle bir şeyler olmuş olabileceğini tahmin ettim. Yasalarımız bunu yasaklamıştır ve her ay baskınlar düzenleniyor, ama yine bu iş devam ediyor, bizim büyük utancımızdır bu. Ne yazık ki öte yandan çok kârlı bir iş.'

Hüseyin benim durumumla ilgili konuyu kapatıp erkek erkeğe sohbet istiyordu sanırım. Ama ben bunu yapmaktan âcizdim. Ağlayarak ısrar eden ben oldum, 'Dostum, beni niye aramadın? Niye beni bulmak için gelmedin? Katlanmak zorunda kaldığım acıları hayal bile edemezsin.'

'Seni er geç bulacağımdan emindim', diye cevap verdi Hüseyin. 'Eğer Allah isterse...'

'Peki ya ben? Senin Allah'ın bana hiç acımadı.'

'Doğrudur, öyle görünebilir. Ama eğitimin bitince seni büyük bir adam satın alabilir, büyük bir hoca. Eğer onu hoşnut edersen, sana kim bilir hangi kapılar açılacaktır. Allah isterse, onun yanında, benim yanımda asla olamayacağın kadar başarılı büyük bir adam olabilirsin.'

Adam kelimesini duyunca hıçkırıklara boğuldum, ama hiçbir şey söylemedim. Bunun yararı neydi? Onu son gördüğümden bu yana Hüseyin hiç değişmemişti, bense ışıklı bir dünyadan koca bir karanlığa düşmüştüm ve ümitsizce, çaresizce yolumu bulmaya uğraşıyordum."

Sanki gökyüzü de bu anlattıklarımı duymuştu, lambanın ışığı bir an yükseldi ve sonra da söndü. Hikâyemi karanlıkta anlatmaya devam ettim.

"Görüşmemizi kısa kestim ve bunu bir daha istemediğimi düşünerek ayrıldım. Hüseyin beni tekrar arayabilir, ama ben onun dostluğuna tekrar güvenemem. Hiç kuşkum yok ki Sokullu Paşa'nın yanına girdiğimi duyunca kendi çıkarları için peşime düşecektir."

"Dostunla ilgili olarak çok ağır şeyler söylüyorsun," dedi İsmihan. "Senin için neredeyse bir baba kadar yakın olduğunu söylüyordun. Onu nasıl bu kadar ucuz bir şekilde aşağılayabilirsin?"

Karanlıkta vücudu olmayan bir ses gibiydi, bir ruh gibi. Onun bu iyimser düşüncesine yakınlık göstermedim ve hikâyeyi iki kısa çizgiyle bitirdim. " Ayrılırken Hüseyin bana dönüp, ',farkında mısın?', dedi, 'hep Türkçe konuştuk bu kez. İnanılmaz derecede güzel konuşuyorsun.'

'Buna zorlandım', diye cevap verdim ve efendimin evine doğru yürüdüm."

XLII

BAFFO'NUN KIZI, alt dudağını insanı iştahlandıracak bir şekilde şişirerek aşağı doğru sarkıttı. Eğer erkeklerle birlikte yolculuk etsek, bu ortalığı perişan ederdi. Bütün diğer arzular, yoğun kararlar, önlerindeki bu meyvenin onlarda uyandırdığı tahrikle yok olup giderdi. Bu tatlı, serin şerbeti içmek uğruna herkes boynunu ipe uzatabilirdi.

Bu dudağın kadınlarda yarattığı etki de hiç azımsanamayacak ölçüdeydi. İsmihan onun etkili bakışlarının altında, içi karmakarışık, yalnızca şunları tekrarlayabiliyordu, "Ama ben gerdanlığı iyilik için verdim, tatlı Safiye..."

Bunları söylemeden önce bile sözlerinin kabul edilmeyeceğini biliyordu, ama onun sade yaşantısı ve kişiliği bunun nedenini anlamasına engel oluyordu.

"O zaman İnönü'ye gidip onu geri al." Kelimeler yine sürahiden dökülen bir şerbet gibi çıkıyordu ağzından.

"Bunu yapamam."

"Tabii ki yapabilirsin. Eğer iyilik senin için bu kadar anlamlıysa, onlara başka mücevherler de verebilirsin, ama o gümüş gerdanlık benim mavi yeleğimle çok uyuyor ve onu dilencilere fırlatmana izin veremem. Söylediğim gibi, onu bu gece mavilerimle takacağım, kardeşin için İsmihan. Ona bunun için söz verdim. Gidip onu geri getirmelisin."

"Nasıl?... Nasıl yapabilirim?" diye sordu İsmihan, bunun düşüncesi bile onu sarsıyordu. Bunu kendi aptallığından ötürü özür dilermiş gibi bir ses tonuyla söylemişti. Olağanüstü yetenekleri olan Safiye için çok kolaymış gibi görünen bu konuyla başa çıkamayacağını biliyordu.

"Gayet basit, ağzını açarsın ve hadımına gitmek istediğini söylersin. Bu kadar. İyi bir paşa karısı olmak istiyorsan hadımlarının hakkından gelmeyi öğrenmelisin."

Safiye'nin ortalığı yakıp yıkan, baştan çıkarıcı bakışlarıyla, İsmihan'ın yalvaran bakışları arasında kalmıştım. Gerçekten de hanımım benden bunu yapmamı isteyecek miydi? Evet, bunu yapacaktı. Karşı duramıyordu. Onun yalvarışını gözlerinden okuyordum, "Bana dikkat et Abdullah, beni düşün. Aklım başımda değil ve tek güvendiğim sensin."

Bir şey söylenmeden konuşmam uygun değildi, ama aklı başında olmayan İsmihan, benden bunları yüksek sesle istemeden bir şeyler yapmam gerektiğini düşündüm, daha sonra her şey için çok geç olacaktı.

"Garip," diye mırıldandım. Sanki kendi kendime konuşuyordum, aslında hitap etmek istediğim İsmihan'ın vicdanıydı. "Günlerce arkadaşınızın peşinde koştunuz ve hiç cevap alamadınız bu ilginize. Ve şimdi, aniden, Safiye arkadaşlığınız adına sizden isteklerde bulunuyor ve bunların Tanrı adına yapılan iyiliklerden bile daha önemli olduğunu söylüyor."

Baffo'nun kızının bana yolladığı badem bakışlar zehirle kaplanmıştı. Arabasının içinde geriye doğru yaslandı. Bu araba Murad'ın isteği üzerine yapılmıştı. Yoldaki bozukluklardan içindekilerin etkilenmemeleri için... İki atın çektiği bu arabada iki kişi rahatça yolculuk edebiliyordu. Onun bu tavrını bir geri çekilme olarak algıladım ama doğrusu yanılmıştım. Hadımlarına bir iki emir verdikten sonra İsmihan'a dönüp, "Gördün mü?" dedi, "Seninle İnönü'ye ben de geliyorum."

Neredeyse elim havaya kalkıyordu. Ama onu bir kadın ve hadımlarına karşı mı kullanacaktım? Bu gülünç görünüyordu. Hele de o hadımlar... Murad üç tane devasa hadım koymuştu Safiye'nin başına. Gözdesinin güvenliğinden emin olmak istiyordu. Hiçbirinin de kafasının içinde küçücük bir beyin bile yoktu. Sahibelerine bir köpek gibi bağlıydılar. Onun bakış ve dudak büküşleri adamları erkek oldukları konusunda yeterince inandırıyor olmalıydı.

Tek yapabildiğim, "Ama Şehzade hazretleri Murad, bu konuda ne diyecekler", diyerek araba boyunca gitmekten ibaretti.

Elimle önümüzdeki tepede mola vermiş insanları gösteriyordum. Yoldan tozlanmış kıpkırmızı giysileriyle yeniçeriler, mavi sonbahar göğünün altında dolanıp duruyorlardı. Bayrak ve sancakları rüzgârsız havada aşağı sarkmış duruyordu. Atların eğerleri ve başlıklar çıkarılmıştı. Sultan'ın Cuma yürüyüşündeki gibi bir disiplin içindeydiler. Eğer şehzade gözdesini kız kardeşinin yanına yollamaktan sakınmıyorsa, onlar neden bunu düşünsünlerdi ki...

"Onlar ne düşünecekler, ne yapacaklar?" diye ısrar ettim.

Hiçbir şeyi umursamayan bir cevap aldım. "Öğleden önce onlarla buluşuruz. Bizi pek de özlemezler."

Acıklı ayak seslerimin kuru otlarla kaplı tepelerde yaptığı yankılanmalar nöbetçilerinkinden daha fazlaydı.

"En az birkaç saat daha burada durulacaktır," diye devam etti Safiye. "Bu gece, Murad biraz dinlendikten sonra, ben üzerimde gümüş gerdanlığım... Allah adına yemin ediyorum ki, her şey affedilecektir, bu gece..."

Arabanın arkasında yürüdüm. Hadımlar ve arabacılar hep birlikte bugün attığımız adımların aksi yönde yine yürüdük. Bir tepeyi indik, neredeyse kurumuş bir dere yatağındaydık. Dere her zaman kuru olmuyordu herhalde ki, kenarında kısa boylu ağaçlar yükseliyordu.. Ayaklarımızın altındaki yapraklar çoktan kuruyup toza dönüşmüştü, haremin ince dantellerini hatırlatan kuru, beyazımsı dallar kalmıştı geride. Bu manzaranın bize neler getireceğinden habersiz yürüyorduk.

Dere kenarındaki küçük koru aynı zamanda haydutların tozlu sarıklarıyla atlarını da saklıyordu.

XLIII

AYAKLARINDAKİ kendi dokudukları yünlü şalvarlar ve ellerindeki yine kendi yaptıkları uyduruk mızrak, yay ve kılıçlarla öfkeli haydutların oldukça yoksul ve pis bir görüntüleri vardı. Onların uzun bir süredir peşimizde olduklarını daha sonra öğrenecektim. Kafileyi koruyan otuz yeniçerinin korkusuyla yanımıza daha önce yaklaşamamışlardı. Ama şimdi yalnızca dört hadımın eşlik ettiği araba onlar için bir lokmada yutulacak kolaylıktaydı.

Safiye'nin hadımlarından ikisi hemen öldürülmüştü, üçüncüsü ise omzuna gelen bir okla kımıldayamaz haldeydi. Bu adamlar, korkutucu cüsseleri yüzünden haydutların ilk hedefi olmuştu.

Bense hemen arabanın altına doğru kayıp, ölmüş bir hadımın arkasına sinmiştim.

Arabayı çeken atların savaşla ilgili bir deneyimleri olmamıştı, ilk kez duydukları kan kokusuyla birden şaha kalkıverdiler. Araba tehlikeli bir biçimde sallandı ve başımızdaki belanın tam olarak hâlâ farkında olmayan içindekiler, hızla iki yana savrulup çığlıklar atmaya başladı.

İlk tepkim, diğer hadımların yaptığı gibi elimi hançerime atmak oldu, oysa dişine kadar silahlı haydutların arasında, bu yalnızca ölüme koşmak anlamına geliyordu. Gerçeği kavrayınca, İsmihan'ın güvenliği için yapılacak en iyi işin atları sakinleştirmek olduğuna karar verdim ve ileri atıldım. Adamlar bu davranışımdan hoşnut kalmışlardı, en azından yaylarını bir parça gevşettiler. Herhalde onların gözünde tehdit edici bir unsur değildim, bu yüzden benimle pek ilgilenmiyorlardı. Şu anda en çok önem verdikleri atlara ve arabaya bir zarar gelmemesiydi.

Araba durur durmaz Safiye kapıyı açtı, yüzünün peçesiz olduğunun bile farkında olmadan ve gözü benden başka birini görmeden, Türkçe ve Venedikçe karışık bir dille avaz avaz, saçmalamayı bırakıp, onların bu masum yolculuğuna engel olmamamı söylemeye başladı.

Edepsiz ses tonu atların kulaklarını rahatsız etmişti. Hayvanların gözleri döndü ve tekrar şaha kalktılar. Bu kez Safiye ciddi olarak yaralanabilirdi, toprakla arasında onu koruyacak bir şey yoktu. Neyse ki haydutların başı da bu tehlikeyi fark etmişti. Atını çabucak arabaya yanaştırdı ve yere düşecek olan Safiye'yi havada kapıp, önüne oturttu. Çırpınan kızın uzun kolları ve bacaklarıyla ustaca başa çıkarak çarçabuk onları bağlayıverdi, ciyak ciyak bağıran ağzını da ihmal etmemişti, bir mendil bu işi halletmesine yetmişti. İşini bitirdiğinde yüzünde, gençliğinden bu yana hiç bu kadar eğlenmediğini gösteren bir sırıtış vardı.

Bu tuhaf manzarayı seyreden arkadaşları da oldukça keyiflenmişlerdi. Ama bu neşeleri onların, atların iplerini kesip, Safiye'nin mücevherlerini ve hatta arabanın pirinç süslemelerini kaşla göz arasında almalarına engel olmamıştı.

Birkaç dakika içinde arabada alınacak bir şey kalmamıştı. Yalnızca çarşaflar içinde, bir kenara ölüm korkusuyla yapışmış küçük İsmihan vardı orada. Arabanın daracık kapısından girip onu dışarı çıkartma görevi şişko bir hayduta düşmüştü. Adam çok iriyarıydı, kadınların bile sıkıntı içinde saatlerce oturdukları bu küçücük yerde rahat hareket edemiyordu. Birkaç kez kırmızı ve ter içinde bir suratla hava almak için dışarı çıktı. Ağaçta kalmış kedi yavrusunu aşağı indirmeye çalışan bir çocuğunkine benzeyen davranışları şapşalcaydı.

Daha sonra çete başının oğlu olduğunu öğrendiğim

bir delikanlı, "Bırak da ben uğraşayım onunla," dedi. Adama kenara çekilmesini işaret ederken kılıcını çekerek arabaya yanaştı.

"Dışarı çık," dedi genç adam, "yoksa şimdi kafanı gövdenden ayırırım."

İsmihan inledi ama bu emre uymadı. Böyle bir güç gösterisi bir yığın adamı dışarı çıkartırdı, ama iyi yetişmiş bir genç kız kılıçla ölmekten çok daha kötü şeyler de olabileceğini bilirdi.

Sızlanışı beni kendime getirdi. "Affedersiniz efendim," dediğimde bana dönen kılıçtan kendimi güç bela kurtarabildim. "Eğer bana bir at verirseniz, genç hanımı güvenlik içinde istediğiniz yere getiririm."

Geri çekilen delikanlı öfkeyle homundandı. Aptal değildi. Kılıç hızlı hızlı sallanıyordu ve zaman ilerliyordu.

Arabaya doğru eğildim ve İsmihan'ın ellerini avucuma aldım. Sonra dikkatlice arabadan çıkabilmesi için ona yardım ettim. Yüzünün hiçbir yeri görünmüyordu ama yine de peçenin kenarlarını düzelttim, bu davranışım onu rahatlatmıştı, yere indi. Onu atın yanına götürüp binmesine yardım ettim.

"Oh, Abdullah ben daha önce hiç ata binmedim."

Korku içinde, hayvanı topukladı. Ayakları yüzüme çarptı ve at ileri doğru atıldı. İsmihan yeniden kollarıma düşmüştü.

"Ben de uzun yıllardır binmedim" diye itiraf ettim. En azından Pera'da başıma o korkunç olay geldiğinden bu yana, ama bunu yüksek sesle söylemedim. Ata binmenin bana dayanılmaz acılar verip vermeyeceğini kim bilebilirdi?

Genç haydut atını mahmuzlayıp yanıma gelmişti. Kılıcının ucuyla sırtımı dürttü.

"Yardım ister misin hadım?" dedi.

"İdare edebiliriz," diye cevap verdim. Yüzümdeki korkuyu yalnızca hanımım görebiliyordu. Başıyla işaret etti, benim için elinden geleni yapacaktı.

Ata yan binme işini beceremeyecektik galiba. Birden İsmihan'ın böyle zarifliklere alışık bir Avrupalı kadın olmadığını hatırladım. Üstelik ayağındaki şalvarla bacaklarını rahatlıkla iki yana açabilirdi. İğdiş edildiği için azgın olmayan hayvan da bela çıkaracağa benzemiyordu.

"Beraber kaldıralım," diye delikanlıya seslendim. İsmihan'ı bacakları iki yanda ata bindirdik.

Ben de kaftanımın eteklerini toparladım ve atın yelesini okşadıktan sonra, derin bir nefes alarak İsmihan'ın önüne oturdum.

Hayvanın kemikli sırtı kasıklarımın arasındaki küçük kavanoza dayanıyordu. Acı için hazırdım ama bu olmadı.

Genç adam hayretle omuzlarını silkti, buruş buruş kıyafetime bakıp, pos bıyıklarının altındaki ağzını büzdü. Ve bize diğerlerine katılmamız için işaret etti.

Arkamdan önce bir büyük çatırtı, sonra da nara sesi geldi, dönüp baktım. Eğer dizgine iyice yapışmasam at aksi yöne doğru atılıyordu. Arkamızdan bizim yeniçeriler geliyordu, saldırıya geçmişlerdi. Şişko haydut şahdamarından vurulmuştu ve yarasından sel gibi kan akıyordu. İsmihan bana daha sıkı yapıştı ve yüzünü sırtıma gömdü. Sultan'ın adamlarının at sırtında ateş edemeyeceklerini biliyordum. Atın kontrolünü elimden kaçırmamalıydım ancak bu şekilde dengemizi tutturabilirdim. Yoksa ateş arasında kalmamız işten bile değildi.

Arkamızdaki delikanlı hemen yaralı adama doğru yöneldi, ama bu yerde debelenen arkadaşına yardım etmek için değildi, sahipsiz kalan atın yularını kesip onu kendi terkisine bağladı. Yeniçerilere doğru meydan okurcasına bir ok attı. Oysa çoktan menzil dışına çıkmıştık. Bacaklarımı çizecek kadar yakınında olduğumuz çalılıklar bizi bir peçe gibi saklıyordu, artık kurtarılma ümidimiz kalmamıştı.

Birkaç dakika içinde bir başka dere yatağına indik, dibinde ayak bileğimize kadar gelen bir su vardı. Kıvrım kıvrım akan bu derenin üzerinden defalarca geçtik. Sonra da geriye dönüp ilerledik ve yalçın kayalıklar arasındaki çok tehlikeli bir aralıktan geçtik. Yarım saat içinde bizi bir şahinin bile izleyemeyeceği bir noktaya ulaşmıştık.

Murad ve avanesi, eminim ki yer yarıldı ve biz içinde yok olduk, sanıyorlardı.

XLIV

AKŞAMA DOĞRU, gri beyaz, katlanmış çuval bezi kıvrımlarına benzeyen, taşlarla kaplı, engebeli bir arazideki platoda daha yükseklere doğru hâlâ at sürüyorduk. Bu kıvrımlardan birinin arasındaki daracık bir geçit bizi eşkıyanın inine ulaştırdı. Dikkatsiz bir terzi kadın tarafından kaybedilmiş iğne, elbiseyi giyene daima batar, ama onu bulup çıkarmak da pek kolay bir iş değildir. Bizi de burada bulup, dışarı çıkarmak olanaksız görünüyordu.

Elbise kıvrımlarına benzeyen bu kaya kıvrımlarının arası, dışarısı cehennem gibi sıcak olsa bile nemliydi. Buraya ulaşana kadar zaten birkaç kez yağmura yakalanmıştık ve elbiselerimiz bizi hasta edecek ölçüde ıslaktı.

Küf kokulu rutubet, atları da etkilemiş ve hayvanların tüyleri kirpi gibi diken diken olmuştu.

Yeni bir sinsi yağmur daha gelirken artık durup dinleneceğimizi anladım.

Güneşi görebildiğim anlarda yönümüzü saptamaya çalışıyordum, ama bulutlar ve erkenden ortadan kaybolan gün ışığı bunu engellemişti, artık tamamen kaybolmuş bir haldeydim. Katettiğimiz mesafenin uzunluğu da hepimizi perişan etmişti. Attan iner inmez her tarafım sızlamaya başlamıştı. Dört gün boyunca arabalarla yaptığımız yolculuktan çok daha fazlasını yapmıştık bugün.

Tepinen atların oluşturduğu çamur gölü ayaklarımı kirletiyordu. Sabahtan bu yana ne yemek yemiştik, ne de durup dinlenmiştik. Başım dönüyordu. Hadımlığımın at sırtında bana acı vermemiş olması, şu anda pek bir işe yaramıyordu. Kalçalarım kaskatıydı ve onların arasında, kontrol edemediğim periyodik kasılmalara yol açan nabız gibi bir ağrı vardı.

Birden fark ettim ki, yanından uzaklaştığım için paniğe kapılan İsmihan attan düşmek üzere. Kollarımı açarak onu son anda kucakladım. Islığımsı bir sesle nefeslenerek, kendi acımı bir kenara attım ve toparlandım. Hanımımı kucaklayıp çamurlu avlunun sonundaki küçük kulübeye götürdüm. Nasıl olsa bizi esir alanlar da bunu emredeceklerdi bana.

Kulübe dışardan göründüğünden daha büyüktü. Zaten başka türlü hepimiz içeri sığamazdık. Çevresi yığma taştan bu oda, dağın içlerine doğru yayılan mağara odacıkların girişiydi.

Ocağın yandığı büyük odada iki kişi eşkıyanın başını bekliyordu. Birincisi adamın karısıydı. Çok zayıf bir kadındı, yüzü peçeli değildi ve bu adamlardan hiç korkmadan onların suratına bakıyordu. Hatta elindeki kepçeyle, yaptığı çorbaya musallat olanlara vuruyordu bile. Bu korkutucu manzara İsmihan'ın peçesine ve bana daha fazla sarılmasına neden oldu. Bir Batılı için hadım ne kadar anormalse, hanımım için de bu kadın o kadar anormaldi.

Benim içinse ikinci kişi daha şaşırtıcıydı. Bir dervişti bu. Adam, her ne kadar bu role tam uymasa da, kıllı kollarını açıkta bırakarak, yoksulların giydiği yünlü bir abaya bürünmüştü. Beni etkileyen bakışları oldu, bana sanki beni tanıyormuş ve benim de onu tanımamı istiyormuş gibi bakıyordu. Mistikler daima beni rahatsız etmişti. Müslümanlar'da da Hıristiyanlar'da da aynıydı bu; bakışları ve tavırları ruhumu aynı şekilde tehdit ediyordu bu adamların. Kendimi tuzağa düşürülüyor gibi hissediyordum onların karşısında. Ama şu anda beni daha çok ilgilendiren bedenimin tuzağa düşürülmüş olmasıydı. Haydutlar, bana ve kollarımdaki yüke girişteki odadan çıkma izni verdiği için mutlu bile sayılabilirdim belki de. Bana gösterdikleri kapıyı açıp arka odalardan birine geçmiştim. Ocaktan uzakta ve yarım düzine keçiyle dolu olmasına karşın böyle bir durumda en iyi yerdi burası.

Safiye de bizimle birlikte odaya yollanmıştı, ama burayı pek benimsemiş görünmüyordu. Kollarını kaldırıp yolculuğun yorgunluğunu üzerinden atmak için uzun uzun gerindi. Bunu yaparken bir dansçı gibi zarifti, ama çok huzurlu olmadığı belliydi.

İsmihan'ın ise ayakta duracak hali bile yoktu. Çarşafını ufak ufak ısırmaya çalışan fazla meraklı bir dişi keçi onu daha da korkuttu. İsmihan, keçiyi yalnızca kızartılmış olarak pilavın üzerinde görmeye alışmıştı ve şimdi onların bu kokulu yaşamlarının içinde olmak onu tir tir titretiyordu.

Hayvanı kovaladım ve kuru otlardan yapılmış yatakta rahat edebilmesi için elimden geleni yaptım. Hanımım öylesine yorgundu ki, keçi kokularına burnu alışır alışmaz uyuya kaldı. Çarşafını ve peçesini yavaşça açtım, içindeki elbiselerin bunların sayesinde pek fazla ıslanmadığını görünce sevindim.

Birinin odaya geldiğini hissedince onları hemen kapatmaya çalıştım ama neyse ki gelen, haydutların başının karısıydı. Elinde yeşilimsi, naneli bir çorba ve ekmek, peynir vardı. Onları bıraktıktan sonra tekrar dışarı çıkıp, iki, eski ama yumuşak battaniyeyle geri döndü. Ona teşekkür ettiğimde yalnızca burnunu çekti, bakışlarıyla sanki bana, "Evet bana teşekkür edebilirsin, bunlarla yaşamayı başarabildiğimiz için," der gibiydi.

Adamların eve getirmiş olduğu bir yığın zengin ganimete karşın, bu kadının tek kişilik çalışması bize neyin daha değerli olduğunu kanıtlıyordu: Bu güzel keçi peyniri, ekmek, kabaca dokunmuş battaniyeler ve parlak renklerdeki kilimler...

"En azından bizi açlıktan öldürme niyetinde değiller."

Ses tonumu Safiye'den bir cevap alabilecek şekilde ayarlamıştım. Kadın daha odadan çıkmadan, Safiye çoktan yere çöküp iştahla yemeye başlamıştı. Ekmeğini ısırırken, "Tabii ki hayır," dedi. "Ölü rehineler ne işe yarar?"

"Demek bizi rehine olarak tutacaklar, peki ama neden?"

"Fidye ve intikam." Safiye'nin bu iki kelimeyi söylerkenki iştahı çorba ve peynir için olandan daha az değildi.

Safiye'ye tek gerekli olan Murad'ın gözü önünden hızla kaybolmaktı galiba, öyle görünüyordu ki, şimdi yeni duruma kendini ayarlayıp geleceğini ona göre planlayacaktı. Üstelik bunu yapmakta fazla zorlanmayacağa benziyordu. Ağzını ve ellerini adama çözdürmeyi başarmış ve ciddiyetle yeni duruma ayak uydurmuştu.

"Deli Orhan'ı gördün, (haydutların başının adını bile öğrenecek kadar yakınlaşmıştı sonlara) adamın sağ gözü yok."

İşin doğrusu, bu hengâmede fark etmemiştim adamın tek gözünün olmadığını. Daha sonra görecektim ki, zaten adamın yüzü şefkatle bakma arzusu uyandırmıyordu, yalnızca insana çarpan bir şiddet yayılıyordu bu surattan. Siyah, çukur, sarkık bir gözkapağı, kıllı kaşların gölgesinde saklanıyordu. Domuz kılı gibi sakalları simsiyahtı, bıyıkları öyle uzundu ki, neredeyse ensesinde bağlanabilirdi ve kafasının önü cascavlak kazınmıştı. Keçe bir hırka ve o kocaman, hayvanımsı başa bir hayli küçük gelen kırmızı bir sarık görüntüyü tamamlıyordu.

"Onu nasıl kaybettiğini biliyor musun?" diye sordu Safiye.

Bilmiyordum.

"Senin Sokullu Paşan yapmış bunu. Kızgın bir demirle."

Buna inanmadığımı belli eden bir hareket yaptım.

"Evet, doğru. Tabii ki yıllar önce olmuş. Bir paşanın ellerini böyle işlerle kirleteceğini kimse ummaz. Ama yıllar önce, ilk görevi sırasında, bir yeniçeriyken... O zamanlar veziri azam olan İbrahim Paşa, Sultan Süleyman'ın koruması altında dürüst ve sadık Türkler'in mallarına kendi adına el koymaya başlamış. Orhan da bu insanlardan biriymiş. Bir derviş gelip onlara haklarına sahip çıkmalarını söylemiş ve onlar da başka bir seçenekleri olmadığı için ayaklanmışlar.

Yan odadaki gözlerinde çifte anlam taşıyan dervişi düşünüp ürperdim.

"Tabii ki İbrahim Paşa ve yeniçerileri kolaylıkla

bunların hakkından gelmiş. Savaşta boğazlanmaktan kurtulanları da bir daha böyle işe kalkışmamaları için ya kör etmişler ya da sakat bırakmışlar."

Savunma halinde, "Sanırım Sokullu Paşa yalnızca kendisine emredileni yapmıştır." dedim.

"Evet. Bir uşak, pislik de olsa efendisinin emirlerini yerine getirir."

"Tek gözü yok öyle mi?"

"Evet, herhalde Tanrı Orhan'a acımış, Sokullu'nun bir an oradan uzaklaşmasını fırsat bilip tüm acısına rağmen, ölülerin arasına kaçıp saklanmayı başarabilmiş. Gözü aka aka, dikenlerin ve taşların üzerinde sürünerek canını kurtarabilmiş. Ama tabii malı mülkü bir daha geri gelmemiş, tek gözünün kalması küçük bir teselli."

"Eminim Sokullu Paşa yalnızca gerekli olanı yapmıştır." Kendimi yeniden efendimi savunurken buldum. "O iyi bir adamdır. İmaretleri ülkenin her yerine yayılmıştır."

"Evet. Peki oralarda sıraya girip dilenenler kim? Onun eliyle kör edilmişler, topal bırakılmışlar, adamlar çalışıp kendi ekmeklerini kazanamıyorlar onun yüzünden. Kadınları dul bırakan kim? Çocuklar... Hıristiyan çocukları değil bunlar, Türk çocukları... O çocukları, onun elleri babasız ve beş parasız bıraktı."

Rahatsız bir şekilde İsmihan'a baktım, neyse ki uyuyordu. Onun bunları duymasını istemiyordum.

Safiye gözlerime bakarak, "İsmihan için meraklanma", dedi. "Çok kötü bir kaderden kurtuluyor. Böylelikle o paşayla evlenmesi gerekmeyecek artık."

"Orhan'ın bizim için yaptığı planların yürüyeceğinden emin misin?"

"Neden başarısız olsun ki?"

"O tek başına bir adam. Tek gözü kör bir adam ve

bir avuç arkadaşı bir imparatorluğa karşı mı çıkacaklar? Buna inanamazsın. İbrahim Paşa olsun veya olmasın, Sultan Süleyman –ki ona Batı dünyası Muhteşem diyor– kendi topraklarında torununa bunun yapılmasına izin vermeyecektir. Ya senin sevgili Murad'ın, ondan ne haber?"

Safiye hiç önemsemeden omzunu silkti. "Bu dağ geçitlerinin gizeminde, Allah, Orhan'a yardım elini vermiş."

"Bir de çılgın dervişlerin ilhamlarında... Böyle fanatik liderliğin zamanı çoktan geçti."

"Veniero böylesine soğuk bir şekilde gerçekçilik yapamazsın karşımda. Önceleri hayallerle doluydun, idealisttin. Beni Türk korsanlardan kurtarmaya çalışıyordun. Beni korumak için duvarlara tırmanıyordun." Gözkapaklarını bana bakarak titretti ve ihtiraslı bir şekilde İtalyanca konuşmaya başladı.

Bu tarz hareketlerle istediği sonuçları almasına razı olamazdım. Öfkeyle cevap verdim. "Teşekkürler. Kendimi öyle bir idealizmden kurtarabilmek için çok uğraştım."

"Şimdi kötü mü olduk?"

"Olsam yeri değil mi? Ve sen, Baffo'nun kızı şu haline bak. Bir adamı ayartmak için sersem bir gerdanlığın peşinde Anadolu'nun yarısını turluyorsun, sonra onu bir kenara fırlatıp hiç tanımadığın bir başka adama yanaşıyorsun. Allah için sen tereyağı gibisin; seni kim tutarsa onun kokusunu alıyorsun, soğanlı, sarımsaklı bir el bile olsa..."

Safiye yarı karanlıkta saçlarını savurdu. Sanki ona iltifat etmiştim. "Orhan'ın gücünü küçümsememek gerek", dedi. "Yıllardır nefretle beslenmiş biri o. Biz de onun esirleriyiz. Murad buradan fersah fersah uzaklarda."

"Evet," dedim, bu bilgilerle karnım doymuştu, İsmihan'ın yanına gittim. Hanımım rüyasında korkunç bir şeyler görüyordu. Bağırdı ve görünmez şeytanlarla savaşıyormuş gibi peçesini çekiştirdi.

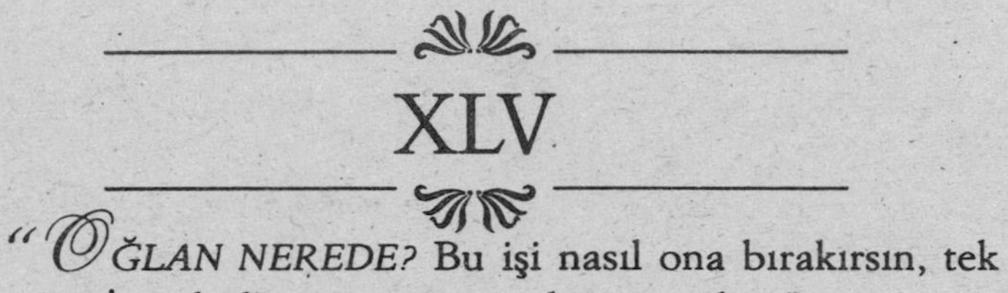

XLV

"OĞLAN NEREDE? Bu işi nasıl ona bırakırsın, tek başına İstanbul'a gitmesine nasıl izin verdin?"

"O artık bir çocuk değil, kendine gel kadın! O bir erkek." Deli Orhan karısının öfkesini yatıştırmaya çalışıyordu ve ona bir atasözü söyledi, "Eğer bir erkeğe, erkek işi vermezsen, o bunu kendisi bulur. O Sokullu'ya ve Sultan'a teklifleri iletmeye oğlumuz kendi gönüllü oldu."

"Onu görür görmez öldüreceklerdir." Kadın telaşla ellerini sallıyordu.

"Ona ganimetten bir şeyler verdim, eğer bu yetmezse Babıâli'ye girebilmesi için gerekli olanları sağlamak için hırsızlık yapar umarım. Beceremezse, benim oğlum değildir ve onun erkekliğinden şüpheye düşerim, senin yetiştirdiğin çocuk bu, sorumluluğu sende."

"Ben de bunları en azından ona bir gelin bulmak için yaptığını sanıyordum. Şimdiye dek, içini kavuran nefret yüzünden oğluna karşı en basit görevlerini bile yerine getirmedin. 'Kanında asil kan akmadıkça hiçbir kız.' diyordun. Çok iyi. Sokullu'nun kanına olan susuzluğunun biraz olsun yatışması için dua edip durdum yıllardır. Bunca zaman sonra artık barışa kavuşup, diğer insanlar gibi yaşayabilirdik belki de. Sokullu'nun gelinini alıp kaçırdın. O Hıristiyan dönmenin ve kızın onurunu iki paralık ettin, tamam. Şimdi Sultan'ın torununu oğluna gelin olarak vereceğini düşünüyorsun. Evet, buna fazlasıyla layıktır ama, görüyorum, görüyorum, senin aklın başka yerlerde. Sen soyunu tüketerek mezara girmek istiyorsun, ben de çaresiz Allah'ın dediğine uymalıyım."

Bu atışmadan Safiye, adamın İsmihan hakkındaki planlarını öğrenmişti. Ama bunu bize söylemek zahmetine asla katlanmadı. Haremdeki rahatlığın tersine; keçiler, pireler ve tahtakurularıyla uğraşan bizleri adam yerine koymuyordu. Safiye böyle bir hapse katlanamazdı. Onun dışarda olması gerekiyordu ve bizi esir alanlar onun kaçabileceğine ihtimal vermedikleri için kızı oldukça rahat bırakmışlardı. Aslında kaçmak, şu anda onun aklının ucundan bile geçmiyordu. Bunun nedeni adamlardan korkması değildi, tam aksine aralarında bulunduğumuz bu vahşilerden çok hoşlanmıştı.

Karısıyla yaptığı konuşmayı dinleyen Safiye'nin badem gözleriyle karşılaşınca haydut başı daha da bir köpürmüştü. Odada yalnızca üçü vardı. Kadının gururu kızın varlığıyla incinmiyordu ama adam için bu geçerli değildi.

"Ben, Deli Orhan, dünyadaki tüm hükmedenleri dizlerinin üzerine indiririm," diye bağırırken, eline geçen sopayı karısına doğru savurdu. Sopa, kadına hiçbir zarar vermeden yere düştü ama, bir yığın süt kabı devrilmişti. "Kendi evimde olsun biraz saygı göremeyecek miyim?"

Ufak bir çocuğun yaramazlıklarını temizlercesine eğilip ortalığı topladı kadın. Sessizliği çok etkileyiciydi.

Yine de Safiye bu sessizliğin içine cesaretle daldı, "Oh, efendimiz. Siz gelecek için böylesine umutlar beslerken Tanrı size yalnızca tek bir çocuk mu verdi? Bence sizin gibi güçlü bir adam bundan hoşnut olamaz. Eğer bir kadın ona gönlünden geçenleri veremiyorsa, o da bir başkasında arar bunları."

Kadın onu aşağılayarak alaycı alaycı gülümsedi. Kısmen Safiye'nin tuhaf aksanıydı bunun nedeni, kızın sesi kulağına aptalca ve rahatsız edici gelmişti. Kısmen de, dünyada hangi kadının kendisi gibi, bir haydutla yaşamını paylaşmaya razı olacağına gülüyordu.

Orhan'daki etki ise daha düşündürücü olmuştu. Dikkatle büzülen dudaklardan dökülen "efendimiz" kelimesi öfkesini bir anda bitirmişti. Ve onun hafif meşrep tonlamasıyla kendisine kaderin sunduğundan daha farklı, daha güzel bir yaşam olabileceği aklına gelmişti.

Öfkesini ayakta tutabilmek için kulübeden fırtına gibi dışarı fırladı, duygularını saklamaya çalışıyordu. Ama dağlanan gözünü -ki artık bedeninde olmasa da hâlâ onun en hassas yerlerinden biriydi- ovuşturması bütün bu saklanmayı bozuvermişti.

"Evet, çık da serinle," diye homurdandı karısı.

Deli Orhan, lakabını hak eden bir çılgınlık içinde odaya geri döndü. Oğlundan o gün de bir haber alamamıştı, çatısının altında Sultan'ın sinirli kadınlarıyla bir gün daha geçirmişti ve karısı bütün bunlara bir çocuk oyunuymuş gibi bakıyordu.

Tehditkâr bir sesle, "Bir kelime daha duyarsam," dedi, "o zaman sana göstereceğim." Kadın ağzını açtı ama adam onu susturdu, "Hayır, o ağlamaklı özürlerini bile duymak istemiyorum."

Kadın bilge bir şekilde gülümsedi ve adam arkasını dönüp çıkana kadar korkmuş gibi yaptı. Sonra öfkesini Safiye'ye kustu. "Şu gözlere bak!" diye bağırdı. "Bir orospunun gözleri, namuslu bir kadının ona sunduğu şeyleri umursamayan gözler. Fahişe. Bu gözleri biliyorum. Fıldır fıldır hile arayan gözler. Orospu, seni biliyorum."

Safiye odadan kaçabilirdi ama bunu yapmadı. Bu

hakaretleri sakin sakin, neredeyse zevk içinde dinledi, çünkü kapı ağzındaki adamın üzerindeki etkisini biliyordu. Bu durumda bile kadından bir tarak istemekten geri durmadı. Kıymetli taşlarla süslü kendi tarağını delikanlı İstanbul'a götürmüştü, kadın isteksizce de olsa kırık tahta tarağını ona uzattı. Safiye, tarağın dişleri arasındaki gri ve siyah telleri, sanki yılların tozunu alıyormuşcasına temizlerken adamın odada olmasına özellikle dikkat etmişti. Sonra oturup uzun uzun altın rengi saçlarını taradı. Kendinden başka hiçbir şeyi düşünmeyen bir tavır içindeydi.

Sabrı tükenen kadın "al", diye bağırdı: "Al bunu. Benim çalışma ve terimin üzerinde yanaklarını pembeleştirip, güzelleşiyorsun. Mutfağımı şeytan tüyleriyle dolduracağına neden yararlı bir şeyler yapmıyorsun?" Kıza bir iğ uzattı.

Safiye bunu aldı ve küçümseyerek, "Bu nedir?," dedi.

"Bir iğ, aptal kız", diyen kadın zafer kazanmış gibiydi. Orhan kapı ağzındaydı, her şeyi duyup görebiliyordu, karısının çok salak olduğunu düşündü.

"Bir iğ mi?", Safiye bu kelimeyi bilmiyordu, aleti kibar bir şekilde ama oldukça beceriksiz tutuyordu, kadının yaptığı tüm çalışma kaybolup gidebilirdi.

"Aptal kafalı şey," diye homurdanan kadın iği kızın elinden aldı ve onu sertçe itti.

Kadının hakaretleri, sonunda Safiye'nin sinirini bozmuştu, küçük bir çığlık attı..

"Aptal kafalı olan sensin, köylü", diye hırlayan Orhan, kadını Safiye'nin yanından uzaklaştırdı. "Senin gibi ellerini iğle yıpratmayacak kadınlar da olduğunu bilmiyor musun sersem?"

Geri giden kadın, "Hiçbir yararı olmayan, başkasının kanıyla beslenen yavşaklar," dedi. "Sen de kaç kere bunu söylemiştin."

"Senin aklını karıştıracak kim bilir kaç Türkçe kelime biliyordur bu kız. Allah şahidim olsun ki, senin kafanı karmakarışık eder bu kızın sana lüks hayatla ilgili olarak söyleyeceği laflar, üstelik buraya yeni gelmiş ve dilimizi de o kadar iyi bilmiyor."

"Sanki sen lüks hayatı çok iyi biliyorsun..." diye adamla alay etti kadın ve belki de hiç söylememesi gerekeni söyledi, " yıkanmak örneğin... Bu senin pek de bildiğin bir şey değil ve kız da bunun farkındadır. Yıkanmak, yıkanmak... Şimdi kimin kafası karıştı? Belki de sudan korkuyorsundur, hiç yanına yanaştığını görmedim de..."

Adam, olmayan gözünü ovaladı. Safiye'nin elindeki tarağı alıp fırlattı ve kızı ayaklarının dibine çekti. Tarak yere düşünce ikiye ayrıldı, biraz önce kadının sertliğinden ötürü bağıran kız, adamın bu haşin tavrından hiç korkmuşa benzemiyordu.

"Sana köylünün kim olduğunu göstereceğim," diyordu adam.

Kadın, "İddiaya girerim ki kedi gibi sudan korkuyorsun," diye inatlaşıyordu.

"Sana göstereceğim," diye tekrar bağırdı adam. "Ben de en az Sultan'ın oğlu kadar iyiyim ve ne zaman istersem o zaman yıkanırım. Bu kadarla da kalmam, Murad'ın gözdesiyle de yaparım bunu, her istediğimde. Canın cehenneme kadın."

Ve Safiye'yi kulübeden dışarı çıkardı.

Yılın ilk fırtınasından sonra hava tekrar sakinleşmişti. Ama bu yalancı bir yazdı ve bir karış derinliğindeki buz gibi derenin donmamasının tek nedeni sürekli olarak akmasıydı. Üzerine vuran güneş bile onu Murad'ın içine daldığı ılık havuza benzetemiyordu. Ama gururu incinen Orhan'a bu vız geliyordu, çabucak soyundu ve suya daldı.

O sırada küfredip durduğu karısı değildi, onu neredeyse unutmuştu bile. "Şehzade Murad. Sen Deli Orhan'a göre bir kadın sayılırsın. Allah biliyor gerçekten öylesin karı kılıklı herif..."

Safiye bir kenarda tek başına kalmıştı ve samimiyetle söyleyebilirim ki, ne kadar yüksekten atsa da Orhan, kızı bilerek kendinden uzakta tutmuş olabilirdi. Dereyle başa çıkabilirdi ama hafif meşrep tavırlara alışkın değildi ve dürüstçe söylemek gerekirse kızdan korkuyordu. Öfkeyle bağırırken bile bakışlarını kızın badem gözlerinden kaçırmıştı. Ve bunu yıkanması bitene kadar da sürdürdü, o taraftan gelen en yumuşak sese ya da harekete bile dönüp bakmadı. Safiye elbisesini çıkarmıştı ve orada iç çamaşırlarıyla duruyordu.

"Düşündüm ki bu en iyisi," dedi. "Üzerinde inciler var ve kesinlikle onların yıkanırken kaybolup gitmesini istemezsiniz."

Orhan, rüzgârın nefesi kızın göğüslerine değdiğinde, onların küçük tepelerinin nasıl dikleştiğini görmüştü ve kalbi hiç bilmediği bir biçimde atıyordu. Korku ya da utanma da diyebileceği bu duygulardan kurtulabilmek için kendini derenin öbür tarafında sudan dışarı atıp, ılık bir taşın üzerine uzandı. Aslında onu şu anda en fazla rahatsız eden erkekliğiydi, hayatı boyunca ona hâkim olmakla övünmüştü. Bunu kızdan saklamaya çalıştı, ama Safiye bir anda derenin öte yanına gelivermişti.

Şehitlik mertebesinin yüceliğine ulaşmak için can atan dindarlar bile kazığa geçmekten korkarlar. Ama Safiye cesaret vermeyi sürdürüyordu. Bir, üç, beş... Onu tamamen ele geçirmeden de bundan vazgeçmeyecekti. Küçük beyaz memelerini adamın gözü önünde oynatıp duruyordu ve boğuk bir sesle fısıldıyordu, " Şehzade Murad'dan çaldığın incilerin tadına baksana..."

Orhan soluk soluğaydı, elleri örümcek gibi kayaya yapıştı.

Ağaçların arasında ibadeti bozulan derviş, sessizce uzaklaştı, çarpık çurpuk sakalını ve bıyığını sıvazlıyordu. Ama, ben kaçamazdım, mağaranın duvarlarında birkaç gün boyunca pek çok kez, Orhan'ın, Murad'dan kaptığı ganimetlerle nasıl eğlendiğinin yankılarını dinleyip durdum.

XLVI

İYİ KALPLİ İSMİHAN, hiçbir kadının, özellikle de Safiye'nin, değil tek başına ortalarda dolaşmak, insanın onurunun böylesine tehdit altında olduğu bir yerde kendi arzusuyla uzun boylu kalmak isteyebileceğini düşünemiyordu. Safiye saatlerce bizden ayrı oluyordu. İsmihan, onun kendisinden daha cesur olduğunu biliyordu, ama şehvet düşkünü de olabileceğini aklına getirmiyordu. Hanımımın aklını karıştırmamam gerekiyordu, onun düşüncelerinin bile kirlenmesini engellemeliydim. En sonunda, geleceğimizi nasıl etkileyeceğinden o sırada hiç haberimiz olmayan gün geldi çattı. Orhan'ın oğlu İstanbul'dan dönmüştü.

Annesi, geri döndüğü için Allah'a şükrediyordu, onun gözyaşı dolu bu karşılamasıyla daha da gerginleşen delikanlı, "Peki babam nerede?" diye sordu.

Çocuğun bu sorusu, kadını günlerdir altında ezildiği o karanlık ruh haline döndürüvermişti. "Alçak!" diye bağırdı kulübenin arkasına doğru, "Oğlun geldi."

"Geliyorum, geliyorum," diye seslenen Orhan biraz mahçup, kuşağını toplayarak dışarı çıktı.

Genç adam kuşkulu bakışlarla babasını süzdü, ama görevini başarmış olmanın verdiği ruh hali içinde bir şey söylemedi. Aslında saray, anlaşma yolunda pek istekli davranmamıştı. Hatta Sokullu Paşa, haberi aldığı anda, küçük bir ordunun başına bizzat geçerek haydutların hakkından gelmek üzere derhal yola koyulmuştu.

"Ama bunun olamayacağını biliyoruz," diyen Orhan, kendi başarısından emin gülümsüyordu.

"Gerçekten de öyle," diye cevap verdi oğlu. "Onları en son İnönü'de gördüm, oradan öteye tek bir adım bile atamayacaklardır, tıpkı bir haftadır oturup duran Şehzade gibi."

"İyi. Evet, yakında pazarlığa otururlar. Onlara kış ortasına kadar zaman veriyorum, en fazla..."

Biraz sonra başlayan kar sanki bu tarihi yakınlaştırıyordu.

Eşkıya o gece geç saatlere kadar ayaktaydı. Delikanlı, İstanbullu Hıristiyanlar'dan yasak şarap getirmişti. Başarı hiç olmadığı kadar yakınlarındaydı, bunu içkiyle tatlandırdılar. Safiye de, ara sıra yükselen kaba kahkahaların arasında onlarla birlikte oturuyordu. İsmihan ise onu rüyasında bile bırakmayan korkular ve tahtakurularının saldırıları arasında çırpınarak uyuyordu.

Ben de uyuklamış olmalıyım ki, karanlıkta omzuma dokunan elle yerimden sıçradım. Kendimi savunmak için yukarı kaldırdığım elim, bir hançer kılıfına yapışmıştı.

Tuhaf bir sesti ve tüm tuhaflığına karşılık tanıdıktı da, "Bu senin kendi hançerin değil, üzgünüm. Kılıfındaki taşlar yüzünden onu çok sıkı saklıyorlar. Ama o hadım hançeri kadar gösterişli olmasa da bu çok daha iyi iş görür."

Sesin sahibinin derviş olduğunu anlamıştım. Gereğinden fazla konuşmanın tehlikeli olacağının farkındaydı, ama yine de gizemli bir mırıltıyla şunları söyledi, "Senin genç hanımını Orhan'ın oğluna vermek istiyorlar. Bu gece. Bunun için savaşmalısın. Başka yol yok. Onun namusu ve senin yaşamın için, Allah yanında olsun."

Silahı elimle tarttım, ağır ve iyiydi. Gençliğe özgü cesaret ve gücün yeniden içime dolduğunu hissediyordum. Ve bu hoşuma gidiyordu.

Teşekkür etmek için arkama döndüm, ama orada yoktu. Eğer kapıdan çıkıp ana odaya geçseydi, ışığın altında onu görebilirdim. Oysa odanın bu tarafı karanlıktı, bir iki kez alçak sesle söylenen "Ya şahım, ya şahım" sözlerini duyar gibi oldum. Bu ses, arkamda kımıldanan keçilerin arasında kaybolup gitti. Ben de kendime uygun bir konum saptamak üzere ışıklı odanın kapısına doğru gittim.

İçen adamların üzerine bir durgunluk çökmüştü. Önce yorulduklarını düşündüm, belki de baygın bir şekilde hırkalarına sarınıp uyuyacaklardı. Ama bu sessizlik gergin bir bekleyişten ötürüymüş ve Deli Orhan'ın, "Kızı getirin!" diye bağırmasıyla bozuldu.

Sokullu Paşa'nın onurunun paramparça edilmesinin özel değil, genel bir şekilde yapılacağını anladım. Ve ellerinde meşalelerle iki iriyarı adam yanımdan geçerken, elimde hançer olsun ya da olmasın fazla bir şey yapamayacağımı anladım. Belki bir ya da ikisinin hakkından gelebilirdim, ama ondan sonra beni anında öldürerek, İsmihan'ı yalnız onursuz değil, yapayalnız bırakacakları da kesindi.

"Kalk Sultan torunu, kalk!" Adamlar meşalelerin ışığında şeytani yüzleriyle onun saman yatağına doğru şehvetle eğilmişlerdi. "Bu gece senin düğün gecen."

İsmihan sallanarak yanımdan geçerken, onların bu kaba saba hareketlerinin anlamını henüz kavrayamamıştı. Ayakları hâlâ uykunun ağırlığı içinde olmasına karşın, adamların onu peçesi açık olarak görmemeleri gerektiğinin bilincindeydi. Adamlar onu kollarından tutup odanın ortasına sürükleyene kadar kapanıvermişti. Peçenin altından bana yalvaran bakışlarla bakan gözlerine bir şey vaat edemiyordum. Ben de onun kadar çaresizdim.

Tam karşımdaki kapı özgürlüğe açılan kapıydı ve yanı başında Safiye oturuyordu. Epey bir süredir orada olmalıydı, yüzü açıktı ve bu adamlarla bir arada olmaktan hiç utanmıyordu. Sanırım bir parça şarap bile içmişti, yanakları kızarmış, gözleri parlıyordu. Acaba bu parıltı, arkadaşının kaderi için döktüğü gözyaşlarından mıydı? Açıkça görüyordum ki, hayır.

Onun yanında Deli Orhan oturuyordu. Kendi yerini bu gecenin şerefine oğluna vermişti. Sandalyesini vermesi liderlikten vazgeçtiği anlamına gelmiyordu, seslendi, "Haydi oğlum, işbaşına, talihin açık olsun."

Safiye, bu sözler üstüne yükselen gülüş ve bağırışlara katılmamıştı. Ama rahatsız olup başını da çevirmedi.

Genç adam, odanın ortasındaki İsmihan'a sarılmak üzere ayağa kalkıp hızla ilerledi.

Her tarafından kuşatılmıştı zavallı kız, arkasında bir duvar bile yoktu. Hâlâ ayakta durabiliyordu ama, emindim, yok olmak istiyordu. O iriyarı haydutun yanında inanamayacağım kadar küçük ve çaresizdi.

İçki ve kendisine gösterilen ilgi, Orhan'ın oğlunu oldukça etkilemişti. Hareketleri zarif bir dansla, kaba bir erkeklik gösterisi arasında gidip geliyordu. Öylesine bir pozla kızın çarşafını ve peçesini sıyırdı ki, İsmihan'ın zavallı karşı çıkışı bile bunu bozamadı.

"Al işte gör, kan emici Sokullu!" diye bağıran Orhan'a adamları da katıldı.

İsmihan sanki kırbaçlanıyormuş gibi acı içinde elleriyle yüzünü kapamıştı. Genç haydut, bu elleri çekmeye çalışıyordu, İsmihan korkuyla elini ısırınca, güzel küçük yüzü sıkıca kavradı ve ışığın altında, odadaki herkesin görebileceği şekilde döndürdü. İsmihan'ın en güzel yeri olan büyük kara gözleri sanki ışıktan korunmak içinmiş gibi kapalıydı. Bu bile kendinden geçmiş adamların şehvetli bağırışlarını azaltmamıştı.

İntikamın sesi, "Ey Sokullu! Sen de beni dağladığın gibi kavrulacaksın şimdi!" diye yankılanıyordu.

Terden sırılsıklam elim, hiçbir işe yaramayacağını bile bile hançere gitmişti. Ama ne yapabilirdim? Bütün bunları Allahın isteği, diye kabul ederek orada hiçbir şey yapmadan, olan biteni mi seyredecektim? Bir başka seçenek, odanın ortasına fırlayıp, İsmihan'ı kalbinden hançerlemekti. Belki bunu kendime de saplamak için zamanım olabilirdi. Beceremezsem, adamların benim yerime bunu yapacaklarından emindim. Bunun için gereken cesaret ve güce sahip olup olmadığımdan emin değildim. Ama başka bir çıkış yoktu. Gözlerimi kapadım ve sessizce Tanrı'ya bana yardım etmesi için yalvardım.

Bu arada odanın ortasındaki dans kızışmaya devam ediyordu.

Zavallı bir köpek yavrusu gibi inleyen İsmihan, bir ara adamın elinden kendini kurtarmayı başarmıştı. Ama iki ya da üç çift adi el hemen onu yakalayıp Orhan'ın oğluna tekrar teslim etti. Artık kızı belinden daha sıkı tutmaya başlamıştı. İsmihan'ın yapabileceği bir şey kalmamıştı, boğazlanmayı bekleyen bir koyundu sanki.

İsmihan'ın ağzına kendi açık ağzını bastırmaya çalışan Orhan'ın oğlu, beceriksizce kızın elbisesindeki incilere takılmıştı. Elini kurtarmaya çalışırken bunlardan biri yere düştü ve seyirciler ganimeti kapabilmek için hemen üzerine atladılar. Karmaşa çabucak bitti ve tekrar yerlerine döndüler. Delikanlı işini boş sepetten yumurta çıkaran bir sihirbaz edasıyla yapıyordu. Yuvarlak, beyaz bir meme... Bu meme gençliğin verdiği dirilikte ortada durmaktan başka bir şey yapamazdı. İsmihan, eğer elinden gelseydi, duyduğu utançtan ötürü onu kupkuru ve sarkık yapardı.

Bu ateşli görüntüler Orhan'ı, oğlunun yaptıklarını Safiye üzerinde uygulamaya itiyordu. Onun memeleri de açıktaydı ve adamın eli neredeyse kızın şalvarının iplerini çözmek üzereydi.

Bu adamların içinde yalnızca Orhan'ın bir kadını vardı. Pek çoğu, belki de yıllardır kadın yüzü görmemişti. Delikanlı işini bitirdiğinde- ki rahatlıkla bunu dört beş kez tekrarlayabilecek güçteydi- hiçbir güç diğerlerinin de kendi intikamlarını almalarını engelleyemeyecekti. Zavallı İsmihan ölürdü, bundan emindim. Onu tek bir darbeyle öldürmek çok daha iyi olacaktı, ondan sonrası ise benim için bir anlam taşımıyordu artık. Benim hayatım aylar önce, Pera'daki karanlık odada çoktan sona ermişti zaten. Bu düşüncelerin verdiği cesaretle pozisyonumu aldım.

"Hey hadım, kenara çekil, bundan daha iyi bir manzara mı arıyorsun iğdiş herif?"

Bu sözler kısa bir an için özgüvenimi sarsmıştı, kendimi toparlamaya çalışırken, birden odanın öbür tarafında olanlar hepimizin dikkatini o yöne çekti.

"Ahlaksızın kızı!" diye bağırıyordu Orhan'ın karısı. Daha sonraki sözleri, kırılan çanak çömlek gürültüsünde duyulmadı ama sonrakiler yine netti. "Dinsiz köpek. Allah senin belanı versin. Namuslu kadınların kocasını çalmayı sana ödeteceğim."

Ortalığı yeniden bir çanak çömlek fırtınası ve duvara çarpan tencerelerin gürültüsü kapladı. Bunların hedefi Safiye, korunmak için kaldırdığı kolları kan içinde, korkuyla titriyordu. Bir şekilde dışarı kaçmayı başarabildi.

"İyi", dedi kadın, "şimdi orada donarak geberebilirsin."

Ama öfkesi dinmemişti, bu kez sıra Orhan'daydı. Ona saldirdı. Orhan, küfretti, bağırdı, adamlarını yardıma çağırdı. İşte bu karışıklıkta odanın ortasına koştum ve hançerimi kullandım. Kurbanımı sol kolunun arkasından, kaburgalarının arasından bıçakladım. Orhan'ın oğlunun ciğerleri kahkahasına yetecek havayla şişmişti. Şimdi bu hava, açık ağzından yoğun bir kanla karışık olarak dışarı fışkırıyordu.

Gürültünün arasında, "Haydi," dedim, "koşmamız gerek."

İsmihan, elinden çekiştirmeme rağmen çarşafına bürünmeden benimle gelmedi. Bu, en azından adamlardan birinin olan biteni anlaması için yeterli bir süreydi. Keçilerin olduğu odanın kapısında duruyordu ve kaderin cilvesi, içlerindeki en keskin okçu oydu. Yayını gerip, silahını kaldırdığını gördüm.

Artık işimiz bitikti. İsmihan'ı önüme çekip ileri ittim. Bir an sonra içimizden biri ölümle karşılaşacaktı. Neyse ki, Tanrı bana hedefin ben olabilmem için gereken gücü vermişti.

Okun ıslık çalarak geldiğini duydum ve koluma kamçıyla vurulmuş gibi oldu, ama neredeyse hiç acı duymamıştım. Yanımdan hızından hiçbir şey kaybetmeden ileri gittiğini gördüğümdeyse şaşkınlık içindeydim. Ok, Deli Orhan'ı tam göğsünün ortasından yakalamıştı.

Okçu, hedefini şaşırdığına göre, payından çok daha fazlasını içmiş olmalıydı. İsmihan'ı çabucak dışarı çıkardım. İkinci bir okun bizi tehdit etmesini bile göze alamayacağım için kapıyı kapatırken, içeri son bir kez daha baktım. Dervişi gördüm, elinde hançeri, okçu adamın yanından hızla uzaklaşıyordu. Adam gırtlağı kesilmiş gürültüyle yere devrildi. Bir sonraki haydut, arkasına dönmüş, hararetle devam eden kavgayı seyrediyordu. Yoksul derviş, hançerini işte tam o anda adamın sırtına sokup çıkardı.

Kendimi tutamayıp, "Allahım!" diye bağırdım. "Adam bir ölüm meleği gibi..."

Ama bunları düşünmek için hiç vakit yoktu. İsmihan'ı aceleyle itiştirdim, Safiye zaten dışarıdaydı, avluyu koşarak geçtik ve Orhan'ın aygırının yanına geldik. Oğlunun atını ben aldım, ama hayvanları hemen koşturamıyordum, çünkü kızlarınkini geminden tutarak öncülük etmem gerekiyordu. En azından adamların en iyi atlarını alabilmiştim ve bunu en iyi biçimde değerlendirmeliydim.

Kar yağıyordu, yavaş yavaş ama yeterince yoğundu. Ayak izlerimiz hemen beyazlaşıp kayboluyordu. Bir saat kadar sonra düşünmeye başladım, nereye gittiğimiz konusunda hiçbir fikrim yoktu, yalnızca kaçıyorduk. Arkamdaki kızlar da bunu düşünüyordu. Safiye gerginliğini bana bağırarak göstermeye başlamıştı.

Öfkeyle, "Bizi niçin Orhan'ın güvenli evinden uzaklaştırdın," diye söyleniyordu. "Sen bir salaksın. Burada, dağlarda kaybolup gideceğiz. Bizi hiç kimse bulamayacak."

Cevap vermedim, belki de haklı olabileceğini düşünüyordum. Yoğun kar, ayak izlerimizi sakladığı gibi, her türlü başka izi de saklıyordu ve gemicilik bilgimi kullanabileceğim gökyüzü kapkaranlıktı. Tek yaptığım bir öncekinden daha öteye bir adım atmaktan ibaretti, bu da bizi yavaş yavaş dağdan aşağıya doğru götürüyordu.

"Veniero, donmak üzereyim. Parmaklarım, burnum hissizleşti. Gerçekten de, esir bile olsak Orhan'ın sıcak ateşinin başında olmak bundan daha iyi bir kaderdi."

"İsmihan Sultan gibi iyi bir kız olsaydın da çarşafına ve peçene sahip çıksaydın." Kendimi tutamıyordum, "Bak o senin kadar üşümüyor ve geri dönmek için sızlanmıyor."

Aslında havada tuhaf bir sıcaklık vardı, mevsim başındaki kar fırtınalarında bazen böyle olurdu. Yorgunluk ve sinirden bitkindim. Yine de, korunmasız durumumuza rağmen Orhan'ın inindekinden çok daha iyi durumdaydık. Dağdan aşağı indikçe sıcaklık artıyordu. Yağış önce sulu kara, sonra da iri damlalı sağanak yağmura dönüşmüştü. Ne yazık ki kısa bir süre de sırılsıklam olmuştuk ve bu çok rahatsız ediciydi. Üstelik çamurda atların ayakları kayıyordu ve artık geride bıraktığımız izler saklanamıyordu.

Safiye ise dırdıra devam ediyordu. Orhan'ın ölmüş olduğunu kabul etmiyordu. Benim gibi sersem bir hadımın tek başına böylesine mükemmel bir kaçışı gerçekleştirmiş olması ona göre olanaksızdı. Bizi izleyenlerin dikkatini çekebileceğini söyleyerek onu susturmaya çalışmam boşunaydı.

"Allahım umarım bizi hemen bulurlar," diyen Safiye, bir iki kez yüksek sesle vadinin yamaçlarında sesi yankılanarak bağırmaktan bile çekinmedi.

Orhan'ın onun ağzını bağlayarak ne kadar akıllıca bir iş yapmış olduğunu düşünmekten kendimi alamıyordum. Bize kesinlikle ihanet ederdi bu kız. Ama ne yazık, bir adam öldürmüş olmama karşın bu kadını nasıl idare edebileceğim konusunda hiçbir fikrim yoktu.

Sonunda Safiye, aynı şeyleri defalarca tekrarladığı için bunları duymaz hale geldim. İsmihan ise bizi dinlerken uyuyakalmıştı. Kendi şikâyetleriyle yoğunlaşan ve bana bunları dinletmek için her yolu deneyen Safiye, beline sarılan kolların giderek gevşediğini doğal olarak fark edememişti.

Çığlık atarak onunla birlikte yere yuvarlanıncaya dek...

XLVII

İSMİHAN DA BAĞIRMIŞTI, çünkü aygırın sırtından çamurların arasına oldukça sert bir biçimde düşmüştü. Aceleyle onu yerden kaldırdım, Allaha şükür ciddi bir yaralanma yoktu. Yine de içini çekerek, bana yaslanıp ölümden dönmüşçesine ağlamaya devam etti. Onurunun ayaklar altına alınmaya çalışıldığı o korkunç gece, onun rüyasında bile yakasını bırakmıyordu herhalde. Bir an önce bir sığınak bulup, gün ışıyana kadar orada kalacağımızı söylememle bir parça rahatladı.

Hıçkırıklar arasında içini çekerek, "Kolun yaralanmış," dedi ve bana sevgiyle dokundu.

"Sadece bir çizik," diye yatıştırmaya çalıştım. "Deli Orhan'ı öldüren ok yaptı."

Kaftanımın altındaki ince kumaştan bir parçayla kolumu sardım, oysa kanama çoktan durmuştu. Bu İsmihan'ı ferahlattı ve tekrar ata binecek cesarete kavuştu. Daha iyi fikirlerim de vardı, ama yine de sözümü tuttum ve şafağın ilk ışığıyla birlikte gördüğüm, biraz yukarımızdaki, altına sığınabileceğimiz ilk büyük kayaya doğru atımı sürdüm.

"En azından vadinin dışındayız," dedim.

Ama, gerçekte sabah olana kadar bekleyip, ondan sonra ne yöne gitmemiz gerektiğini saptamanın daha akıllıca olacağını söylemedim.

Safiye, "Bir ateş yakamaz mıyız?" diye sızlanmaya devam ediyordu.

"Allahım, sen gerçekten de bir an önce o haydutların eline düşmemizi istiyorsun," dedim. "Bundan daha iyi bir yöntem olamaz yakalanmamız için. Bu yaş ağaçlarla bir ateş..."

Fakat elbiselerimizin ıslaklığı artık dayanılamaz durumdaydı. İsmihan'ın çarşafına rağmen dişlerinin takırdadığını duyabiliyordum. Ve sonunda buna razı olarak, en azından bizi bir parça ısıtacak dalları aranmaya başladım. Bu ıslaklıkta bir kıvılcım için bile pek fazla şansımız da yoktu. Yine de bir umutla işe koyuldum.

Dibe sürüklenip kalmış kuru yapraklar, çalılar ve çamlar işe yarayabilirdi ve gerçekten de bir parça duman çıkartmayı başarabildim. Bu işi yapana kadar çok üşümüştüm ama, dumanı görmek buna değmişti. Birden vadiden gelen bazı sesler duydum ve ıslak kürklü yeleğimle yanmaya çalışan ateşi örttüm. Kızlar üzüntü ve korku içinde itiraz ettiler. Kesin bir şekilde susmalarını söyledim.

Atlarımız kişnedi. Eski dostlar yaklaşıyordu. Sonra seslerini duyduk. Konuşanları göremesek de söylediklerini net bir şekilde anlıyorduk.

"İşte. Kayanın altındalar. Duman. Duyuyor musun?"

"Evet."

Bize doğru tırmanmaları birkaç dakika daha aldı.

Henüz gün ışığı ortalığı aydınlatmamıştı, alacakaranlıkta iki gölge gördüm, belki de üç kişiydiler. Bir kayayla kafalarına vurabileceğim mesafedeydiler. Eğilip irice bir taşı elime aldım. Belki bununla kendimizi biraz olsun savunabilirdim.

"Hayır. Bak. Bunlar, hadım ve kızlar."

"Sana söylemiştim. Derviş, arkasında asla böyle bir ız bırakmazdı."

"Hiçbir iz bırakmadı o derviş."

"Onun bunlarla beraber olmadığından emin misin? Dervişin?"

"Hayır, sanmam."

"Hiç iz bırakmadı adam."

"Bana sorarsanız, o adam bir insan değildi. İblis o, şeytan, ecinni."

Diğer iki adam kendilerini kötü ruhlardan korumak için dualar ediyordu.

"Size söyleyeyim, onun peşine düşmek bile aptalca bir işti."

"Ama ölen arkadaşlarımızın kanı yerde mi kalacak? Benim kardeşimi de o öldürdü."

"Ve altı arkadaşımızı daha..."

"Allah için, ölüm meleği gibiydi. Hayır, hayır, o bir insan olamaz, o kadar silahlı adamı tek bir kişi yok edemez."

"Sonra da sırra kadem bastı... Hayır, bu bizi aşar arkadaşlar, baştan beri söylediğim gibi. Bu işi Allah'a havale edelim ve şeytanlardan intikam almanın peşine düşmeyelim."

Anlaşmışlardı, gölgeler geri gitmeye başladı.

"Ama en azından atları alalım. Kızlar ve hadım nasıl olsa soğuktan donacaklardır. Bu hayvanları onlara bırakmanın hiçbir anlamı yok."

"Evet, çok haklısın."

Birkaç dakika içinde adamlar gitmişti, tabii atlar da...

İsmihan, "Gelip bizi almadılar," diye neşeli çığlıklar atıyordu.

"Umurlarında bile olmadı," diye ayağını öfkeyle yere vurdu Safiye. "Bu nasıl olabilir? Bizim için ne kadar fidye istediklerini biliyor musunuz, tam iki bin kuruş... Bize nasıl olur da arkalarını dönerler?"

Sonra kayanın ucuna kadar gidip aşağıya doğru bağırdı, "Aptallar, Allah'ın belası aptallar."

"Söylediklerini duydun." Bu muhteşem mucizeyi ona anlatmaya çalışıyordum tabii kendime de. "İçlerinden yedisi ölmüş olmalı. Orhan ve oğlu da bu sayının içinde. Bizim kaçırılmamız aslında Orhan'ın başının altından çıkmıştı. Dağlanmış gözünün arkasında senelerdir kin ve nefret büyütmüştü ve Allah ona sonunda sonsuz huzuru verdi. Diğerlerinin Sokullu Paşa'ya, ya da saraya dair bir nefretleri olduğunu sanmıyorum. Bundan böyle bu adamların devletin başına bela olacaklarını da. Allah'a şükürler olsun."

Safiye, bana dönerek, "Aptal," dedi.

"Daha iyi bir açıklama yapabilir misin?"

"Aptal!" diye bir kez daha bağırdı, bunu tüm vadi duymuş olmalıydı. "Sen otur salak gibi, Allah'a şükret. Artık atımız bile yok. Adamlar haklıydı, burada donarak öleceğiz."

"Ama en azından artık korkmadan bir ateş yakabiliriz," dedim ve tekrar kuru dalları toparlamaya başladım.

İsmihan bana yardımcı olup, destek vermek için peçesinin bir kenarını koparıp uzattı.

"Sabret, sevgili Safiye," diye arkadaşına yalvardı. "Gerçekten de Allah'a şükretmemiz gerek."

Ufacık bir alev yükselirken, "Evet," dedim, "Allah'a ve o gizemli adama."

Güneş yükselene kadar, kızlara uyuyabilecekleri ortamı hazırlamıştım. Hatta ben de bir parça kestirmiştim, rüya bile görmüştüm. Rüyamda eşkıyadan kaçıyorduk ama bu kez dervişin kim olduğunu biliyordum. Bu, eski dostum Hüseyin'di.

"Allahım!" dedim kendi kendime, "Şu rüyalar..." Artık uyanmıştım ama, o yüz bir başkasıyla değiştirilemeyecek kadar zihnimde yer etmişti.

Sabah güneşinin altında, birbirine sokulmuş uyuyan iki kızı seyrederken zihnimi serbestçe dalgalanmaya bıraktım, acaba bu yüzü başka hangi yüzle değiştirebilirdim? İsmihan soğuk ve korkudan kurtulunca tekrar eski tomurcuğumsu hoşluğuna kavuşmuştu ve yarı açık peçesinin altından görünen yuvarlak yüzündeki çocuksuluk seyredilmeye değerdi. Güneşin tümünü kendi üzerine alan Sofia Baffo'ysa peçesiz ve bir mermer kadar kıpırtısız bir durgunluk içindeydi. Hâlâ çok güzeldi, bütün bu olanlardan sonra bile ayışığı kadar güzeldi.

Başımı salladım ve ayağa kalktım. Savaşta ellerini, ayaklarını kaybedenlerin uzun zaman sonra bile ara sıra o kayıp organları ağrıyormuş gibi bir hisse kapıldıklarını duymuştum. İşte benim de o anda içinde bulunduğum rahatsızlık böyle bir şeydi. Ama belki de bu, neredeyse patlayacak olan mesanemin baskısıydı. Hadım edilmem böyle karışık hisler yaratabiliyordu. Ateşin yanından geçtim, topladığım odunların kalanlarını içine attım ve barınağımızdan dışarı çıkıp çamlığa daldım.

Sert ve parlak kabuklu böcekler, taşların arasında her zamanki sonbahar çalışmalarını yapıyordu. Çalıların, otların üzerinde dolaşan bol bol beyaz sümüklüböcek... Gözlerimi bu yaratıklardan kaldırıp etrafıma baktığımda korunun bana sunduğu enfes doğa manzarasıyla karşılaştım. Hiçbir insan eli buraların vahşi bekâretine dokunmamıştı, ama daha aşağıda, sanki bize insanlara giden yolu göstermeyi vaat eden pırıltılı bir derecik akıyordu. Fırtınadan sonraki bu berrak ve parlak dünya tüm mesafeleri yok etmiş gibiydi. Yükselen güneşle birlikte bir ince buhar da yükselmeye başlamıştı ve ben bu sessizliğin içinde her köpüklü dalgacığını gördüğüm halde derenin şırıltısını duyamıyordum..

Çevre yer yer hâlâ kayalık ve yalçındı. Uçurum kenarlarında ne çeşit bir bitki olabilirdi ki? Keçi memleketi... Henüz bir keçiye rastlamamıştık ama varlıkları belliydi. Güneş, ıslak yüzeylerinin ta içlerine giriyormuşcasına onlara vurup, çiçekbozuğu yüzlerindeki çukurcuklardan buharlar çıkmaya başladığında vahşi kayalıklar bile güzelleşiyordu.

Vadinin bir safire benzeyen aralığından kanat kanada iki kuş yukarılara doğru uçuyordu. Şahinlerin tek başlarına avlandıklarını bildiğim halde ben onlara yine de şahin dedim. Çünkü akbaba olmaları fikri hoşuma gitmemişti. Daha küçük kuşlardan oluşmuş bir sürü, bu tehlikeyi hızla havalanarak başından savdı. Yukardaki dağın tepesinde kayboluşlarını izlerken, güney, diye düşündüm. Bunu güneşin açısından anlamıştım.

Sonra, korunun bir kenarındaki alçak çalılıkların böğürtlenle dolu olduğunu fark ettim. Yaprakların çoğu fırtınayla dökülmüştü, ama dallarda asılı bir yığın meyve vardı hâlâ. Olgun ve siyahtılar, ağzıma attığım bir avuçla aniden Brenta Irmağı'nın kenarında geçirdiğim geç sonbahar günlerinin tatlılığına dönüvermiştim, küçük bir çocuk olduğum günlere. Annem, dadım, hizmetçiler, hepsi de kış için Venedik'e dönme hazırlıklarıyla uğraşırlardı ve benimle kimse ilgilenmezdi. Ben de gidip böğürtlen arar, onlar beni çağırıncaya dek tıkanana kadar yerdim. Sonra hepsi birden seslenmeye başlardı, bir ağızdan, gün batımında, koro halinde. "Brichino, Brichino..." Bu benim takma adımdı.

Yüreğimde bunları yitirmenin acısını duyunca ikinci bir avuçla rahatlama yolunu seçtim. Hiç olmazsa hâlâ böğürtlenlerin tadına varabiliyorum, diye düşündüm ve kızlar uyandığında bunları nasıl yiyecekleri üzerinde kafamı yoğunlaştırdım. Sonra, öğleden sonra yürümeye başlayabilirdik. Yürüyerek de olsa bu güzel havada, yokuş aşağı epey bir mesafenin hakkından gelebilirdik. Ve herhalde akşama insanların olduğu bir yerlere ulaşabilirdik.

Bu düşüncelerle kahvaltımızı kirletmemek için duruşumu değiştirdim ve katalerimi almak üzere elimi sarığımın içine soktum.

"Abdullah!"

Bu sesin telaşıyla katater elimden düşüverdi.

"Oh, neyse buradasın."

"Hanımım."

"Uykumda bile senin yanımda olmadığını hissettim ve korktum. O kötü haydutun..."

"Evet hanımım, ben de kâbus gördüm."

"Öyle mi?"

"Normaldir... Haydut öldürüldü, artık size bir zarar veremezler. Ve ben de buradayım."

"Doğayı içine çekiyorsun."

"Evet."

"Herkesin zaman zaman yapması gereken bir şey bu." Gülümseyerek baktı.

"Evet hanımım." Yine garantili formalite konuşmalarıydı bunlar.

"Affedersin."

"Ateşin yanına gidin." Soluğum ıslak kayalar gibi

tütüyordu. Etrafımdaki ıslak dünya mesanemdeki baskının acısını artırıyordu.. "Ben de hemen geleceğim."

O gider gitmez, ellerimin ve dizlerimin üzerine düştüm. Islak yaprakların arasına böğürtlenlenlerden yapış yapış olmuş parmaklarımı sokarak, vahşice aranmaya başladım.. Çam dallarından üzerime dökülen sular aklımı yine mesaneme takmıştı ve nerdeyse patlayacak bir haldeydim. Allah'ın belası katateri bulamıyordum.

"Abdullah neyin var?"

"Hiçbir şeyim yok.. Ateşin yanına gidin."

"Ama ne arıyorsun?"

Patladım. "Kataterimi... Onu düşürdüm. Buralarda bir yere."

"Onun ne olduğunu bilmiyorum. Bir katater?"

"Ve umarım asla da öğrenmezsiniz hanımım."

"Ama ne aradığımızı bilmezsem sana nasıl yardım edebilirim?"

"İstemiyorum sizin..."

İsmihan sesimin tonundan irkilmişti, bunu elimden geldiğince değiştirmek zorunda kaldım.

Derin bir soluk aldım ve, " o, ince pirinç bir borudur", dedim. Öylesine bir acele içindeydim ki, boyutlarını anlatmaya çalışırken işaret ve başparmağım titriyordu.

İsmihan da yanı başımda benim gibi ellerinin ve dizlerinin üstüne düştü. "Üstat, üstat, yavaş yavaş," diyordu. "Çok hoyrat davranıyorsun, onu bizden uzaklara iteceksin. Haydi gel sakin olalım ve onu bulalım."

Tombul küçük eli yaprakların altında benimkini buldu ve titremem geçene kadar sıktı.

"Belki de, ateşim çıktı," dedim. "Rutubet ve her şey..."

"Hayır, sanmam." Aşağı düşmüş sarığımı gözlerimin üzerinden çekerek geri itti. Yüzümde görmüş olduğu şeyler onu endişelendirmiş olmalıydı. "Yani o tüp olmadan rahatlayamayacağını mı söylemek istiyorsun?" diye sordu.

Serbest kalan elimle yaprakların arasında aranırken hiçbir yorum yapmamaya kararlıydım. Aslında sarık geri itilince çok daha iyi görmeye başlamıştım, galiba o da...

"Bütün hadımlar için mi Abdullah?"

"Hayır, hepsi için değil... Ben çok daha kökten halledildim. Daha genç olsaydım..."

Devam edemiyordum, elimi tekrar sıktı. "Abdullah onu bulacağız," dedi.

Konuyu umutsuzca değiştirmeye çalışarak, "Leandros Kulesi'ni biliyor musunuz?" diye sordum. Yavaşça ve kararlı olarak konuştuğumda sanki ellerim de buna uyuyordu.

İsmihan başını salladı. Peçesinin kenarlarını daha iyi görebilmek için yukarı kaldırmıştı. Yanakları temiz havadan kızarmıştı. Kara gözleri yağmur damlalarının yapıştığı çimenler gibi, rüzgârdan parıldıyordu.

"İstanbul'da. Asya kıtasının kenarında; Marmara'nın, Haliç'in ve Boğaz'ın sularının karıştığı yerde. Eminim büyükbabanın sarayından orayı görebilirsin. Ve kayığınla pek çok kez yanından geçmişsindir. Büyükbaban limanla bu kule arasında vergi ödemeden gemi geçmesin diye bir zincir geriyor. Ama kulenin bunların dışında başka bir öyküsü daha var. Amcam anlatmıştı."

"Bana da anlatsana."

"Söylenir ki, eski zamanlarda bu kulede Hero adlı bir kız yaşarmış ve her gece ailesinin görüşmesine izin vermediği sevgilisi Leandros, onunla birlikte olabilmek için yüzerek yanına gelirmiş. Şafak vaktinden hemen önce de yine yüze yüze geri gidermiş."

"Yolunu nasıl buluyormuş?"

"Hero onun için bir lamba yakıp, penceresinin önüne koyuyormuş."

"Çok güzel bir hikâye."

"O kadar güzel değil. Bir gece, fırtına lambayı söndürmüş. Işığın rehberliğinden yoksun kalan cesur Leandros bütün gece azgın dalgalarla boğuşmuş ve sonunda boğulmuş."

"Oh, hayır."

"Günün ilk ışıklarıyla kuleden bakan Hero, âşığının cesedinin kayalarda dalgalarla yıkandığını görmüş. Kederinden hemen kendini asarak intihar etmiş."

"Ne kadar korkunç... Bu hikâye daha önce bitse daha hoşuma giderdi."

"Ama bu daha gerçekçi. Hikâyeler asla istediğimiz gibi bitmez."

"Böyle söyleme Abdullah. Sen beni o kötü kaderden nasil kurtardın?"

"İstanbul'a geri döndüğünüzde o kuleye bakın. Mutlaka göreceksiniz. Ben onu Pera'da, tepedeki yüksek küçük pencereden bile görebiliyordum. Demir parmaklıklarının arasından ve kırmızı kiremitli çatıların üstünden... O sırada acılar içinde sonumun gelmesini bekliyordum ve beni ölümden de beter olan bu kaderden kurtaracak hiç kimse yoktu.

Burada durmak istiyordum. Yeterinden daha çok şey söylemiştim aslında. Ama kendimi fiziksel gereksinmemden daha acil bir gereksinim içinde konuşurken buldum.

XLVIII

İSMİHAN SULTAN'A Pera'nın arkasındaki o küçük karanlık evle ilgili her şeyi anlattım. Boğum boğum gövdeli o ihtiyar zeytin ağaçlarının arasındaki evi.

"Herhalde çok etkileyiciydiler," dedi hanımım.

"Onların arasında hiç kimse benim çığlıklarımı duyamazdı," diye çabucak onun hayallerini bozdum. "Kimse beni kurtarmaya gelemezdi."

Devam ettim. Kendime engel olamıyordum. "Ağaçlar tomurcuklar içindeydi ve uyumaya çalışırken onların tozları gözlerime doluyordu. Bazen ilkbaharın buğusu içindeki arka bahçede koyunlar dolanıyordu."

"İlkbahar mıydı?"

"Evet."

"Böyle bir kader için ne talihsiz bir mevsim."

"Ramazan gelmişti."

"Evet, hatırlıyorum. Hayatım boyunca, bu kutsal oruç hep yaza denk geldi ve güneş batana kadar sıcağın altında tek bir damla suya bile izin verilmez."

"Biliyor musun, ilk kez top seslerini duyduğumda..."

"Orucun sona erdiğini haber veren toplar.."

"Evet, bunları ilk duyduğumda düşünmüştüm ki, bunlar benim ülkemin insanları. Saraya doğru toplarını yönlendirdiler. Beni kurtarmaya geldiler.

Ama bu doğru değildi. Bunu yapamazlardı. Buna inanmak istiyordum, ama gerçekte bunu tam olarak istiyor da değildim. Böyle olamazdı. Bu şekilde kurtarılamazdım."

Derin bir nefes aldım ve devam ettim: "Ve sonra Miraç geldi, gök katında Tanrı'yla buluşma gecesi. Tam da yeniden kendime gelmeye başladığım akşamdı. Tabii asla bir daha kendim olamazdım. Asla kendim olamazdım. Ama sonuçta biraz daha iyiydim. Biraz daha iyi... Miraç, bu ne Tanrısal bir olaydı. Muhammed atına atlamış ve..."

"Allah'ın en sevgili kulu..."

"Ve tüm minareler ışıklarla donanmıştı."

"Hero'nun kulesi gibi. Şimdiden sonra bunu hep böyle düşüneceğim."

"Zeytin ağaçlarının üzerinden görünen öyle bir minare vardı ki, daha alçak bir minare, çatısı küflenmiş bir mahalle camisi. Günde beş kez, oradan ezan okuyorlardı, sanki bana yapılan işkenceyi ölçebileyim diye."

"Bunu yapabiliyor muydun?"

"Umutsuzca..."

"Bu müezzin olmalı."

"Herhalde. Ama arka bahçedeki kuşlar... Bana işkence etmek için ilkbahar şarkılarını söyleyen bir yığın kuş vardı. Hatta bir bülbül bile. Güneyden henüz gelmiş o bülbül her gece ötüyordu.

Ve sis ortadan kalktığında, ikinci kattaki o küçücük pencereden Leandros Kulesi'ne kadar her şeyi görebiliyordum. Manzara bir resim gibiydi. Bayram ve arkasından gelen her şey. Bir resim. Ve her şey de bunun ardından gelmişti. Köleleşmek. Yapaylık. Sakatlık. Resim yapmayı senin dinin Tanrı'yı taklit etmek anlamına geldiği için lanetliyor. O resim dünyası, mutluluğun dünyası, artık o telaşlı insanlarla benim bir işim yoktu. Asla... Onların arasına bir daha katılamayacaktım."

Evet, gerçekten de yavaşça ve kararlı bir şekilde anlatmak işe yarıyordu.

"Bana oraya gittiğimden beri sudan başka bir şey vermemişlerdi. Bir kurbanlık keçi ya da tavuk gibiydim. Her şeyin çabucak temizlenmesini istiyorlardı. Ve ikinci gün bana sıcak bir içecek getirdiler, öylesine acıkmıştım ki, içinde ne olup olmadığını düşünmeden kafama diktim. Ama sonra... Kramplar, ishaller ve inanılmaz susuzluk.... Bu çok özel bir şeydi, barsaklarımı temizlemek için..."

"Sarısabır, safran, adamotu, hardal?"

"Hepsi birden ve hatta daha da fazlası. Evet, hardal ve sarımsağın kokusunu almıştım ama bunlar içtiğim sıvıdaki diğer kokuları saklamak içindi sanırım. Her ne hal ise, bu acılarla kıvranırken, Selahaddin ve bir başka adamın benim durumumdan söz ettiklerini duydum. Hasta hasta onların önünde David heykeli gibi durmam gerekiyordu. Mikelanjelo'nun David'i gibi..."

İsmihan, "Bunun ne olduğunu bilmiyorum," dedi.

Bu heykelin bir yığın alçı kopyasını görmüştüm, ama tabii ki hanımım görmemişti. Ona açıklamaya çalıştım, yalnız çıplaklık konusunda öylesine tutucuydu ki, bunun sanatsal önemini kavrayamıyordu.

Ona inandırıcı gelen tek şey, "Yani, o talihsiz David gibi kendimi çok hoş bulmuyordum," lafı oldu.

" 'Ne güzel hatlar, ne güzellik...' dedi Selahaddin. Sanki ben bir başyapıttım. Benim neler hissettiğime hiç aldırmadan kemikli parmaklarıyla her yanımı, cinsel organımı bile dürtüp duruyordu." Bu anı üzerine gözlerimi kapamıştım. "Ben isyan edip bağırana kadar da buna devam etti. Bağırmam üzerine ikisi de güldü ve bunun benim son duygulanmam olacağı üzerinde sohbet ettiler. Bu Allah'ın isteğiydi. Benim Türkçe konuşabildiğimin farkında değillerdi, aslında ben de böyle bir ölüm kalım noktasında olmasam bunu anlayamayacaktım.

'Onu öyle bir çekip çevirmeliyiz ki, yaşamaya devam edebilsin', dedi Selahaddin. Çekip çevirmek... Malının taşınmasından şikâyetçi olan bir tüccarın ağzıydı bu.

Aslında Selahaddin'in çok fazla bir şikâyeti yoktu. 'Şu reflekslere bak. Pek çok asil kadın, böyle bir hadım için servet ödemeye hazırdır, bu gençlik... Eğer hastalık çıkarmadan onu tatmin edebilirse...'

'Ama bak', dedi öbür adam sızlanarak, 'çoktan tüylenmiş. Bu iş için yaşı geçmiş. Onu çekip çevirmek bu yaşta ölümcül olabilir.'

'Sen çok beceriklisindir dostum.'

'Beceri ayrı, salaklık ayrı şeydir. Onu çekip çevirmek ölümüne yol açabilir.'

'Dene.'

'Buna cesaret edemem.'

'Genç ve dayanıklı biri o.'

'Bunu bilemem.'

'Dünyada insanı en dayanıklı yapan şey denizlerdir.'

'Tamam öyledir ama...'

'Yaşayacaktır, inşallah...'

'İnşallah belki ama, garanti edemem. Onda bir şansı ya var, ya yok.'

'Bu riski göze almak için can atıyorum.'

'Ben değil.'

'Paranı alacaksın, ister yaşasın ister ölsün.'

'Bunun garantisi ne?'

'Sözüm.'

'Hayır dostum. Kasap Selahaddin'le daha önce de pazarlık etmiştim.'

'Peşin vereceğim.'

'Ama ölebilir, diyorum sana...'

'Neden çekiniyorsun? Sen ki yukarı Mısır'da yıllarca bu işi yaptın, günde yirmi otuz zenci çocuğu iğdiş ettiğin oldu, şimdi ne diyorsun?'

'Artık o kadar genç değilim.'

'Üzerine ihtiyarlığın yorgunluğu mu çöktü?'

'Her şeyin önce ve sonrasını düşünmek zorundayım.'

'Tamam, onu çekip çevirdikten sonra bir terslik olursa, iltihabın yayılmaması için yeniden ameliyat ederiz.'

'Yani iki kez öyle mi?'

'Eğer gerekirse, yaşaması için.'

'Ve hepsini peşin ödeyeceksin?'

'Hemen şimdi.'

Selahaddin'in karısını, yeni bir elbise için biriktirdiği paralarla nasıl çarşıya yolladığını İsmihan'a anlattım. Oysa üzerindeki öylesine eskiyip incelmişti ki, neredeyse çamaşırı görünüyordu.

"Adamlar bir süre sağdan soldan muhabbet ettiler. Daha sonra Selahaddin'in karısını gördüm, üzerinde basit bir elbise ve onu saran geniş bir kuşak vardı, bana bir tas şarap getirmişti. Ama içkinin tuhaf tadı ve kadının yüzündeki paraları heba olduğu için taşıdığı acıklı ifade yüzünden onu camdan dışarı dökmeye karar verdim. Benim için geldiklerinde uyuyordum, can sıkıntısından sanırım. Ama o penceresiz kulübedeki masaya beni çırılçıplak bağladıklarında çoktan uyanmıştım ve onlarla mücadele etmeye çalışıyordum. Siyah deri kayışlar kan lekeleriyle doluydu.

İki kez tam kasıklarını değilse de, buna yakın bir yerlerini tekmelemeyi başardım, adamın nefesi kesilmişti. Adam, "Selah, sen aptal mısın? Bu çocuk uyuşmamış," dedi.

'Hayır canım uyuşmuş. Genç ve dirençli, hepsi bu.'

'Al işte bir tekme daha.'

'Karıma söylemiştim...'

'Belki de kendi içmiştir. Yeni elbisesinin yerine. Haydi söyle de yenisini getirsin, yoksa senin yıpranmış kayışları koparacak bu azgın.'

'Sana ne kadar güçlü olduğunu söylemiştim. Maşallah ne kuvvet,' diye gururla mırıldanan Selahaddin, söyleneni yapmak üzere dışarı çıktı.

Serbest kalan bacaklarımla bir kenara sıkıştırdığım adam, 'Hah, ben Mısır'dayken her altı haftada bir kayışları değiştirirdik yoksa çalışamazdık, o sıcağa ve kuruluğa ne dayanır ki..' diye kendi kendine konuşuyordu.

Selahaddin dönünce ikisi bir olup sonunda bir miktar afyonu dişlerimin arasından dökmeyi başardılar. Tam etkisini göstermesini bekleyecek sabırları yoktu. Sersemleşen bacaklarımı bağladılar, yarı baygındım ve en hassas organımın kuvvetle çekilip iki taş arasında sıkıştırılmasının korkunç acısına dayanamıyordum. Neyse ki bayılmışım."

İsmihan'a anlatmaya devam ediyordum. "Aradan ne kadar geçti bilmiyorum, ama kendime gelir gibi olduğumda ihtiyarın şöyle dediğini duydum, 'Güzel görünmüyor. Hiç güzel görünmüyor.'

Ardından da Selahaddin'in, 'Tamam moruk, kazandın. Hepsini çıkart. Görelim bakalım bu zındığa ne olacak,' sözlerini.

Beni masaya başım gövdemden daha aşağıda sarkacak şekilde yeniden bağladılar. Böylece tüm kanım beynime gidecekti. Ve bu kez bayılmamı istemiyorlardı."

Adamların nasıl bedenimi neredeyse dolaşımı durduracak kadar sıkı sıkı bezlerle sardıklarını; nasıl çabucak karnıma yakın bir yerden, iltihaplanmayı engellemek için bıçak yerine çok keskin iki obsidiyen taşı kullanarak erkeklik organımı kestiklerini; nasıl kızdırılmış bir demir çubukla orayı dağladıklarını ve bütün bunlar olurken nasıl her şeyin, yeryüzünün de gökyüzünün de yok olduğu bir acının ruhumu ve bedenimi kapladığını anlattım İsmihan'a.

"Ve bütün bunları yaparken senin ayık olmanı mı istediler, Zavallı Abdullah," dedi İsmihan.

"Evet, kesme ve dağlama bittikten sonra, iki saat beni karakafes ve sarı sakız karışımı bir macunla ovdular, şimdi bile, hatta sizin ellerinizde de olsa bu kokulara dayanamıyorum. Sonra da kestiklerinin boşluğunu ince ve temiz çöl kumuyla doldurdular, bunlar olurken hep ayıktım.

İhtiyar, 'Çölde onları boyunlarına kadar kuma gömerdik, çok ender olarak biri ölürdü,' diyordu.

Bacaklarıma vuran ağrılardan bayılacak hale gelmeme ve içimde kusacak hiçbir şey kalmamış olmasına rağmen ben hâlâ öğürürken işkencecilerim beni ayakta tutmaya çalışıyorlardı. Ölümcül sancılar içinde, bir ileri bir geri defalarca yürüttüler beni o daracık kulübede. Yürüterek, yaraya kan gitmesini sağlamak istiyorlardı, daha çabuk iyileşmem için. Oysa bir daha asla iyi olamazdım. Erkekliğim, üzerine ilkbahar sineklerinin üşüştüğü bir kovanın içinde kalmıştı."

"Nur Banu," diye yutkundu İsmihan. "Nur Banu'nun bir zamanlar Çin'den gelmiş bir hadımı vardı. O şeyleri daima, boynundaki bir zincirin ucunda sallanan, bal dolu bir kavanozda yanında taşırdı. Eğer öldüğünde onunla gömülmezse öbür dünyaya kabul edilmeyeceğine inanırdı."

Bir korku dalgası sarıvermişti beni. Ya bu, dünyanın öbür ucundan gelmiş yalnız adamın batıl inançları doğru idiyse? Başıma gelenlerden ötürü kendi inançlarım allak bullaktı, bir süre bu korkunun ürperticiliğini yaşadım.

Sonra kafamı toplayıp tekrar geçirdiğim acı dolu üç güne yoğunlaştım. Bu üç günden zihnimde çok az bir şey kalmıştı ve şimdi bunların arasına çarmıha gerilmiş bir acı daha ekleniyordu.

"Bütün o işkenceleri anlatamıyorum, çünkü kendimde değildim. Parça parça olmuş dilime tek damla su bile vermedikleri halde, o iğrenç kasaplıktan sonra mesanem şişmişti.

Üçüncü günün sonunda sargıları açmak için geldiler. İyi bir şeyler bekliyor gibiydiler, ama umdukları olmamıştı.

İhtiyar, 'İltihaptan tıkanmış, çişini yapamıyor. Bu kesinlikle öldürür. Hem de en korkunç şekilde. Üzgünüm dostum. Biz elimizden geleni yaptık', dedi.

Ateşler içindeki bedenimin acısını bana unutturan bir öfke, her yerimi kaplamıştı. Zaten bir acı ancak onu aşan bir başka acıyla unutulabiliyor. Ve bu müthiş öfkeyle öylesine kasılmıştım ki; o sarı, iltihaplı kabuk kenarından açılıverdi, iğrenç kokulu bir sıvının ardından idrar boşaldı. İhtiyar baştan aşağı bu pis kokulu sıvıyla ıslanmıştı ama, buna aldırmıyordu.

'Ona bir katater vermen gerekecek Selah,' dedi. 'Hadım yaşayacak.'

Benim için en korkunç sözdü duyduğum, yaşamak..." diyerek sözlerimi bitirdim. Tepeden tırnağa titriyordum ve böğürtlenlerin üzerine kustum.

Mesanem boşaldığında, İsmihan avucunu açtı. Katater oradaydı. Onu daha önce, çok daha önce bulmuştu ve bana vermeye çalışmıştı. Ama korkunç hikâyeme kendimi öylesine kaptırmıştım ki, onu sıkacak tek bir kas telim bile kalmamıştı. Katateri almamıştım.

"Eve döndüğümüzde, Abdullah, bir mücevherciye gidip sana yeni bir tane yaptıracağım, gümüşten," dedi İsmihan.

Kaba kaba güldüm. Aslının yerine koymak için ne gülünç bir şeydi. Ama öte yandan bizim ihtiyar Piero'nun kulağı için almayı düşündüğüm mercan aklıma geldi. Şimdi nerelerdeydi, balıkların arasında uyuyor muydu? Bense, bu ve bunun gibi pek çok şey için şansımı yitirmiştim.

Kızın elinden katateri aldım. Pirinç tüp, onun dokunuşuyla ısınmıştı.

XLIX

İSMİHAN SULTAN UYUYAMIYORDU.

"Bana anlattıklarından sonra uyumamı mı bekliyorsun?" diye sordu. "Nasıl uyuyabilirim?"

Buna karşın bir iştah sorunu yoktu. Sinirli sinirli, böğürtlenleri ağzına dolduruyordu, arada bir de elindeki kokulu nane demetinin küçük yapraklarını ayıklıyordu.

"Gerildiğimde çok yerim," diye özür diledi.

"Hanımım", dedim. "Yaşamınız boyunca benimkine benzer işkencelerden geçmiş yaratıkların koruyuculuğunda uyudunuz."

Birden sabrım tükenivermişti, hem de hiç olmadığı kadar. Yaşadığım son altı ay sanki tüm eklemlerimi acılı bir sıvıyla doldurmuştu.

"Ama hiç bilmiyordum," diye itiraz etti. "İnsanlar bu gibi şeyleri konuşmazlar."

"Cinsiyetsiz insanlar da olabilir mi sanıyordunuz?"

"Belki de. Evet. Neden olmasın ki?"

"Evet, ama öyle değiller."

"Bana kızma. Bunlardan habersiz olduğum için bana kızmamalısın."

"Hayır, kızgın değilim, yalnızca yorgunum. Haydi uyuyalım."

İnci gibi minik dişleri sinirli sinirli bir başka dal üzerinde çalışıyordu. Onu böyle yapan mutlaka yaşadığı büyük gerginlik olmalıydı. Yoksa hiç kimse, ne kadar aç olursa olsun, naneyi böyle yiyemezdi.

"Başka ne yapabilirim?" diye sordu.

"Uyumak iyi gelir, biraz deneyin," dedim.

"Yıllar boyunca kullandığım o insanlar..."

"Yalnızca onlar değil, bir de ailelerinden koparılmış küçük köle kızlar var."

"O konuda çok da olumsuz düşünmüyorum. Kendi evinde titreyerek açlık çekmektense, harem daha iyidir ve oraya giren hiçbir kızın bundan şikâyet ettiğini duymadım."

"Belki sahibelerine bunu belli etmek istemiyorlardır."

"Onlara karşı iyi davranırız, oysa babaları onları döver. Baksana, Safiye bile..."

"Evet, haydi ondan söz edelim."

"Bir gün, inşallah Sultan anası olacak. Bunu İtalya'da yapması olanaksızdı."

"Doğru, olamazdı."

"Ve sanıyorum, pek çoğu, hadımların büyük kısmı bile, aksi olsaydı şikâyetçi olurlardı, sence?"

"Hanımım benim şu anki şikâyetim uykusuzluk..."

"Ama ben senin dertlerini hafifletmenin yolunu arıyorum."

"Yakın ilginiz beni gerçekten duygulandırıyor. Yalnız her ikimizin de gözleri uyku dolu olmasa bile, uygarlığa yeniden kavuşmak için bu öğleden sonra bir hayli yürümemiz gerektiğini unutmamalıyız."

"Bütün bunlar, kölelik, hadım etmek, hepsi de Allah'ın istediği..."

"Selahaddin ve arkadaşı da aynı fikirdeydiler."

"Allah'ın isteğine karşı benim gibi küçük bir Sultan ne yapabilir?"

"Evet. Bütün sistem Allah'ın isteği üzerine kurulu."

"Ona karşı çıkmayı düşünmek bile günahtır."

"O halde onun bize emrettiği kutsal uyuma gereksinimi de ihmal etmeyelim ve hemen uyuyalım."

Bunu yapmak üzere bir iki adım attım ve hemen geri döndüm. Belki de yorgunluktandı, ama sanki bir tehlikeyi hisseder gibi olmuştum. Vahşi bir hayvan ya da eşkıya, ne fark ederdi? Allah biliyordu ki, bu kız oradayken tüm yorgunluğuma rağmen uyumam olanaksızdı.

"Bakın hanımım. Hiç kimse benim çektiklerimi çekemez. Ölüm daha tercih edilebilir bir şeydir. Bu konuda söylenecek başka da bir söz yok."

"Ya hareminin namusunun kirletilmesi durumuna ne demeli?"

"Hiçbir şey değildir bu. Sizi hayal kırıklığına uğratmak istemem, ama yine de söylemeliyim. Bir adamın erkekliği yerindeyse, her zaman öcünü almak için bir başkasının haremine göz dikebilir. Kaç kez Selahaddin'in şişko karısının altımda solucan gibi kıvranıp, çığlıklar attığını hayal ettiğimi bilemezsiniz."

İsmihan'ın yüzünün rengini görünce sözlerimin ne kadar kaba olduğunu anladım.

"Orhan da bunun peşindeydi, değil mi?"

"Sanırım."

Sesi çok baygınlaşmıştı. "Sanırım senin başına gelenler, bir kadının tecavüze uğraması gibi bir şey."

"Hayır, hayır, hanımım. Hiç alakası yok. Bir tecavüzden sonra kadın ayağa kalkıp yoluna devam edebilir."

"Öyle mi diyorsun?"

"Benim gibi, bir yaratık haline gelmez."

"Hayır Abdullah, başıma bu felaket gelseydi söylediğin gibi yapamazdım. Eğer sen buna engel olmasaydın..."

"Pekâlâ, Sofia'ya baksana."

"Safiye başka bir şey, biliyorsun Abdullah."

"Doğrusu bundan daha gerçekçi bir laf olamaz."

"Safiye için doğru olan şeylerin tüm kadınlar için geçerli olduğunu söyleyemezsin."

"Kuşkusuz haklısınız hanımım."

"Zaman zaman, Allah'ın onu harem perdesinin ters tarafına koyduğunu düşünüyorum. Ama Allah hiç hata yapmaz, günaha girmeyeyim."

"İyi anlattınız."

"Ona tecavüz çok zor, iğdiş etmekse olanaksız."

"Çok ilginç ve tehlikeli bir karışım."

"Ama Safiye normal bir durum değil. Tek söyleyeceğim, Allah'a şükürler, eğer beni korumasaydın hayatımın bir anlamı kalmayacaktı. Senin o korkunç hadım edilme işleminden sonra istediğin gibi ben de ölmek isteyecektim."

"Ben bunu hâlâ istiyorum."

"Hayır, Abdullah. Bunu söyleme. Eğer sen ölseydin ben de ölecektim. Senin beni koruduğun gibi yeryüzünde hiçbir hadım hanımını koruyamaz."

"Bir kez hadım edilen birine daha büyük bir kötülük yapmak olanaksızdır. Beynine saplanan bir okla ölmek çok daha kolaydır."

"Ama bir düşün Abdullah, biz kadınlarda bu nasıl

oluyor. Tecavüz tamamlanmasa bile, ki bu sık sık oluyor, erkekler tarafından dışlanıp ebediyen utanç içinde yaşamak zorunda kalabiliriz. Hatta böyle bile olmasa, her gün ve her gün bunun tekrar olabileceği korkusuyla yaşamak, hem de ölene kadar... Bunun ucuna kadar gelip bundan kurtulmak bile lanetten kurtulmak anlamına gelmiyor. Ne kadar kolay incitilebileceğini bilmek hayatı zorlaştırıyor. Böyle bir saldırıya uğrayan beden, erkek bedeni, kadınları koruyarak acısına katlanabilir, tecavüzün tekrarı tehlikesi her zaman vardır. Bizim bu tehlikeye açık durumumuz, bir kereden daha fazla incitilemeyeceğini bilmekten beter bir durum değil mi? Sen, sen özgürsün."

"Özgürlük, buna öyle mi diyorsunuz?"

"Özgürsün, Allah'ın ellerinde. Allah'ın dilediği gibi, en kötüsü bitti, artık hiçbir erkek senin için tehlike değil."

"Ama izler var. Allah biliyor, izler... En basit bir hareket için bile bir kasın kımıldamasına ihtiyaç vardır."

"Bizim için için izlerin acılarını çekmediğimizi nereden biliyorsun? İnsanı takatsiz bırakan berbat izler..."

İsmihan bana arkasını döndü. Omuzlarının güzel yuvarlıklığında peçesinin ucu dalgalanıyordu.

"Belki de ne demek istediğimi anlamıyorsun Abdullah, eğer öyleyse, seni incittiğim için beni affet." Tekrar bana döndü, gözleri rüzgârda pırıldıyordu. "Esas olan şu ki, senin bir kez katlandığın acı, benim dün gece benzer acılara düşmemi engelledi. Buna minnettarım."

Homurdandım, başa çıkamayacağım laflardı bunlar...

"Ben, en azından, sana Pera'da olanlar eğer Allah'ın isteğiyle olduysa, en azından onun bu yüce cömertliği için biraz şükran duymalıyım."

"Şükran mı? Böyle bir şeyin bir köpeğe yapılmasını bile, öylece hiçbir şeye karışmadan seyreden Allah'a lanetler olsun. Özür dileyebilirsiniz ve 'biz uygar, dindar insanlarız, bunları yasaklayan yasalarımız var' diyebilirsiniz. Hâlâ bu işe izin veriyorsunuz, Pera'da gizli kapaklı olarak, Mısır'da açıkça. 'Onlar kafirdir, fark etmez' Allah için, köpek, koyun ya da kasaplık öküze bile bu yapılmamalı, dinsizmiş, Müslüman'mış, bunlar da laf değil. Böyle insanlara lanet olsun, onların Allah'ına da..."

Dine karşı çıkan bu konuşmalarım onu bir süre susturdu, dudaklarını kasmıştı, ince ve beyazdılar. Yorgunluktan onun yanı başına çöktüm, başım dizlerimin arasındaydı ve yüzümü ellerimle kapamıştım.

"Hayır Abdullah." dedi. Sesi çok hafifti, öyle hafif ki, belki de konuşmuyordu da ben, onun aklından geçenleri okuyordum. "Şu anda bile, bunun Allah'a rağmen yapılmış olduğuna hâlâ inanamıyorum. Beni çok bencil bulabilirsin ya da kaba, ama buna engel olamıyorum. Eğer Allah bunun olmasını istemeseydi, seni asla tanıyamazdım, gerçi tanışalı kısacık bir süre oldu ama, yürekten söylüyorum, bu benim için çok büyük bir kayıp olurdu."

Yükseklerde uçan sabah kuşlarının çığlık gibi bağırışlarını bile bastıracak şekilde nane yapraklarını ön dişleriyle kemirmeye devam ediyordu. Isırdıklarını çiğnemiyor, azılarına doğru göndermiyordu. Sadece ön dişleri tıkır tıkır sinir içinde çalışıyordu. Gecenin fırtınasının buharlaşması gibi, aniden böğürtlenlere saldıran arıların vızıltısı gibi, uyku topraktan titreşiyordu.

Uzun, uykulu bir zaman sonra, İsmihan rüyasında konuşur gibi mırıldandı. "Safiye'nin bunlarla bir ilgisi var mı?"

Güneşin ılıklığı altında yüzüyor gibiydim ve bir homurtudan başka cevap vermedim.

"Onu seyrettiğini görüyorum, adını nasıl söylediğinin de farkındayım. Seni bu noktalara Safiye mi getirdi Abdullah?"

Bu kez homurdanmadım bile.

"Aldırma. Belki, inşallah, bu hikâyeyi bana bir başka sefere anlatırsın." Sesi rahatlamış, uzun soluklara dönüşmüştü.

L

DERVİŞ VE ÖLÜMLE İLGİLİ rüyam beni aniden uyandırıp ayağa dikmişti. Belki garip sesler çıkarmış, hatta çığlık atmış olabilirdim. Peçesini bir kekik demetinin üstünde kendine yastık yapıp uyuyan İsmihan da gürültüme uyanmıştı.

"Abdullah, ne oldu?" diye mırıldandı.

"Bu bir şey demek. Bir şey demek."

"Nedir o?"

Hiçbir şey anlayabileceğinden emin değildim, yarı uykudaydı. "Bir süredir kafamı karıştıran bir gizem."

"Ne gizemi?"

"Hiçbir şey. Haydi uyuyun hanımım. Sizi rahatsız ettiğim için özür dilerim."

"Ben artık uyandım. Ayrıca zaten geç oldu."

"Güneş tam tepede. Biraz sonra yola çıkmalıyız. O zamana kadar dinlenin, kuvvetinizi kazanın. Sadece bir rüya gördüm, o kadar."

"Bana bunu anlatmalısın. Anlatılmayan rüya uğur getirmez. Anlatılmalı ve üzerinde konuşulmalıdır."

"Bu bir Türk geleneği mi?"

"Gelenek mi? Sadece sağduyu."

"Oh, anlıyorum."

"Hem üzerimdeki ağırlık da gider. Hangi gizemin rüyasını gördün?"

"Selahaddin'in ölümüyle ilgili bir şey."

Birden toparlanıp oturdu, yüzünde uykudan eser kalmamıştı. "Selahaddin öldü mü?"

"Evet."

"Seni köle yapan ve sakatlayan adam öldü mü?"

"Evet."

"Maşallah, bunu bana daha önce söylemedin."

"Söylemedim."

"Maşallah. Nasıl oldu bu?"

"Cinayet."

"Abdullah, sen mi?"

Yüzündeki dehşet beni güldürmüştü. "Hayır hanımım, rahatlayın."

"Haydutlara neler yaptığını gördüm, bunu yapabileceğini biliyorum."

"Kesinlikle onun gebermesini istiyordum, her an kendi ellerimle bunu yapmayı hayal ediyordum."

"Maşallah. Allah seni bu şeytani düşünceden kurtarmış."

"Başlangıçta, tabii ki bunu düşünemeyecek kadar zayıftım. Sonra bir parça kendime gelince, bunu nasıl yapabilirim, diye fırsat aramaya başladım. Ama Selahaddin kurnazdı, hem de çok. Genellikle benim yanıma karısını yolluyordu ve benden uzak durmaya dikkat ediyordu.

Korkak... Allah'ın belası korkak, bir kadının arkasına saklanıyordu. Bıçağım yoktu. Bana bol bol tatlı ve sütlü yiyecekler veriyorlardı, güya bunları yiyen hadımlar yumuşak başlı olurmuş. Arada sırada da bir parça et, ama çok seyrek. Pahalı olduğu için. Bir de küçücük parçalar halinde veriliyordu bu et. Kendileri parçalıyorlardı."

"Et yemeden iyileşmen bir mucize", dedi İsmihan.

"Eğer bir bıçak verselerdi, kadına saldırıp intikamımı alabilirim, diye korkuyorlardı, bu yüzden bıçak yoktu ortalarda."

"Hiç kaçmayı denedin mi?"

Benim kahramanlıklarım konusunda bir hayli abartılmış fikirleri olan hanımıma bakıp gülümsedim. "Evet, düşündüm. Ama Pera'yı bilirsiniz. Tam onun merkezin de tutuluyordum."

"Senin memleketlilerinin mahallesi."

"Evet."

"Onlara sığınabilirdin."

"Öyle mi dersiniz? Peki, Venedik'te beni nasıl bir yaşam bekleyecekti? İçimdeki öfke ve acı sesime yansıyordu.

"Sizin kadınların hadımları yok mu?" Venedikli kadınlara benden daha çok acıyor gibiydi.

"Tabii ki yok," diye cevap verdim. Biz barbar değiliz, diyordum az daha, ama sonra durumu tekrar düşündüm ve kabalığımla kalbini kırmak istemediğim için sözlerimi yumuşattım. "Yalnızca birkaç, şarkı söyleyebilen hadım dışında."

"Yalnızca şarkı söyletmek için mi hadım ediyorlar?"

"Saçma ve aptalca, öyle değil mi? Ben şarkı söyleyemem, hayatım boyunca iyi bir sesim olmadı. Zaten böyle bir utancı taşıyamazdım. Pazar yerinde rastladığım iki Venedikli'yi size anlatmıştım, beni görünce nasıl davrandıklarını da... Düşündükçe Selahaddin'in benim için ne kadar güvenli bir kafes yapmış olduğunu daha iyi anlıyordum. Bana geriye dönmemi gerektirecek en ufak bir hayat parçası bırakmamıştı."

"Anlıyorum. Ama şu cinayet, Abdullah. Onu anlatsana."

"Şimdi ona geliyorum. Söylediğim gibi, kendimi öldürmeye karar vermiştim, bu şekilde yaptıklarının cezasını çekmese de, en azından para kazanamayacaktı benim bedenim üzerinden. Eski çarşaflardan bir ip bile yapmıştım kendimi asmak için. Ağırlığımı taşıyabilsinler, diye dua ediyordum. Yatağın altında saklıyordum bunu, cesaretimi toplayacağım anı bekliyordum. Neredeyse bunu yapacaktım."

"Bunu anlatma Abdullah, Allah'a şükür bunu yapmamışsın. Ama cinayet..."

"Onlar cesedi getirdiğinde ben planımı gerçekleştirmek üzereydim."

"Ne cesedi? Nereden getirdiler?"

"Selahaddin o gün pazar yerindeki dükkânına gitmiş. Bu, onun çoğu günler yaptığı bir şeydi. Gittiğinde Haliç'in karşı tarafında kalırdı. Karısıyla arasında ne vardı bilmiyorum, birbirine hiç uymayan bir çiftti onlar. Biri sıska, biri şişko... Sanıyorum orada Rum fahişelerle takılıyordu ya da kendi mallarıyla, bilmiyorum. Çocukları yoktu. Yaptığı işe ne kadar uyuyuyordu bu.

Yani genellikle evde kadınla ben oluyorduk. Kadın, kapının anahtarlarını belinde taşıyordu. Bana bir hadımın nasıl davranması gerektiğini öğretiyordu. Sofra servisi, işlere koşturma, kadın gözüyle alışveriş, Türkçemi zarif laflarla süslemek, arabanın perdelerini onlar girip çıkarken açıp kapamak... Her şeyi...

Ve benden bir Müslüman çıkarmaya uğraşıyordu. 'Artık sünnetsiz olmanın bir önemi kalmadı, öyle değil mi?', diyordu. 'Erkeklerin çoğu sünnetten çok korkar, bebekken sünnet edilen Yahudiler hariç. Senin gibiler, bizim aramızda çok saygı görürler. Hadımlar Kutsal Hicaz bekçiliği yapabilirler, yalnızca hadımlar. Bunları bilmiyor muydun? Kadın hacıların da rehbere ihtiyaçları vardır erkek hacılar gibi. Ve hadımlar hem helalle haramın sınırında, hem de kadınla erkeğin sınırında nöbet tutarlar, Allah'ın takdir ettiği gibi, o diğer sınırda. Eğer o sevgiyi içinde duyarsan, bakarsın bir gün sana da kısmet olur, inşallah."

İsmihan benzer kaygılarla sordu, "Senden öyle bir Müslüman yapamadı, değil mi?"

"Ne erkek ne de kadın olan; Hristiyanlığın, Müslümanlığın, Yahudiliğin ve hatta putperestliğin, hepsinin sınırında durabilir, öyle değil mi?"

"Sanırım durabilir."

"Kendine göre fena bir kadın değildi, tabii içimdeki nefretle onu hâlâ bir intikam aracı olarak görüyordum. Yemeklerde bol bol cinsel iştahı artırıcı baharatlar kullanıyordu, hatta bir hadımın yemeğinde bile. Sanıyorum bununla adamın cinsel arzularını kamçılamayı umuyordu. Dönme bir İtalyan'la evli, çocuksuz bir Türk kadını. Özenilecek bir kader değildi bu. Kocasının, benim hayatımı harcayarak kendi hayatını kazanmasından ötürü daha nazik olabilirdi. Sanırım olurdu da... Ama bir hadımla iyi ilişki kurup, ondan yararlanmayı beceremiyordu. Çünkü buna alışık değildi. Adam, karısı için değil bir hadım, elbise bile almıyordu. Ara sıra mutfakta yardıma gelen küçük Ermeni kızından başka lüksü yoktu.

Her neyse, onun bana söylediklerinden mümkün olduğunca az şey öğrenmeye gayret ettim."

"Oh, Abdullah çok açık sözlüsün."

"Selahaddin zaman zaman ev yemeği için uğruyordu ve neler yaptığımıza bakıyordu. Yatırımının bir an önce kâra dönüşmesini istiyordu. Bunda karısının da çıkarı vardı. Elbisesi geldiğimden bu yana iki kat yıpranmıştı."

"Ya adamın eve son gelişi?"

"Ölü olarak geldi. Boğazı kesilmişti. Pazarda. Onu bulan diğer köle tacirleri, cesedi bu tarafa kayıkla geçirip, evine taşımışlardı. Bahçede, alçak tahta bir masanın üzerinde, beyaz bir çarşafın altında yatıyordu. Yazdı ve hava çok sıcaktı, sinekler hemen cesedi bulmuşlardı. Kokmuştu. Yeni dul hemen yanı başındaydı. Aslında beni kendimi asmaktan alıkoyan da onun çığlıkları olmuştu. Gerçekten de feryat ediyordu. Hepimizi bıktıracak kadar keskin çığlıklar, ağıtlar..."

"Zavallı kadın."

"Evet, beni caminin imamına yolladılar, adama ölüyü yıkamak için yardım etmem gerekiyordu."

"Ettin mi?"

Başımı salladım, "Benden çarşaf istemişlerdi, eve gidip, tavana astığım bezleri aldım ve onu bunlarla yıkadım."

"Evet?"

"O sırada cesedi eve getirenin, adamın karısından saklamaya çalıştığı şeyi öğrendim. Kesilen yalnızca adamın boğazı değildi. Bacaklarının arasındaki erkekliğinden geriye koyu kırmızı bir boşluk ve mavimsi iki yuvarlak kalmıştı. Adamın ölümcül darbeyi boğazından mı, oradan mı aldığını anlamak olanaksızdı."

"Bunu intikam için yapmış olmalılar. Tanıyan biri..."

"İntikam mı, benim için, başkaları için? Bunları bilemiyordum. Önemi de yoktu. Erkekliği olmadan, çocuksuz, hatta o Çinli'nin dediği doğruysa, sonsuzluğa kavuşma ümidi bile olmadan mezarı boylamıştı. Bana yaptığı gibi..."

"Allah her şeyi dengeler."

"Çok kısa bir süre sonra, iki gün içinde dul kadın, kocasının bir yığın borcu olduğunu öğrendi, adam onun elbisesini filan düşünmeden savurmuştu parasını. O olmayınca kredi de olmuyordu. Her şeyi satmak zorunda kaldı, tabii beni de. Ancak bu şekilde, az bir parayla erkek kardeşinin evine dönebildi. Bu yüzden pazara düştüğümde fiyatım ucuzdu. Pazarlık etmeden duramayan Ali de beni Sokullu Paşa için oldukça ucuza satın aldı. Ondan sonra bir yığın yeni şey oldu, Selahaddin aklımdan bile geçmedi diyebilirim. Sadece arasıra adaletin yerini bulmuş olmasının sıcaklığını hissediyordum."

"Yanı bunu yapanı bilmiyorsun."

"Bilmiyordum. Umurumda da değildi. Bir melek. Yani bu sabaha kadar bu bana yetiyordu."

"Bu sabah ne oldu? Rüyan?"

"Evet, kısmen. Bir de, cesedi eve getiren adamın mırıldanmalarını hatırladım."

"Cinayeti işleyeni görmüşler mi?"

"Biri görmüş. Bir derviş, deyip duruyorlardı. Bir deli derviş. Bu deli adamı asla bulamadılar."

"Dervişler gözden kaybolabilirler."

"Dün gece de öyle oldu, değil mi?"

"Bir rastlantı."

"Bir rastlantıdan daha fazla."

"Yani asla bulunamadı."

"Sanırım öyle. Ama ben buldum."

"Sen mi, nasıl?"

"Bizim kaçmamıza yardım eden dervişti o. Söyledim, rastlantıdan daha fazla bir şey bu."

"Nasıl emin olabilirsin? Yüzlerce, binlerce derviş vardır. Ve bu deli değildi. Daha çok koruyucu meleğe benziyordu."

"Kesinlikle."

"Ortada birbirine benzeyen iki derviş görünmesinin bir rastlantı olup olmadığını bilemezsin. İki derviş ve bir rüya..."

"Ama biliyorum."

"Nasıl Abdullah?"

"Çünkü, adamın eksik dişinin olduğu yere bir altın diş koyarsan, onu yedirip içirip biraz şişmanlatırsan, saçını ve sakalını düzeltip tararsan, yıkayıp üzerine bir de Halepli tüccar kıyafeti giydirirsen, ortaya benim eski dostum Hüseyin çıkar."

"Sana tanıdık mı gelmişti?"

"Önce tanıdık, ama hâlâ yabancı gibiydi. Oysa şimdi, rüyamda, bundan emin oldum. Mucize bu, açıklayamam."

"O zaman bu Allah'ın isteğiydi."

"Evet, bu durumda öyle. Size katılıyorum hanımım, bu Allah'ın isteğiydi. Allah'ın izniyle, benim sevgili arkadaşım o rahat hayatını bırakıp, evsiz barksız bir derviş olmuş."

"Bana öyle geliyor ki, o senin meleğin. Abdullah, böyle bir arkadaşın olduğu için sen de kutsanmışsın."

"Evet, evet, öyleyim."

Doğrusunu söylemek gerekirse, o anda Venedik camlarının sırrı gibi şeylerin hepsini unutmuştum.

Ayağa kalktım, üzerimizdeki öğleden sonra ışığının berraklığında etrafa baktım. Sanki yeterince bakarsam dervişi, arkadaşım Hüseyin'i tekrar görebilecektim. Allah'ın isteğiyle kaybolmuştu. İçimde bir yerlere koyamadığım, giderek büyüyen şükran borcu, gözlerime onu arattırıyordu. Artık adım adım yürüyerek yolumuzu bulmaktan başka yapacak işimiz kalmamıştı, hiçbir dervişin bulunamayacağını kesinlikle biliyordum.

LI

HAYATIMDA İLK KEZ Türkler'in hamam tutkularını yürekten takdir ettim, ne kadar sıcaksa o kadar iyi oluyordu. Efendim Sokullu Paşa ve Şehzade Murad'ın karşısına temiz, karnı tok, dinlenmiş ve kolum iltihaba engel olmak için sarısabır ve kafesotuyla tedavi edilmiş olarak gelmiştim. Kendimi gerçekten yeni biri gibi hissediyordum.

Zor bir yürüyüşün ardından, akşamüstüne doğru, bize İsmihan'ın elbisesindeki tek bir inci karşılığında yatak ve peynir verip, gideceğimiz yönleri gösterecek bir keçi çobanına rastlamıştık. Bu alışverişte umduğumuzdan fazlasını almıştık. İki berbat günün sonunda, onun yönlendirmeleriyle öncü yeniçerilere rastlamıştık, onlar da bizi İnönü'ye getirmişlerdi.

Ama iyi bir banyo, hafızamızda kalın sıcak yorganlar ve kıvılcımlı mangallara duyduğumuz özlem dışındaki her şeyi yıkamıştı. Kendimi yeniden doğmuş gibi hissediyordum, sanki ölümsüzlüğün zevkine varmak gibi bir şeydi bu.

Öylesini iyi hissediyordum ki, Sokullu ve Murad'ın asık suratlarıyla şok geçirdim.

Kızlara da kendilerini toparlamaları için zaman verilmişti. Hamam, giysiler, her taraflarını ısırmış pirelere karşı ilaçlar. İsmihan'ın çarşafı ve peçesi üzerindeydi. Yıkanmışlardı tabii ama İsmihan'ın peçesinin ateşe attığı ucu yoktu. Safiye ise birilerinden edinmek zorunda kalmıştı üzerindeki çarşafı. Ve bunlar belli ki yaşlı birine aittiler, daha kırsal kesimden bir yaşlı kadına... Şehzade, ona bakmak için gözlerini kaldıramıyordu.

Safiye ve ben, İsmihan'ın nişanlısıyla olan bu ilk ve olağandışı buluşmasında iki yanında nöbetçi gibi dikiliyorduk. Ama, İnönü'de, divanda karşılaştığımız bu adamların tavrında daha da olağandışı bir durum vardı. Her ikisinin de iki yanında birer adam daha vardı. Herkesin ödünü koparabilecek bu adamların korkutuculuğu yalnızca cüsselerinden ileri gelmiyordu, adamlar aynı zamanda dilsizdiler de. Özel bir görevleri vardı, başkalarına anlatamayacakları görevleri...

Onlardan biri esneyerek dilsiz ağzının karanlığını sergilerken, Sokullu Paşa da ince uzun parmaklarıyla önündeki alçak masaya üç alet koydu. Yüzü görevinin bilincinde, ciddiydi. Herhalde Deli Orhan'ın gözünü dağlarken de aynı maskeyi takmış olmalıydı.

Aletlerden ikisi hançerdi. Üçüncüsü, ortada tam İsmihan'ın karşısında olan ise ipek bir urgandı. Osmanlı kanı asla akıtılamazdı, suç ne olursa olsun. O boğazlanmalıydı.

Kısa bir sessizlik oldu. Belki de kendimizi savunmamız bekleniyordu. Ama İsmihan bu sessizliğin ağırlığında yalnızca kafasını öne eğdi. Nişanlısının önünde utanç içindeydi. Ve haydutun ininde olanların ona ölümü hak ettirdiğine inanıyordu.

Ben de, söyleyecek bir söz bulamıyordum. Hanımım masumdu, ama ölüm onun duyduğu suçluluktan daha iyi olabilirdi. Safiye'ye gelince, onu savunmak için hiçbir şey söylenemezdi ve onu suçlamak kendimi suçlamak gibi bir şey olacaktı.

Safiye de konuşmuyordu. O sırada, belki de ta içinde bir yerlerde duyduğu suçluluğun buna neden olduğunu düşünmüştüm, ola ki utanıyordu, bu yüzden dilini tutuyordu. Şimdi ise bunun nedeninin kendini savunmak zorunda olduğunu anlamamasından olduğunu biliyorum.

Sokullu Paşa yutkundu, keskin ve sert yüzü daha sert, görevini yerine getirmek isteyen bir maskeyle yer değiştirmişti. Elini salladı. Dilsizler dizlerinin üzerinde hareketsiz kalakaldılar.

Ve Murad'ın dudaklarından bir feryad yükseldi. Solgun bir el gözlerinin önünden geçip yanaklarından dökülen yaşları sildi. Henüz kazanmış olduğu sağlıklı cildi yıkayıp götürüyordu sanki bu yaşlar.

"On gün," diye inledi. "On gün boyunca dağlarda seni aradık meleğim, güzelim ve seni nerelerde bulacağımızı bilemedik. Neler çektim..." Hıçkırdı, sonra toparlandı, "bu on gün içinde..."

Safiye'nin cevabı ne kadar da yavaştı. Sesi, ikisinin arasındaki o özel yatağı yeniden kurmak ister gibiydi. "Ama sana geri geldim şehzadem, güzelliğim, gücümle. Allah'a şükredelim ve yine birlikte olalım."

"Birlikte olmak mı? Mezarda!" diye bağırdı Şehzade. "Sensiz, aşkım. Senden sonra ben de öleceğim hemencecik, benim güzelim, benim sadakatsiz sevgilim. Benim sadakatim senin sadakatsizliğini sonsuzlukta bile kovalayacaktır."

"Ölümüm.." Safiye durumu anlamaya başlamıştı.

"Evet, evet." Murad ayağa kalkarak, "Öldürün onu," dedi dilsizlere. "Önce onu öldürün. Onun bu sadakatsizliğine bir an bile katlanamayacağım artık."

"Demek suçlanıyorum, kuşku üstüne... Ciddi bir biçimde suçlanıyorum..." Yutkundu ve savunmaya geçti, tıpkı kalkanını kaldırıp savaşmaya giden bir asker gibiydi. "Sonsuz sadakat yeminim senin için yetmiyor mu aşkım?"

Murad ilk kez ona baktı, bir âşığın her şeyin arasından görebileceğini o da tüllerin arasından görüyordu. Kaçmak istermişçesine sallandı. O vahşi emri vermek üzere başını yukarı kaldırdı. Ama sonra bunun yerine gözlerini kaçırıp, başını salladı.

"Ama on gün boyunca", dedi Safiye, " sensiz kaldığım için bana dünyanın sonu gibi gelen on gün boyunca, İsmihan ve ben, Veniero'nun, Abdullah'ın, şuradaki hadımın müthiş koruması altındaydık."

Baffo'nun kızını korumak için tek bir söz bile söylemeye niyetim yoktu. Ama şimdi sorumluluğu bana atıyordu ve ölümün eşiğinde bunu yüklenmeye hiç niyetim olmasa da bir şeyler söylemek zorundaydım. Peçenin arasından bile fark edilen şeytani ve baştan çıkarıcı bir güzellik, gözlerini üzerime dikmiş dilsizler... Masumiyetimi ancak öbür dünyada kanıtlayabilirdim. Evet, yine de bir şeyler söylemek zorundaydım.

"İnönü hamamlarına şükürler olsun," dedim. "Böyle bir durumda gerçeği bulabilmek yolunda bir anımı hatırladım orada. Erkeklerle dolu bir hamamda dolaştırılan kadının masumiyetinin ya da suçluluğunun kolayca ortaya çıkarılması âdetini..."

Sofia Baffo'ya baktım, peçesini çok hafif bir şekilde benim bakışımı görebilmek için aralamıştı. İnce ipeğin arkasından görünen gözleri badem gibiydi. Hemen başka bir tarafa döndüm.

"Suçluların utancı orada ortaya çıkar."

Baffo'nun kızının, "Gel, tomurcuklanan koruya gel" şarkısıyla dans edermiş gibi yürüyüşünün, erkeklerle dolu bir hamamda, eteklerini o utanmaz başına dolayacak kadar büyük bir rüzgâr estireceği kesindi.

İsmihan'ın etekleri için bir ümit besleyebilirdim. Âdetlere inanıyordu ve bunu canı gönülden yapmak isteyecekti. Karnımda keskin bir ağrıyla öyle olması için dua ettim. Ne kendi hayatım, ne de Baffo'nun kızının hayatı umurumdaydı. Uğrunda mücadele verdiğim, hanımımın hayatı ve onuruydu. Israr ettim, "Efendilerimiz bu âdeti duymuşlardır belki de."

Efendimin yüzünden okuyordum. Böyle batıl inançları yoktu, ama adaletin kesinlikle uygulanmasını isterdi. Ve eğer mümkünse, suçlanan kişinin masumiyetini kanıtlayabileceği bir ortamın sağlanmasından yanaydı. Yüzünde bir şükran ifadesi de vardı. Benim hızlı düşünmemden hoşnuttu, çünkü bu, hoşuna gitmeyen bir işi yapmasını erteletiyordu.

Murad aniden, "Bu bir yaşlı kadın hurafesi," diye bağırdı. "Yalnızca aptal kadınlar ve hadımlar böyle şeylere inanırlar."

Sofia Baffo ile Şehzadesinin arasında neler geçtiğini bilmiyordum. Belki de Baffo'nun kızı erkekler hamamındaki rüzgâra daha fazla inanıyordu. Böyle düşünmek hoşuma gidiyordu, ama bu hoşa gitmenin bir anlamı kalmamıştı çünkü talebim geri çevrilmişti.

Murad öfkeyle, "Bu hadıma güvenmiyorum," diye kükredi. "Hem de başından beri. Kütahya'daki mabeynde onu ilk gece öldürmeliydim."

Bu sözlerin kendisine de dokunduğunu düşünen efendim kendini kontrol etme gayreti içindeydi. Ne de olsa ben onun sorumluluğundaydım. Bana yönelik duran hançere şöyle bir dokundu.

Murad devam etti, "Ayrıca... Bir düzine eşkıyaya karşı bir hadım... On gün boyunca... Şerefsiz, intikam ateşiyle yanan haydutlar... Bir dev bile olsa, bu Abdullah'ın yapabileceği bir şey değil."

Haydi hepimizi öldürt, diye düşündüm. Altı aydır zaten hep ölmeyi düşünmüştüm, daha fazla gecikmesini istemiyordum. Kendine erkek diyen bir sersemin suratıma daha fazla hakaret yağdırmasını dinlemekten çok daha iyiydi bu.

Ödünç aldığı çarşafların arasından Safiye dudaklarını ıslattı. Bu görünmez bir hareketti ama, onunla yatakların tılsımıyla kenetlenmiş biri için daha da bağlayıcıydı.

"Yeminlerime inanmıyorsun," dedi. Bunu söylerken büzülen dudaklarının ıslaklığını insan hissedebiliyordu. "Şu zavallı vücudum da seni inandıramaz. Çünkü, Allah şahidimdir, o mübarek bayram gecesi memnuniyetle, severek sana adamıştım onu."

Murad midesine bir yumruk yemiş gibi bu anıyla çarpılmıştı.

"Bir güvercinin yuvasına dönmek istediği gibi o da tekrar sana kavuşmak istiyor. Ama bu beden sana masumiyetini kanıtlayamaz." Durdu. "Oysa İsmihan'ın bedeni bunu kanıtlayabilir." Sözlerinin anlamını vurgulamak için tekrar sustu.

Sonra devam etti: "Şehzadem, kız kardeşin ve ben bu zor günleri birlikte yaşadık. Bunun bedelini de Allah'ın izniyle birlikte ödeyeceğiz, alnımız ak yüzümüz pak. Benim sadakatimi de İsmihan'ınki kanıtlayacaktır. Lütfen. Planlandığı gibi onu muhterem Paşa'yla evlendir. Bekâretini kanıtlamasına izin ver. Kendimin ve onun şerefi üzerine yemin ediyorum, bunun kanıtlarını göreceksin. Ve söylediklerimin ne kadar doğru olduğu da böylelikle ortaya çıkacak.

Eğer zifaf yatağı kanlanmazsa, tamam, evet, bizi öldürmek için her hakka sahip olursun. Üçümüzü de... Ama bekâretinin işaretleri sana geldiğinde koruyucumuz Abdullah'ın kolundaki yarayı nasıl aldığını da anlayacaksın. O kendi vücudunu bizi kirletmek isteyenlere karşı siper etti. Ve anlayacaksın ki, onun fedakârlığı ve yüce Allah'ın yardımıyla bizim için düşündüğün kötü şeyler olmadı. Bizden utanmayacaksın, biz de o karabasan gibi on gün boyunca çektiğimiz acının katbekat fazlası bir mutluluğa kavuşacağız."

Murad onun sözleriyle neredeyse sarhoş olmuş gibi kalakaldı. Yüzüne renk gelmişti, sakalı bile daha kızıl gibi görünüyordu. İçinden mutlaka bir an önce odadan fırlayıp Safiye'ye sarılmak geçiyordu. Ama yalnız değildiler, Sokullu Paşa'ya döndü.

Efendim, Safiye'nin konuşması boyunca gözlerini benden ayırmadan sakin bir kararlılık içinde oturmuştu. Gözlerinde en iyi yeniçerilerinin bile böyle bir başarıyı elde edip edemeyeceklerine dair kuşkular vardı. Bu bakışların altında kendimi doğrusu iyi hissediyordum. Bana karşı böyle bir güvenin gösterilmesinden gurur duyuyordum.

Ama birden gözlerimi onunkilerden kaçırıdım. Aptalca düşünmüştüm. Tabii ki bana bakacaktı, çarşaf ve peçe içinde de olsa İsmihan'a bakamazdı.

Sokullu Paşa, "Pekâlâ," dedi. "Madem ki bu deneyi Şehzademiz istiyorlar, ben de memnuniyetle buna uyarım."

Elini sallayarak dilsizleri dışarı yolladı.

LII

SULTAN SÜLEYMAN'IN İstanbul'daki saraydan nasıl gelin çıkardığına dair pek çok şey duymuştum. Bu olaya eşlik eden bir yığın şenlik yapılıyormuş. Vezirler, gelinin çıkacağı bina gibi altın kumaşlara sarınmış atının önünde yürüyebilmek için birbirleriyle yarışıyorlarmış. Pazar yerindeki adamlardan değişik zamanlarda duyduğum şeyler belki de eski günlere duyulan bir özlemle abartılmış da olabilirdi. Herkes bir şeyler daha ekleyerek gelin alayı konusunu süslemiş de süslemişti.

Bana gelince, İnönü'de o anlatımlara uygun bir gösteriş göremiyordum, ama bir düğünle ilgili olarak yapılması gereken bütün kural ve âdetler yerine getirilmişti. İnönü'nün zenginleri ellerinden geleni yapmışlardı, Sokullu da onlara yardımcı olmuştu. Paşa ve İsmihan'ın düğünleri, Sultan tarafından sarayda yapılsa mutlaka çok daha görkemli olacaktı, buradaki olanaklar İstanbul'dakilerle kıyaslanamazdı bile. İstanbul'da haftalarca planlanıp yapılacak işler yarım günde halledilmişti. Düğünün yapılacağı valinin evi; Saray, Sokullu'nun konağı ve ikisinin arasındaki bin bir eğlencenin yer alacağı geniş bahçeler ve hipodromla karşılaştırıldığında bir dolap kadar küçüktü.

Yine de böylesi daha iyiydi. Eğer bir terslik olursa bunun utancından kurtulmak burada daha kolaydı.

Tabii ki bana bir düğünü hatırlatacak şeyler yoktu. Büyük kanalda dolaşan gümüşler ve çiçekle süslü gondollar da yoktu, San Marko'da gelin ve nedimelerinin etrafında toplanmış kalabalık da. "Ve sonsuza kadar mutlu bir şekilde yaşadılar." cümlesine uyacak hiçbir şey yoktu.

İsmihan da ortada yoktu. Eğer bir erkek yakını yoksa gelin, törene hadımını yollayabiliyordu. Ama hanımımın ağabeyi yanındaydı ve Murad tören sırasında, atlaslara bürünmüş olarak, başında tavus kuşu tüyle süslü mavi ipek sarığı imamın karşısında Sokullu'nun yanında durdu.

Bir hadım olmama karşın ben bile, kadınların bu arada kendi aralarında neler yaptıklarını bilmiyordum. Haremin kapısında, kollarımı çaprazlamış, belimde yeni tören hançerim nöbet tutuyordum. Arasıra da telaşla bir yerlere koşturup gidiyordum: "Biraz daha kına", "Hadım, yatağı süslemek için biraz daha kumaş", "Ne, lokmanın tümü erkeklere mi gitmiş? Çabuk bize de bir tepsi üstat."

Ama Venedik'teki gibi burada da müzik vardı. Sokullu'nun yeniçeri bölüğünün de yardımıyla İnönü eşrafı bir topluluk kurabilmişti. Aletlerin büyük bir bölümü vurmalıydı ve sürekli marşa benzer şeyler çalıyorlardı. İyiniyet ve gayretle çalınan bu müzikle, formalitelerin doruğuna çıktığı eski ev çivilerinden oynuyor gibiydi. Binada hatta komşu binalarda, bu ritme kendini kaptırıp uygun adım yürümeyen tek bir kişi bile yoktu. Yerel şarkıcılar müziğe düğün şarkılarını uydurmaya çalışıyorlardı, ama ortaya çıkan daha çok bir savaş havası oluyordu. Açıkçası gelinin ve özellikle de damadın bu tuhaf atmosferde rahatlayabilmesi olanaksız görünüyordu.

Davulun gergin derisinde hiç durmadan patlayan tokmağın çıkardığı kuvvetli seslerle titreşen tavandan tepemize toz yağıyordu. Ama bunun çaresi yoktu. Aslında aklım tavan kirişleriyle zemin tahtalarından çok, uğruna bu tantananın yapıldığı ve artık Sokullu Paşa'nın ellerinde olan düğün yatağındaydı. Allah'ın yardımıyla hanımım beni haklı çıkaracaktı.

Şehzade Murad'ın annesi, kız kardeşleri ve diğer çalışanlar, eşkıyanın saldırısından hemen sonra başlarına bir şey gelmemesi için İstanbul'a yollanmışlardı. Onların sakinleştirici etkisinden uzak kalan Murad sinir içindeydi. Sinirini benimkinden daha beter hale getiren, benim bilemediğim bir şey vardı belki de.

Ev sahipliği yaparak ilgilenmesi gereken insanların arasında, gergin bir şekilde, bir ileri bir geri yürüyüp duruyordu. Davullar yüreğinde çalıyordu sanki. Patlamaya hazırdı ve oranın yerlileri, nedenleri tam da anlamadan, şehzadelerinin, kız kardeşinin namusuna sahip çıktığını düşünerek, asil kanın gazabından korka korka dikiliyorlardı.

Muhterem bir yaşlı adam yanına yaklaştı ve onu sakinleştirmek için:

"Sabırlı olun şehzadem," dedi. "Yüzde doksan dokuz her şey yolundadır, Allah'ın yardımıyla. Ve Osmanlı soyuna Asya'nın, Avrupa'nın, Afrika'nın savaş alanlarında yardımcı olan yüce Allah, gerdek gibi küçücük bir alanda arkasını dönmeyecektir."

Murad, "Ama neden bu kadar uzun sürüyor?" diye patladı.

"Şehzade hazretleri, aşkın tecellisi belli bir yaştan sonra, sizin gibi gençlerdekinden daha uzun zaman alır."

"Bu Sokullu Paşa beni mezara sokacak. Büyükbabam ona bayılır, herhalde ikisi de çok yaşlı ve titrek olduğu için."

"Ayıp oğlum", diyen adam, Sultan'ın ve Paşa'nın ruhlarını kötülüklerden korumak için bir yığın cümle sıraladıktan sonra, "Sokullu mükemmel bir adamdır. Belki bir gencin aceleciliğine sahip değildir, ama bunun yerine kararlılık, güç ve çelik gibi bir irade koymuştur, yaşlılık değil. Eğer yavaş hareket ediyorsa, bu, onun bâkire olduğunu bildiği içindir. Hiç kimse Osmanlı kanını rastgele akıtmaz."

Yaşlı gözkapaklarının altındaki küçük gözler yaramaz yaramaz pırıldadı, ama Murad aldırmadan sabırsızca uzaklaştı. İki adımda gerdeğe giden merdivenlerin başına gitti, oradan sağa on adım attı, salonun en ucundaydı, sonra aynı aceleyle geri geldi. Kafasını titretti ve dinledi. Kızıl sakalıyla, kapatıldığı kafeste ormanı hatırlayan bir hayvana benziyordu. Davulların gürültüsü arasında sanki bir şey duyabilecekmiş gibi dinliyordu. Daha şimdiden İstanbul'a giden yolu balçığa çevirmiş yağmuru bile duyamıyordu, ama yukardaki odada alınan nefesleri duymak istiyordu.

Birden yeniçeri davullarının arasından bir ses duyuldu. Arkamızdaki haremden yükselen neşeli kadın çığlıklarıydı bunlar.

Murad olanları görebilmek için önündekileri itti. Görevi böyle durumlara şahit olmak olan yaşlı bir kadın, merdivenlerden aşağı Kuran'dan sureler okuyarak iniyordu. Murad, bunun Peygamber'in karısının onuruyla oynayan kötü yüreklilere verilen cevapla ilgili olup olmadığını anlamak için dikkat kesilmişti. Çölde bir gece yabancı bir genç adamla kaybolmasının ardından Tanrı o kadını korumuştu: "İki cinsin de sadık olanları .....demedi mi.... bu açıkça bir yalan....."

İhtiyar kadının parmakları arasında bir çadır gibi tuttuğu şeye şöyle bir baktı, bu kız kardeşinin kanlı şalvarıydı. Acelesinden koşarken neredeyse bana çarpacaktı, durdu ve gözlerime baktı. Hiçbir şey söylemedi, küçücük bir an gözkapaklarını indirdi. Bir Osmanlı şehzadesi birine borçluluk duyarak, onun önünde ancak bu kadar eğilebilirdi. Sonra üç hamlede merdivenleri tırmanıp, kendisini mabeynde bekleyen sevgili gözdesine gitti.

Davullar bir zafer marşı çalmaya başlamıştı. İhtiyar kadın ve taşıdığı şalvar gururla ortada dolaştırılıyordu, sanki orada bulunan her erkeğin şahsi zaferi kutlanıyordu.

Onların yolundan çekilip yukarı çıktım. Balkondan bir süre daha şenlikleri izledim. Serin bir akşam rüzgârı sırtımı okşuyordu. Artık yatmak üzere geri döndüm ve gördüğüm şeyle şaşkınlık içinde kalakaldım. Yanı başımda, bir gölge gibi, efendim Sokullu duruyordu.

Önünde eğildim, "Tebriklerimi lütfen kabul buyurunuz efendimiz," dedim.

"Sağol Abdullah." Damatlık kıyafetinin altında bir şey kımıldanıyordu. "Bir dakika," dedi.

Utanmış bir şekilde başımı çevirdim. Karanlık gece, tıpkı Foscariler'in malikânesinden Büyük Kanal'a baktığım, o eski zamanlardaki kadar güzeldi. Benim asla sahip olamayacağım bir şeye az önce kavuştuğu için engel olamadığım bir kıskançlık rüzgârı şöyle bir yaladı içimi.

Birden garip bir sesle irkildim. Gecenin karanlığına siyah tüyler saçılıyordu. Efendimin bıraktığı iğdiş besi horozu, karanlıkta bir yandan zamansız ve beceriksizce ötüyor, bir yandan da bozulan tüylerini silkinerek toparlamaya çalışıyordu.

"Efendimiz," dedim. Gülmeme engel olamıyordum.

Atmacanınkine benzeyen burnunun üzerindeki bir gözü seyirdi. "Onu hanımının odasına yanımda götürdüm. Bir aksilik olur da..."

"Onu öldürecek miydiniz?"

"Boğazını kesip, kanını onun kanı diye gösterecektim."

"Bunu yapacak mıydınız? Beni korumak için?"

"Senden hiç kuşku duymadım Abdullah. Hanımından da. Yalnızca Murad'ın gözdesi, o başka... Ama şehzadelerin gözdelerine ne yapılabilir ki? Onlar, geride kalan bizler için hayatı zorlaştırıyorlar, öyle değil mi?" Derin bir nefes aldı. "Aslında korumak istediğim belki de kendi varlığımdı. Benim eksikliklerim yüzünden ikinizin acı çekmesini istemem."

Ne söylemek istediğinden tam olarak emin değildim ama daha fazlasını merak edecek bir pozisyonda olmadığımdan emindim.

"İğdiş horoz özgür efendimiz. Tekrar tebriklerimi kabul buyurunuz lütfen," dedim.

"Kutlanmayı daha çok hak eden sensin. Adamlarımdan bir kısmı senin tarifin üzerine o dağa tırmanıp, vadideki geçidi ve eşkıyanın inini buldu. Yanlarında yarı deli bir ihtiyar kadınla döndüler, sanırım onun da tedavi edilmesi gerekecek. Daha fazla vakıf kurmamız gerekiyor."

"Allah'ın izniyle," diye mırıldandım. Düğün gecesi coşkusunda bir damada hiç mi hiç benzemiyordu.

"Evet, ama bunlardan daha önemlisi... Adamlarım kulübede gördüklerini bana anlattılar. Feci şekilde öldürülmüş yedi haydut bulmuşlar, cesetler çoktan kokmuş."

Onun bakışlarının altında kızarmıştım.

"İnanın bana efendimiz, onların çoğunu öldüren ben değilim.. Başka biri daha vardı, bir derviş..."

"Bir derviş?"

"Evet, çoğunu o öldürdü. Ben doğrusu yalnızca ona yardımcı oldum denebilir. "

"Ne çeşit bir dervişti bu? Neye benziyordu?"

"İşın aslı, eski bir dostuma benziyordu, ama belki de yalnızca hayal gördüm. Hayır, bunu kesin olarak söyleyemem."

"Öyledir. Dervişlerle ilgili bir şeyler söylemek zordur. Çoğu birbirine benzer. Tanrı'da kaybolmanın yarattığı bir benzerlik, adsızlık bu."

"Evet, efendimiz."

"Ve onlar tıpkı gölge gibidirler, yakalayamazsın. Bu gizemli değişimi değerlendirmekte sabırsız davranma. Abdullah, sana teşekkür ederim. Üzerimde torunumun ağırlığıyla, efendimin, Sultan'ın yüzüne asla bakamazdım. Gönülden teşekkür ediyorum sana."

Koluma öyle bir dokundu ki, sanki onun korkusunu hissedebiliyordum. "Sana duyduğum güveni boşa çıkartmadığı için yüce Allah'a da şükrediyorum."

Sözlerinden konuşmanın sona erdiğini anlamıştım. Çekilmek üzere eğilebildiğim ve efendimin anlamını tam olarak çözemediğim bakışlarından kaçabildiğim için memnundum. Bir şey mi istiyordu, bir şey mi sunuyordu?

Bu dalgınlıkla, izin almadan kapıya doğru bir adım atmıştım. Sokullu Paşa bunu telafi edecek bir tonda, çabuk çabuk, "Evet, gidebilirsin Abdullah. Git uyu. Bunu çoktan hak ettin," dedi.

"İyi geceler efendimiz."

"İyi geceler Abdullah."

Odadan çıkmadan önce ona tekrar baktım, ensesinde kahverengimsi bir kırmızılık vardı. Bu kan mıydı? Yoksa, hanımımın ellerine acele yüzünden yeterince işleyemeyen kınanın bıraktığı izler mi?

Paşa'yı çok da fazla ilgilenmediği ve kesinlikle kendine paye çıkarmadığı zaferinin kutlamalarını tepeden izlerken yalnız bıraktım. O gece, zaferini bir kez daha tekrarlamak için gerdek odasına geri gitmeyecekti.

– SON –

Ann Chamberlin'in Osmanlı İmparatorluğu'nu, haremin kalın duvarlarının arkasından yöneten kadınları ve hadımları ustaca anlattığı üçlemenin ikinci kitabı, "YA İPEK URGAN, YA GÜMÜŞ HANÇER –The Sultan's Daughter–" yakında kitapçılarda...

İkinci kitaptan...

Bir önceki eğlenceli gecenin mahmurluğu içindeydi harem. Birden çinili duvarlarda Azize ve Belkıs'ın telaşlı sesleri yankılandı. Şehzade Murad tarafından reddedildiklerinden beri ortak bir kaderin paylaşımı içinde, birbirinden hiç ayrılmayan bu güzel ikili, korkuyla bir sağa, bir sola koşturup duruyorlardı. Herkes şaşkınlıktan mıhlanıp kalmıştı.

Tozlu yollarda uzun ve sıkıcı bir yolculuğun yerine, keyifli bir deniz gezisine çıkacak olmanın neşesi içindeki Nur Banu, hizmetkârlarıyla kıyafetlerini gözden geçirdiği köşeden gürültüyü duymuştu.

"Hayırdır inşallah, ne oluyor?" dedi.

Kızlar, heyecan içinde birbirlerinin sözlerini ve hatta ayaklarını çiğneyerek yanına geldiler.

"Onu gördük."

"Kafasını."

"Koca bir çivinin ucundaydı."

"Allah bizi korusun."

"Ölmüş."

"Görünce tahmin ettik."

"Hadımı yolladık."

"Onlar da doğru olduğunu söylediler."

"Cellat çeşmesinde..."

"Ölmüş."

Kızların karmakarışık konuşmasından pek bir şey anlamayan Nur Banu, bu son sözle irkildi.

"Ölmüş mü? Kendinize gelin kızlar, kim ölmüş?"

Safiye sakin bir biçimde elindeki aynayı kucağına koydu. Aşk yatağında dağılan saçları altın lülelerle dökülüyordu omuzlarından. Kızları değil de, korkuyla yüzü yeşile dönen kadını izliyordu. Nur Banu'nun sorusuna aldığı cevaptan tek duyduğu, oğlunun babasının adı olmuştu: Selim.

"Selim? Allahım... Mahvoldum."

Neredeyse bayılmak üzereydi.

"Oh, hayır."

"Selim değil hanımım."

"Allah korusun."

"Selim yaşıyor."

"Yüce Allahım."

"Ama Lütfü Efendi..."

"Efendimizin arkadaşı Lütfü Efendi..."

"Lütfü Efendi ölmüş..."

"İdam edilmiş."

"Çeşmenin yanında."

"Suçu?" Nur Banu'nun yüzü hâlâ soluktu ve sesi titriyordu.

"Sarhoşluk," diye geveledi Belkıs.

"Oh, hanımım..."

"Herkes biliyor."

"Sultanımız da..."

"Lütfü Efendi çok içiyordu."

"Dün gece de efendimizle birlikte sabaha kadar içmiş."

"Sarayda."

"Manisa tayinini kutluyorlarmış."

"Lütfü Efendi yakalanmış."

"Evine dönerken..."

"Ölesiye sarhoşmuş..."

"Sultan da cezasını vermiş..."

"Kellesi uçmuş..."

"Belki de buna şükretmek gerek."

Nur Banu kendini kontrol etmeye çalışarak sordu.

"Selim? Efendim Selim nasıl?"

"O yaşıyor."

"Allah onu korusun."

"Kadınların dünyasından bunu söylemek zor."

"Ama hadımlar da böyle diyorlar."

Bir köşede kendi özgün tavır ve bakışlarıyla hadımlar söylenenleri onayladılar, ama Nur Banu emin olabilmek için içlerinden birini yine de hemen mabeyne yolladı.

Belkıs sözlerine devam etti: "Bu idam aslında bir uyarı..."

"Efendimiz Selim'e..."

"Sultanımız oğlunun kötü alışkanlıklarından bıkmış vaziyette."

"Düzelmesi için bir uyarı bu."

"Düzelmek zorunda da..." dedi Nur Banu. "Düzelmeli." Sinirden titreyen sesiyle sürdürdü konuşmasını: "Ona yeni bir kız bulacağım. En güzel kızı. Ya da bir oğlan, eğer böylesi daha hoşuna gidiyorsa..."

Safiye, salonun öbür ucunda bir çift yeşil gözün içinden kuşku ve kaygı yüklü bir pırıltının hızla gelip geçtiğini hissedebiliyordu. Bu, onun Gazanfer'iydi. Hadımının geçmişindeki sırrı haremde tek bilen Safiye'ydi.

"Allah her şeyi bilir, Allah her şeyi görür. Sakin olalım kızlar."

Nur Banu, hadımlara yeni emirler vermeye başladı. Azize ve Belkıs birbirlerine sarılarak, yorgunluk içinde minderlere çöktüler. Hareme yeni katılmış kızlardan birinin sesi duyuldu: "Bu, deniz yolculuğuna çıkamayacağımız anlamına mı geliyor hanımım?"

Öylesine büyük bir sessizlik oldu ki, kız bile kendisinin ne denli aptalca bir soru sorduğunu anlamıştı.

Safiye, Azize ve Belkıs'ın nasıl bakıştıklarını görünce, berbat görevin hangisine verildiğini anladı. Bu Azize'ydi. Zavallı kız dudaklarını kanatırcasına ısırıp duruyordu.

Ve sonunda konuştu: "Hanımım..."

"Evet Azize?" Nur Banu sabırsız bir ifadeyle bekliyordu.

"Hanımım, Sultanımız başka bir şey daha açıklamış."

"Neyi?"

Azize soluklandı. "Sultanımız karar vermiş..." Kız devam edemeyecekti. Sözü Belkıs aldı: "Manisa sancağı efendimiz Selim'e verilmeyecekmiş. Sultanımız bu görevi onun yerine torunu Murad'a vermiş."

Safiye kısa bir an Nur Banu'nun kara gözlerinin onu parçalayacakmış gibi üzerine dikildiğini gördü. Aldırmaz bir tavırla gümüş aynasını kaldırıp kendine baktı. Yüzünde garip bir gülüş şöyle bir dolaştı.

...Ve olan oldu. Harem çılgın bir öfkenin patlamasıyla doluverdi birden.

"Defol! Yıkıl karşımdan! Gözüm bu kadını görmesin, atın dışarı onu! Defol!"

Nur Banu çıldırmış gibi avaz avaz bağırıyordu. Eline ne geçerse fırlatmaya başladı. Safiye ise kapıdan dışarı çıkarken hiç de korkmuşa benzemiyordu.

Gazanfer'in onu izleyen gölgesinin güvenliği içinde, uzun koridorlarda kendinden emin, zaferinden hoşnut uzaklaştı...

...